機付長
864
注意

空飛ぶ広報室　もくじ

1. 勇猛果敢・支離滅裂　9
2. はじめてのきかくしょ　101
3. 夏の日のフェスタ　165
4. 要の人々　227
5. 神風、のち、逆風　289
6. 空飛ぶ広報室　349

あの日の松島　423
あとがき　460

＊

航空自衛隊の戦闘機《ファイター》パイロットは戦闘飛行隊《TAC》で使う愛称としてタックネームをそれぞれ持っている。無線などで呼び合うためのニックネームだ。基本的には自己申告制なので趣向を凝らした名前を各自が新人の頃に考える。

だが、申告したタックネームが周囲の支持を得られない場合は、周囲の先輩や飛行隊長の一存で名付けられてしまうこともある。特に、新人の分際であまり格好をつけたタックネームを申告すると却下される可能性が高い。

だから、ミーティング後の雑談でそのタックネームを申告したとき、彼は内心冷や汗をかいていた。

「『スカイ』がいいんですけど……」

もちろん空のスカイだ。

聞いた周囲はううんと唸《うな》った。やっぱりカッコよすぎたか、と内心は更に冷や汗。

「お前だったら仕方ないかな」

ちょっとカッコよすぎるけどな、と付け加えつつも結局反対はなく、飛行隊長も承認した。

「ありがとうございます！　スカイのタックネームでブルーインパルスに入るのが子供の頃からの夢だったんです！」

「ブルーに選抜されるのはまだまだだぞ、ひよっこ」

飛行隊長が笑い、先輩たちにも「お前が入るより俺のほうが先だ」と小突かれた。

ブルーインパルスは全国の飛行隊から選ばれた精鋭集団である。ようやく戦闘機パイロットとしての第一歩を踏み出した若造にとっては遥か彼方《かなた》の目標だ。

だが、そこを目指せる立場は手に入れた。戦闘機パイロットになれなければブルーインパルスを目指すことさえ出来ないのである。

子供の頃から絶対これだと決めていたスカイのタックネームも手に入れた。ブルーへの道程《みちのり》は長く険しくはあっても、彼にとって決して踏破できないものではなかった。

それから五年――順調に二尉の階級にたどり着いた二十八歳の春。彼のたどるべき道は、突如として断たれた。


彼には何ら落ち度のない事故だった。

歩道で信号待ちをしていたところへ、大型トラックが突っ込んできたのである。信号が変わる間際に無理な右折をしようと高速で交差点に進入し、コントロールを失ってそのままのスピードで歩道に乗り上げたのだ。

彼のほかにも信号待ちをしていた総勢十数人を撥《は》ね飛ばし、そのまま逃走した大型トラックは、大規模ひき逃げ事件としてその日のローカルニュースのトップを飾った。

被害者は重傷一名、軽傷八名。事故の規模から考えれば、奇跡としか表現のしようがない被害であった。その重傷者も負傷は右足の骨折だけで命に別状はない。幸運と呼ぶべきだろう。

その重傷者が彼でさえなければ。

＊

防衛省の正門をくぐってすぐのドーム型エスカレーターを上がると、街の喧噪が一気に遠のく。正門前の靖国《やすくに》通りからは直線距離で数十mほどしか離れていないが、車の行き交う音はほとんど聞こえない。

エスカレーターを降りたところは広場になっており、人々は建ち並ぶ巨大な庁舎のそれぞれへ迷いなく歩いていく。広場には歩道が敷いてあるわけではないが、自然と各入口への最短距離に緩やかな動線が発生する。

空井《そらい》大祐《だいすけ》二尉がたどったのは庁舎A棟の通用口へ向かう動線だ。

静かだなぁ、と意識しないままに呟《つぶや》きが漏れた。

市ヶ谷に転勤してから二週間ほどが経つが、この静まった空気には未だに慣れない。ここまで巨大な組織になると行き交う職員同士は見知らぬ同士がほとんどで、言葉を交わすこともない。何となく目礼はするものの関係者なのだか訪問客なのだか。首に立ち入り許可のパスがかかっているのが見えたら訪問客と分かる程度である。もっとも出勤時間なので今はあまり訪問客は多くないだろう。

起床から隊舎で同僚と起き抜けの顔を突き合わせ、そのまま連れ立って朝飯、出勤となることも珍しくなかった基地とは風土が随分違う。

何よりも違うのは――空井はちらりと花曇りの空を見上げた。

庁舎群を縁取りにして高く抜けた空はしんと静まり返っている。

ひっきりなしに戦闘機やら汎用機やら何らかの航空機が離着陸していた古巣の築城と比べると、輸送ヘリの離発着がたまにある程度の市ヶ谷の空は素っ気ないほど静かだった。


空井の勤務先は庁舎A棟十九階、航空幕僚監部広報室である。

赴任したとき、直属の上司となる広報班長から「空自の広報官としてぴったりな名前だな」と言われたが、スカイのタックネームをもらった最初の飛行隊でも「パイロットにならなくて一体どうするって感じの名前だな」と周りに笑われた。

要するに空自ならどこでも似合いの苗字である。

広報室に入る前に一度ロッカールームに寄らねばならない。着てきたスーツを制服に着替えるためだ。基地では近郊を制服で出歩くことなど珍しくなかったし、営外の家族官舎から制服通勤する者もいたくらいだが、東京の通勤電車で自衛官の制服はかなりの異彩を放つ。

地元の生活に自衛隊がある程度溶け込んでいる地方の基地とは違い、都会では自衛官は完全な異分子として扱われるものらしい。

着替えを終えて広報室に入ると、総勢十五名のメンバーのうち半分ほどがもう出勤していた。七時前後から八時の間にぱらぱら人がやってきて仕事を始め、八時を過ぎるとすっかりオフィスとして起動している。基地なら八時に『君が代』が流れて始業の区切りがつくのだが、そうしたメリハリのない始業にもまだ慣れていない。

空井の席は広報班と報道班に分業された広報室で広報班側だ。

「おはようございます、空井二尉」

言いつつ自分の分のついでにコーヒーを淹《い》れてきてくれたのは隣の席の比嘉哲広《ひがてつひろ》一曹だ。空井より五歳ほど年上だが、広報歴はもう十二年にもなるという。元は入間《いるま》で広報班に勤めていたが、現在の広報室長である鷺坂正司《さぎさかまさし》一佐が懇願して渋る入間から引っこ抜いたというから、知る人ぞ知る空自広報のエキスパートだ。階級こそいくつも下だが、広報初心者である空井は比嘉に指導されているようなものである。

着任早々、前任者が残していった雑誌の取材協力があったが、それも比嘉のサポートで何とかつつがなく乗り切った。

「もうそろそろ慣れましたか」

「いやぁ、なかなか……」

受け取ったコーヒーをすすりながら空井は頭を掻《か》いた。航空学生で入隊して十年もパイロット一筋でやってきた。そもそも部外者との接触が少ない経歴で、前の総務班でもあっぷあっぷしていたのに、いろんな意味で自衛官とは人種の違うマスコミとの接触には目が回るばかりである。

「何かやってみたい広報企画を思いついたら言ってくださいよ、微力ながら手伝います」

微力などとんだご謙遜だ。比嘉の助けがなかったら何にどう取りかかっていいかも分からない。

「そもそも広報の企画ってどうやって立てたらいいのか……」

「二週間も経つのにまだそんな寝ぼけたこと言ってんのかよ、お前は」

横から話に割り込んできたのは同じ広報班で階級が一つ上の片山和宣《かたやまかずのり》一尉だ。

「無駄飯食いを飼っとくほど広報室は暇じゃないんだぞ」

「そんな言い方ないでしょ、片山一尉」

言い返したのは比嘉で、空井はどちらかというとスミマセンと納得気味で聞いていた。

「空井二尉に随分あれこれ手伝わせてるじゃないですか。助かってないわけないでしょう」

「雑用くらい役に立ってくれないとほんとにただの無駄飯食いだろ。人材が浮かないように気を遣ってやってるんだ、文句言われる筋合いはないね」

嘯《うそぶ》きながら片山が言い逃げで席を立ち、比嘉が困ったもんだとばかりに顔をしかめる。

「気にしないでくださいね、悪い人じゃないんだけどなァ……」

悪い人ではないのだろうが、その強引さは着任して二週間で空井も既《すで》に学習済みだ。どうやら文章を書くのが苦手なようで、文書の下書きはかなりの数が空井に押しつけられてくる。

「おーい、クリッピングはまだかいな」

言いつつ隣の広報室長室から広報室長の鷺坂が出てきた。「あいよっ」と景気のいい返事は、広報班と机の島が分かれた報道班から上がった。現在のところ広報室の紅一点、柚木《ゆずき》典子《のりこ》三佐だ。

「お待たせしましたっ」

口調に微妙なべらんめえが入り「しました」が「しやした」に聞こえる。加えて性格や立ち居振る舞いもあまり女らしいといえず、同僚からは残念な美人と不評を買っている三佐だ。呼び名の面目躍如というべきか、今も鷺坂に新聞のスクラップを渡しながらぼりぼり尻を掻いている。

「室長の前で尻を掻くな――――!」

怒鳴り声は柚木と同じ報道班から飛んだ。柚木と同格の槙博巳《まきひろみ》三佐である。柚木のほうは蛙《かえる》の面に水――と、この光景は新入りの空井も既に見慣れた。

「仕方ないでしょ、痒《かゆ》いんだから」

「痒くても女としての節度とかあるでしょうがっ！　室長に対しても失礼極まりない！」

「室長が怒ってないんだからいいじゃないのさ。うるさいのよあんた、風紀委員か」

同格でも年次は槙が下なので、物言いは柚木のほうが傍若無人だ。

「室長も何とか言ってやってくださいよ！」

「え、俺か？」

急に話を振られた鷺坂がしばらく考え込む。

「……まぁ、あまり見映えのいいことじゃないから慎めるもんなら慎んだほうが」

「事が見た目の問題だけならあたしゃ尻が痒いという現実を優先させていただきます。それよかハイこれ」

シッシッと風紀委員を追い払いつつ、柚木がスクラップとは別にぴらりと一枚切り抜いた新聞の記事を鷺坂に渡した。

「おっ、ＭＡＹＡ《マヤ》じゃないか！」

鷺坂はスクラップをそっちのけで一枚ぴらりの切り抜きのほうを嬉《うれ》しげに押し戴いた。

「最近気に入ってたでしょ、室長。文化面に載ってたから切り抜いといてあげましたよ」

報道班は広報室で取っている十数紙の新聞から自衛隊関連の記事をクリッピングするのが日課だが、その作業のついでに見つけたものらしい。

気が利くなぁ、と切り抜きに頬ずりせんばかりの鷺坂に、柚木が呆《あき》れ顔になる。

「そんなにいいですかねえ、ＭＡＹＡ」

何を、と鷺坂が気色ばむ。

「MAYAは絶対来るぞ、俺は『ラストクロニクル』がブレイクしたときも当てたんだから！」

鷺坂が挙げたバンドはデビュー当時は一発屋呼ばわりされており、一曲目で彼らのブレイクを予言したというのが鷺坂のご自慢だ。部下たちは耳にタコができるほどこの話を聞かされて若干うんざりしているという。着任してわずか二週間の空井ですら既にこれで二回目なので、半年もすれば立派にタコができるだろう。

「歌も上手いし曲もいい。ルックスはまだちょっと垢抜《あかぬ》けないが、これは露出が増えたらきれいになるタイプだよ」

「あー、確かに伸びしろはありそう……でも男好きする感じじゃないから垢抜けたとしても男性人気はどうかなあ」

「分かってないなぁ、アイドルじゃないんだから男好きするかどうかは別に重要じゃないよ」

白熱して収まる気配を見せない討論を眺め、空井は呆気《あっけ》に取られるばかりである。

「……室長ってそんなにMAYAが好きなんですか」

隣の比嘉に思わず尋ねると、比嘉はちゃいちゃいと小さく手を振った。

「MAYAだけじゃありませんよ。男女年代ジャンルを問わず、チェックしてる芸能人は星の数ほどです。新人のチェックなんて私たちより早いですよ。要するに単なるミーハーです。あの年で『JJ企画』の『宙《ソラ》』のメンバーを完璧に把握してるんですから」

比嘉が挙げたのは、大手プロダクションの男性アイドルグループである。その事務所ではまだ売り出し中のグループで、空井などはメンバーを個別認識していない。

すごいですねと言うべきかどうか悩みながら、空井は曖昧《あいまい》に微笑んだ。

ミーハー室長鷺坂に声をかけられたのはその日の午後である。

「よう、新人くん」

「ちょっとは慣れたかい」

「いえ、まだまだですが……」

向かいの席に片山が座っているのをちらりと眺め、

「片山一尉や比嘉一曹に何とか引き回してもらっている次第で」

机で露骨に聞き耳を立てていた片山がふふんと得意げに鼻を鳴らし、「いやあ、なかなか彼はよくやってます」と上から目線でお誉めの言葉を下さった。つまりけっこう単純な人なんだよなと空井のほうも相手のキャラクターは摑《つか》みつつある。比嘉は隣の席で苦笑いだ。

片山への世辞が見え見えだったかと空井は小さく首をすくめた。だが、その見え見えで案の定ご機嫌な片山は慣れればかわいげがある先輩である。

「ただ、今までやはりこういう柔らかい現場に触れたことがないので……まだまだ戸惑うことが多いです」

ほほう、と鷺坂が片方の眉《まゆ》を上げた。

「柔らかい、か」

何の気なしの印象を口に出しただけだったので、鷺坂の意識を引いたことにやや慄《おのの》いた。何かまずい感想だったのだろうか。

「広報室の本質を早くも摑んでるじゃないか。もっとも柔らかいだけじゃ駄目なんだけどね」

恐れ入ります、でいいのかな？　と内心首を傾げつつ会釈。

「せっかくだからお前さんに付き合ってもらうかな」

「えっ」

声を上げたのは空井ではなく隣の席から比嘉である。

「室長、それって例の……」

「ああ、彼女のアテンド役にどうかと思ってな」

「いや、ちょっとあれは……空井二尉はまだ着任して日も浅いですし」

――などと本人をそっちのけにしてひそひそやられると却《かえ》って気になるが、何となく口を出しかねて空井は議論の決着を待った。

「慣れた人のほうがいいですよ、アテンドなら私が」

「いや、着任したてのこの微妙な固さが逆にはまると思うんだ。それでいて適応力もありそうなところがいい」

最後はどうやら鷺坂が押し切った。

そのとき、常に開け放たれている広報室のドアが音高くノックされた。

入り口に顔を覗《のぞ》かせているのは私服の若い女性だ。広報室の紅一点、残念な美人・柚木よりは残念でなさそうな美人である。くるりとまとめた髪とパンツスーツがいかにもキャリアウーマン風だ。

「二時にお約束いただいている帝都テレビですが」

「はいはい、伺っておりますよ」

愛想よく応じたのは鷺坂である。「どうぞこちらへ」と室内から直通で入れる応接室のほうへ女性を案内する。

「空井、コーヒー三つ」

はい、と腰を浮かせた空井の腕を比嘉が摑んで引き止めた。

「不愉快だとは思いますが何とぞこらえて！　強烈ですよ！」

何だいきなりこの剣呑《けんのん》な警告は⁉　たじろいだ空井に報道班側から柚木が身を乗り出した。

「グーでパンチしたくなると思うけどこらえんのよ！　敵はマスコミだから何言いふらされっか知れたもんじゃないわ！」

「笑顔キープだぞ、何を言われても顔に出すな！」

柚木と日頃は角突き合わせている槙もこればかりはという風情で同調する。

一体俺はナニと対面させられようとしてるんだろう——激しい不安にさらされながら、空井は給湯室へ向かった。


コーヒーを三つ淹れて応接室へ入ると、鷺坂と来客女性は談笑中だった。もっとも笑っているのは鷺坂のほうだけで、女性は鷺坂が投げかける冗談にぴくりとも反応していない。

二人にコーヒーを出すと、鷺坂が空井にも座るように指示した。

「稲葉《いなば》さんは初めてでしたね、先日着任した新人で空井と言います」

鷺坂に水を向けられ、空井は尻ポケットから名刺入れを出した。

「空井です、よろしくお願いします」

「よろしくお願いします、帝都テレビの稲葉です」

交換した名刺には稲葉リカと刷られている。肩書きはディレクターだ。

「空井さんですか。珍しいお名前ですね」

反応があったことが意外だが、気難しそうな相手には調子を合わせておくに限る。

「そうなんですよ、空自広報にうってつけの名前でしょう。着任したときも班長からそんなふうに言われまして……」

と、稲葉リカは「そんなこと言われて嬉しいですか？」と一刀両断である。

「自衛隊なんかより民間エアラインのパイロットにでもなったほうがずっと名前が映《は》えたんじゃないですか」

きっつ！　笑顔にひびが入りかけたが、直前の仲間のアドバイスにより何とか持ちこたえる。

だが、テンションはだだ下がりだ。

「いや、まあ、その……一応はパイロットだったんですけどね」

はは、と気弱な笑いを何とか添える。

「おやめになったんですか」

「はあ、事故で」

何の気なしに答えると稲葉リカの目の色が変わった。

「何年前ですか？」

嚙《か》みつくような剣幕に空井は思わずたじろいだ。

「一年ちょっと前ですが……」

「パイロットの職を辞さねばならないほどの大事故というのはどんな事故ですか？　ここ数年で大きな事故の報道はなかったはずですが」

「え？　あの……」

「原因は？」

「え、酒気帯びとスピード違反……」

聞くなり稲葉リカは目を吊り上げて鷺坂に詰め寄った。

「わたしは防衛省の長期取材を開始してから、過去数年間の主要なニュースはすべて遡《さかのぼ》りました。それなのに飛行中の酒気帯びなんて重大事故が報道されていないのはどういうことですか？」

口調はすっかり詰問になっている。鷺坂はにやにや笑いながら「そりゃあ報道されてるわけがないでしょう」と答えた。

「どういうことですか!?　まさか隠蔽《いんぺい》では」

「あの、待って！」

空井は思わず遮った。稲葉リカがじろりと空井を振り返る。うわもうこの子恐いよと内心では腰が退《ひ》けまくりだが、とにかく誤解を解かねばならない。

「ご質問の件ですが、原因は運転手の酒気帯びとスピード違反と信号無視です。赤信号ギリギリで突っ込まれて……」

「は？　だからそれが隠蔽されていることが……」

なるほど、飛行場に信号機がないというところから説明しないと分からないレベルか。空井は更に手で待ったをかけた。気分は逸《はや》る犬にマテをするのと変わらない。

「交通事故です」

初めて稲葉リカが目をしばたたいた。

「交通事故。車に撥《は》ねられました」

もう一度重ねると、稲葉リカの頬が見る見るうちに真っ赤になった。

「それならそうと早く……！」

声が裏返りかけたところで自制を利かせたのか絶句。空井はすかさず謝罪を挟んだ。

「すみません。交通事故のつもりで申し上げたんですが、言葉が足りませんでした」

稲葉リカは空井から目を逸《そ》らして口の中でもごもご何やら呟いた。辛《かろ》うじて拾えた音から判断すると「いえ、こちらこそ」とか何とか言っているらしい。

なるほど、仲間の警告の意味がようやく分かった。スクープを狙《ねら》ってガツガツしている若手、加えて――かなりの自衛隊嫌い。

嫌われるのは職業柄慣れてるけどさぁ、と空井は天井を仰いだ。ここまで露骨だと傷つくよ。

縮こまっている稲葉リカを前に、鷺坂が爆笑を弾けさせた。稲葉リカがキッと顔を上げるが、やらかしてしまった直後なのでさすがに何も言い返せないらしい。

「いやいや、稲ぴょん勇み足だね！」

「稲ぴょ……!?」

鷺坂の言い放ったとんでもない呼び名に稲葉リカは目を剝《む》き、空井もぎょっとした。――この頭の固そうなねえちゃんに稲ぴょんとか！

「あれっ、分からないかな？　ほら、因幡《いなば》の白兎で。ウサギはぴょんぴょん跳ねるから」

「室長、ダジャレの解説は寒いです」

思わず突っ込んだ空井に、鷺坂は「いや、若い人にはこの渋みのあるユーモアが理解できないのかなと思ってさ」とへらへらしている。――別に渋くもないし、とは突っ込まずにおいた。

「ほら、稲葉さんはちょっと生真面目な雰囲気があるから。渾名《あだな》で親しみやすいイメージをね。イメージって大事なことよ？」

「お気遣いいただかなくてけっこうですっ！」

稲葉リカはますます顔を赤くした。

「それより本題のほうをっ」

鷺坂におちょくられたので逃げを打ったのだろう、稲葉リカは空井のほうに話を振った。本題と言われても空井は本題を聞いていない。すると鷺坂が説明した。

「いや、実は稲葉さん、『帝都イブニング』の特集で長期取材に入られるんだけどね」

鷺坂が挙げたのは帝都テレビの夕方五時台のニュース番組である。

「お前と同じで着任してまだ日が浅いんだよ。まだ一ヶ月だったかな」

一ヶ月半ですっ、と稲葉リカが横から生真面目に訂正する。

「まあ、とにかくまだ慣れておられなくてね。我々が『帝都イブニング』のデスク殿から慣れるまでのサポートを承ったんだ」

鷺坂の説明を稲葉リカは不本意そうな顔で聞いている。自衛隊などに面倒を見られること自体が面白くないのだろう。

番組スタッフが空幕広報室と比較的親しく、報道素材が取りやすい広報室で取材トレーニングをしてみてはというのがデスクの意向で、今日は改めてその挨拶のようだ。

「空井も広報室の風土にはまだ慣れてないだろう、せっかくだから稲葉さんをお手伝いして勉強させていただくといい」

「はあ……」

要するに、ややこしい娘のお守りを新人が押しつけられたということらしい。

「……で、本題ですが。空幕広報室は『帝都イブニング』にどういう素材を提供してくださるんでしょうか」

あからさまに興味のなさそうな稲葉リカの質問に、鷺坂が指パッチンを一発。

「さすが新進気鋭の帝都ディレクターさん！　それを訊いていただきたかった」

言いつつ鷺坂はソファを立ち、広報室の壁一面に詰め込んであるスチール書棚から大判の重い写真集を持ち出してきた。数年前、航空自衛隊の五十周年記念で作られたもので、戦闘機などの航空装備からレーダー、地対空誘導弾《短SAM》などの地上装備品、果ては基地や業務中の職員の光景まで網羅された資料集として編纂《へんさん》されている。

鷺坂は写真集を稲葉リカの前に広げ、

「これが我が航空自衛隊の取り扱う商品です」

のっけでかまして、更ににやりと笑う。

「ここに載っている物品・人員・ロケーション、要請が適切であればすべて『帝都イブニング』さんのご要望のままに、無償でご提供できます」

呆気に取られたのは稲葉リカだけではなく、空井も同じだった。

「国民の血税で賄《まかな》われた備品で利益供与なんて……！」

すかさず声を荒げた稲葉リカに、空井もはっと我に返った。こんな石頭のおねえちゃんに言質《げんち》を取られるなんて、と自分の顔色が青くなっているのが分かる。

一体どうやって申し開きをするつもりかと鷺坂を窺《うかが》うと、――鷺坂は食ってかかる稲葉リカをにやにや笑いで迎え撃った。

「おやおや、稲ぴょんはまた勇み足かな？」

稲ぴょん呼びに稲葉リカがはっきりと怯《ひる》む。さきほどの迂闊《うかつ》がよほどこたえたらしい。

「要請が適切であれば、と前置きしたはずですよ？　そもそも稲葉さん、どういった素材を提供してくれるのかというご質問だったじゃないですか。国民の血税で賄われた備品を、報道という公共の使命を負ったメディアに対して無償でご覧に入れられないなんて、そちらのほうがよほど大問題でしょう」

練習でもしてたのか、と突っ込みたくなるほど流暢《りゅうちょう》な長台詞《ながぜりふ》に空井にもようやく事情が飲めた。

――要するにこの石頭のおねえちゃんを嵌《は》めたらしい。

「我々の使命は、国民の皆さんに自衛隊のことを知っていただき、活動にご理解をいただくことです。そのためにも、自衛隊の装備がきちんと運用されていることをできる限り国民の皆さんにご報告していかねばなりません。適切な要請への取材協力は、我々の使命にも適《かな》うものですし、公共の利益に繋《つな》がるものと思われますが、いかがなもんでしょう？」

穴掘っといて落としたあげく埋めてるよこの人。空井ははらはらしながらほっぺたを真っ赤にしている稲葉リカを見守った。

「でっ……でも、国民の血税で賄われた装備品を商品なんてふざけた言い方っ……」

何だか枕詞《まくらことば》みたいだな、と空井は『国民の血税で』という言葉を頭の中で転がした。自衛隊に係る枕詞です、テストに出ます（配点は20）。

「いやいやいやいや、あくまでも民間企業の広報に自衛隊広報をなぞらえた表現ですよ？　柔軟な民間の方にはこういう言い回しのほうが伝わりやすいかと思いまして、おじさん頑張っちゃいました。マスコミの方から見て採点はいかがです？」

ついに言い負かされたか、稲葉リカが顎《あご》に梅干しを作りながら「たいへん柔軟でいらっしゃるかと……」と口を濁しながら引き下がった。

「自衛隊の持っている商品は自衛隊広報の理念に合致する限り、いかなるメディアにも提供することが可能です。『帝都イブニング』さんしかり、『イブニングあけぼの』さんしかり」

と、鷺坂は何気なく帝都テレビのライバル局の報道番組を挙げた。

「それだけに、各メディアの切り口が特集のクォリティを分けることになりますなぁ。ちなみに稲ぴょんはどのような切り口で？」

そのプレッシャーは稲葉リカに激烈に作用したらしい。「稲ぴょん」に噛みつく余裕もなく、見る間に表情が沈み込む。——けっこう分かりやすい人かもしれないな、と空井はそのリトマス試験紙のような顔色の変化を見守った。

「それはまだ……自衛隊についての知識も充分とは言えませんし」

──確かに。飛行場に信号機がないと分からないレベルである。

それはたいへん、と鷺坂が大仰《の》に仰け反る。

「航空自衛隊に関するレクチャーなら我々が可能な限りご協力しますのでご遠慮なく。陸や海に関しても広報室をご紹介できますからいつでもどうぞ」

よろしくお願いします、と不本意そうに頭を下げた稲葉リカを鷺坂がしれっと追い打った。

「また航空事故と交通事故を勘違いするようなウッカリがあっちゃたいへんですものね」

稲葉リカががっくりと頭を落とし、どうやらこれが力関係の決まった瞬間であった。


鷺坂が持たせた各種の資料を携えた稲葉リカは「またご相談に上がりますのでよろしくお願いします」と挨拶を残し、広報室を去った。

エレベーターホールまで稲葉リカを見送った空井が広報室に戻ると、比嘉や柚木を始めとして接敵《せってき》前の警告を与えたメンツが空井を取り囲んだ。

「大丈夫でしたか!?」

「迂闊なこと口滑らせてないでしょうね!」

おいおい、と外野から声をかけたのは応接室から出てきた鷺坂である。

「ちょっと跳ねっ返りなおねえちゃんが一人来ただけで何て騒ぎだ？　少しは落ち着けよ」

そして鷺坂はそのまま室長室へと引っ込んだ。

制されてテンションは落ち着いたものの、全員空井を解放する様子はない。

「あのぅ……何ていうか、強烈な人でした」

空井の第一声に全員がうんうん頷《うなず》く。空自広報にうってつけの名前でしょう、と自己紹介した空井を「自衛隊なんか」と切って捨てたタマである。皆それ相応の洗礼は受けているのだろう。

「でも僕はほとんど喋《しゃべ》ってないので特に口を滑らせたことはないと思います。むしろ室長のほうが稲葉さん以上に強烈っていうか」

稲ぴょん呼びを含めてほとんど鷺坂のワンサイドゲームだったことを説明すると、柚木が苦笑した。

「あのおっちゃんときたら。あんなかわいげのない小娘、稲ぴょんなんてちゃらけた名前でよく呼べるもんだ」

「室長のことをおっちゃんとか……！」

例によって風紀委員・槙が目を吊り上げるが、柚木は構わず会話から離脱した。槙がしぶとく食い下がるが、空井の見たところ柚木がこたえている気配は一向にない。聞きやしないんだからやめときゃいいのに、と他人事《ひとごと》ながら思わなくもない。

「この件に関してはさすがに同情するよ、新入り」

上から目線の労《ねぎら》いは片山だ。

「たとえ室長のご命令でもあのツンケンしたねえちゃんのアテンド役なんてまっぴらだ。室長が是非にとご指名だったらもちろん耐えて見せるが、それでも指名が俺じゃなかったことには感謝せずにいられない」

この人と槙三佐が同格だったら、どっちがより室長のことを尊敬しているか血で血を洗う抗争が始まるんじゃないかな——などと思ってこみ上げた笑いを空井は噛み殺した。

「ま、お前はまだまだ使い物にならないんだし、せめて厄介事を引き受けてくれりゃ他のみんなの役にも立とうってもんだ。俺たちの能率に配慮してくださったご采配はさすがだな」

相変わらずの言い草で空井を落とすことを忘れない。一方的に暴言を投げて自分の仕事に戻る間合いも相変わらずで、この無闇に喧嘩腰な性格では鷺坂が是非にと頼んだところで稲葉リカと大戦争が勃発しそうだ。

比嘉が渋い顔で片山を睨《にら》むが、空井は苦笑と手振りで制した。

「それより、あの稲葉さんってどういう……」

「元はサツ廻《まわ》りの記者だったらしいんですよね」

サツ廻りという耳慣れない単語に首を傾げると、比嘉は「警視庁付きの記者ってことです」と解説してくれた。

「サツ廻りといえばスクープを抜いた抜かれたの殺気立った世界ですから、その頃のクセがまだ抜けてないのかもしれません。今はディレクターだしニュースを探してガツガツする必要はない職域のはずなんですが」

そのうえ本人が自衛隊嫌いとくれば、態度も狷介《けんかい》になろうというものだ。確かに片山が率直に評したとおり、広報室にとって彼女は厄介事以外の何物でもない。

業務の能率が落ちそうな「余計な」仕事はもともと仕事ができない半人前に押しつけておけ、というのは片山の暴論だが、それもあながち外《はず》れてはいないような気がしてへこんだ。

「確かにまだ半人前だしなー……」

「片山一尉の暴言は真に受けちゃいけません」

比嘉が横から執《と》り成した。

「室長はそんな不公正な采配をする人じゃありません。それに彼女のアテンドって、実は自衛隊広報の真髄のような仕事でもあるんですよ」

首を傾げた空井に比嘉は爽《さわ》やかに笑った。

「彼女のような人にこそ自衛隊を理解してもらうことが私たちの究極の目的ですから。だから、本当は私が引き受けたかったんですよ。自分の広報官としての能力を試す機会でもありますし、勉強にもなりますしね」

そういえばさっき鷺坂が空井を指名したときも名乗り出ていた。別に空井を庇《かば》ってのことではなかったらしい。

「広報官の鑑《かがみ》だなぁ」

空井が感心していると、「待て待て」と片山が声を割り込ませてきた。自分の席から聞き耳を立てていたらしい。

「広報幹部でもない奴をみだりに尊敬するのはいかがなものかな。広報官の王道は広報幹部だ、俺なんか広報幹部であるうえに民間で広報の研修まで受けている。隊の期待を一身に背負ってのことだ。さあ、存分に尊敬していいぞ」

「……何でそんなに比嘉一曹に対抗意識を持ってるんですか？」

着任して以来の疑問が思わずこぼれた。空井が片山にやたらと突っかかられているのも、空井の事実上の指導役が比嘉だからだろう。

しかしいささか質問が直截に過ぎたらしい、片山は途《と》端《たん》に目を怒らせた。

「別に階級が五つも下の下士官に対抗意識なんか持ってない！　失礼なことを言うな！」

ぷりぷりしながらそっぽを向いた片山に、空井と比嘉は顔を見合わせて苦笑いした。

*

稲葉リカから自衛隊の特集コーナーを作るためのレクチャーを申し込まれたのは数日後である。

『帝都イブニング』は警察や消防、海保などいわゆる「制服稼業」の勤務形態をローテーションで紹介する特集コーナーを持っており、稲葉リカは前任者から自衛隊の担当を引き継いだらしい。自衛隊は特殊な部隊が多いので画《え》的にも面白い特集になることが多く、前任者はその枠でかなりの視聴率を誇っていたという。

比嘉に聞くと前任のディレクターは自衛隊にも理解が深く、空自からも良い取材協力が頻繁にできていたとのことだった。

空井が応接室にお茶を持っていくと、稲葉リカは応接室のブースに持ち込んだ資料をあれこれ広げている真っ最中である。

「何か興味のある題材は見つかりましたか？」

お茶を出しながら声をかけると、稲葉リカは「そうですね」と首を傾げた。

「先日いただいた資料だけではなく、自分でも自社内の資料を当たってみたんですが」

別にあんたたちにおんぶに抱っこというわけじゃない、という牽制が分かりやすすぎて苦笑がこみ上げた。

「去年の秩父《ちちぶ》地滑りで、自衛隊の陸軍が救助に出動したときのドキュメントなどはかなり」

敢《あ》えて空自ではなく陸自の特集を挙げた辺りも自力で学習しているという主張だろうが、――惜しむらくはあまりにも基礎知識がなさすぎる。

あのぅ、と気兼ねしいしい水を差す。

「自衛隊に陸軍は存在しません」

稲葉リカが怪訝《けげん》に眉をひそめる。

「どういうことですか？　だって陸軍と空軍と海軍に分かれてるんでしょう？」

ええと、これどこから突っ込んだらいいんだろう。空井は悩みながら言葉を探した。

「陸軍っていうことは、陸上で展開する軍隊ですよね」

「それが何か？」

鷺坂ならここで「稲ぴょん勇み足！」と気軽に茶化すのだろうが、空井にそんな度胸はない。

「稲葉さんの仰《おつしや》りようだと日本に軍隊が存在することになっちゃいますけど、構いません？」

あっと稲葉リカが迂闊を踏んだ顔をした。相変わらずリトマス試験紙だ。

彼女のような人にこそ自衛隊を理解してもらうことが私たちの究極の目的ですから。――先日の比嘉の言葉が蘇《よみがえ》る。

自衛隊に何の関心もなく、知識もない。稲葉リカはそうしたごく一般的な民間人のサンプルだ。

稲葉リカはかなり非好意的な立場に寄っているが、そうでなくとも「自衛隊の○軍」と悪気なく呼ぶ人は少なくない。何しろ一般人にとって最も身近な軍事組織は映画などのフィクションで、ハリウッドなら気軽に陸海空の米軍がご登場である。

装備は映画で出てくる軍隊とさして変わらないし、映画では素直に軍と呼ばれているし、日本もきっと同じだろう――と一般人が合点するのも無理はない。

「そうかぁ……」

無意識に呟いた空井に、稲葉リカが聞き返すように首を傾げる。

「いや、僕も広報室に着任したばかりなので自分の職務がよく分かってなかったんですけど……稲葉さんに陸軍・海軍・空軍じゃなくて陸上自衛隊・海上自衛隊・航空自衛隊ですよと分かっていただくことが僕らの仕事なんだなって。僕ら、ハリウッド映画の米軍よりも稲葉さんたちから遠い存在なんですね」

空井はぺこりと頭を下げた。

「ありがとうございます。おかげで広報の仕事の意義を理解できたような気がします」

まずは稲葉リカに正確な知識を持ってもらうことが自分の仕事なのだろう。具体的には空自について無知な発言をさせて恥をかかせないこと。

「ええとですね、略称は『軍』を『自』に置き換えてもらえたらと思います。自衛隊の自ですね。空軍は空自、陸軍は陸自、海軍は海自。ほら、覚えるとけっこう簡単でしょう？　自衛隊を担当しているマスコミ関係者が軍なんて口走ったら赤っ恥ですからね、気をつけてくださいね。空自、陸自、海自ですよ」

「そんなにしつこく言わなくても分かりますっ、無知で悪かったですね！」

返事の調子はとげとげしいが、自分の無知を認めるところは素直と言えなくもない。稲葉リカは微妙に空井から目を逸らしつつ付け加えた。

「……他に注意事項があれば一応聞いておきますがっ」

やはり自分の知識のなさには不安があるらしい。せっかく学習意欲を示しているのだからここは積極的に応えたいところだ。空井は部外者が勘違いしがちなことを探して考え込んだ。

「専門外の方がよく勘違いしておられるのは『基地』と『駐屯地』の違いでしょうか」

虚を衝《つ》かれたような稲葉リカの表情からして、区別がついていないことは明白だ。

「『駐屯地』は陸自だけなんです。空自と海自は『基地』。さっきの軍よりハードルが高い知識かもしれません。一般の方は区別がついてないことが多いです。僕も広報室に来て何度か外部の取材に対応しましたが、マスコミ関係の方でも混同されていることが珍しくないです」

稲葉リカは生返事で頷きながら手帳にメモを取りはじめた。窺うと女の子らしいちまちました字で「〇軍とは言わない。〇自」「陸＝駐屯地、その他＝基地」と書き留めている。

学生の頃、女子ってみんなこんな字を書いてたなぁ——などとふと懐かしく思い出した。

「何で違うんですか？」

「活動拠点の性質の違いですね。空と海は日頃駐在してる基地が有事においてもそのまま拠点となることが多いんですが、陸は出動がかかって出かけていった先が活動拠点になるので、平時に駐在している基地が拠点にならないんです。基地という言葉には拠点という意味合いが含まれるので、区別するために陸自が平時に駐在するところは駐屯地と呼ばれます」

稲葉リカがメモを取りながら難しい顔になってきたので、「ですが」と付け加える。

「陸自は駐屯地で、空自・海自は基地だという区別さえできていれば、取り敢えずは充分です」

メモを取る手が止まり、稲葉リカの表情がほっと一安心する。やはり分かりやすい。

「詳しく知る必要が出てきたらまた訊いてください」

頷いた稲葉リカが「では題材の話を」と切り出した。

「秩父地滑りで陸自が救助活動したときのドキュメンタリーが印象に残ったんですが、空自にも類似の題材はありますか」

さっそく陸自・空自の言葉を使っているが、やや気負いが見えるのがおかしかった。稲葉リカが相手でなければ微笑ましいという表現を思い浮かべたかもしれない。

「ありますよ。むしろ空自や海自のほうが救助専門の部隊を持ってますね」

陸自は出動に応じて必要な装備と人員を編制するが、空自は航空救難団、海自は救難飛行隊をそれぞれ持っている。

「本来は航空自衛隊で航空事故が発生した際の捜索と救助を目的とした飛行隊で、メディックと呼ばれる救難員が搭乗して出動します。高い水準の救難技術を持っているので、民間事故の救助にも対応しています」

分野は違うが空井も元はパイロットである。航空部隊の説明ならお手の物だ。もっとも、現役時代はまかり間違っても救難団のお世話になるような事故を起こさないことを心がけていたが。

「対応するのは航空事故だけですか?」

「いえ、海難事故から山岳事故まで多様ですよ。ご希望なら資料を揃《そろ》えられますが」

「ぜひお願いします」

なかなかの食いつきぶりに気を良くしながら、空井は「少々お待ちください」と席を立った。

詳細なものは無理でも、すぐに渡せる広報資料くらいは用意があるはずだ。

「比嘉一曹、すみません」

デスクワーク中の比嘉に声をかけていきさつを説明すると、「ありゃ」と比嘉の表情が曇った。首を傾げた空井に「実は……」と歯切れ悪く切り出す。

「メディックは最近ちょっと人気の商品で……」

この人も空自の装備人員を「商品」と呼ぶんだな、と空井は鷺坂を思い起こした。

「人気の商品だったら何かまずいんですか？」

「夕方枠のニュースだと、一足違いで『イブニングあけぼの』が集中取材に入ってるんですよ。今月中にもオンエアされるはずです」

それは確かに「ありゃ」である。

「時間帯が違ってたらよかったんでしょうが、同じ枠だと続けてはどうかなぁ……」

言いつつ比嘉が一応という感じで出してくれた資料一式を携え、空井は意気消沈して応接室へ戻った。

「すみません、あの……他の者に聞くと、メディックは『イブニングあけぼの』がもう押さえてしまったらしくて。オンエアが今月中だそうです」

稲葉リカが分かりやすくがっかりした顔になる。

「あの、時期をずらせばまた取り上げようがあるかと思いますので、一応これ」

空井が渡した資料を力なく受け取る。「別の時間帯のニューススタッフに渡してみます」と、やはり自分は手放す方向らしい。

「他に何かお勧めの題材はありますか。できれば画になるような」

画になるようなという条件で、空井はほとんど自動的にその発想にたどり着いた。

「じゃあ、いっそのこと戦闘機パイロットはいかがですか」

苦し紛れだったが口に出してみると悪くない案のような気がした。Ｆ－15にしろＦ－２にしろ、画になることなら空自随一だ。

「戦闘機パイロットってすごい難関なんですよ。やっぱり花形だから一番希望者も多いんだけど、その分厳しくて。航空学生として入隊して、厳しい訓練を重ねてどんどん失格者が出て、実際に戦闘機パイロットになれるのはごく一握りなんです。晴れてパイロットになってからがまた大変で……そうだ、航空学生に密着するような長期企画はどうでしょう？　いろいろドラマがあるんですよ」

「興味ありません」

すげない返事に思わず向き直ると、稲葉リカはいつのまにやら険しい顔だ。

あれ、何かまずいことを言ったかな、と眉間《みけん》に立ったシワに戸惑っていると、稲葉リカは狷介なシワに負けず劣らず狷介な声音《こわね》を吐いた。

「だって戦闘機って人殺しのための機械でしょう？　そんな願望がある人のドラマなんか、何でわたしが」

——脳に言葉の意味が届くまでひどく時間がかかったような気がする。

届いた、と同時に脳細胞が沸騰した。

人殺しのための機械でしょう？　——人殺しの機械に乗りたい人なんでしょう？

——何で俺たちがこんなこと言われなきゃならない、

人を殺したい、なんて、

「……思ったこと、一度もありませんッ！」

竦《すく》み上がった稲葉リカの揺れた肩で、自分が随分大きな声を出したことに気がついた。

バタバタとけたたましい足音がして比嘉がブースに駆け込んでくる、だが俄《にわか》には煮えた思考が止まらない。

「俺たちが人を殺したくて戦闘機に乗ってるとでも、」

「空井二尉！」

比嘉に肩を押さえられ、それを押しのけて稲葉リカに乗り出すと、脳天にガツンとげんこつが落ちた。

「アホッ！」

見上げると乱入してきた片山である。

「お客様に何て口の利き方だ！　来い！」

まるで猫の子でもつまむように襟首《えりくび》を摑まれ、空井は応接室から引きずり出された。

階段を使って一階下の喫煙所まで引っ張られ、「吸うか？」と煙草を差し出されてから片山があの場から連れ出してくれたことに気がついた。

断りかけてから、体調管理のためのそんな節制もとっくに意味がなくなっていることに気づき、一本もらう。

火を借りて煙を吸い込み、派手にむせると片山が笑った。

「初めて吸った中坊みたいだな」

「久しぶりだったんで、ちょっと」

子供の頃から気管支が少し弱く、パイロットの時分は大事を取ってほとんど吸っていない。

「まあ、何言われたのか大体見当つくけどな」

扱いがぎこちない空井に比べ、片山は吹かす姿が様になっている。

「そんでも客だからなー」

「……俺、謝ってこなきゃ」

いいよ、と片山が止める。

「比嘉が何とかするよ、どうせ。あいつ外面だけが取り柄だからな」

憎まれ口を叩きながらも比嘉を信頼していることは見て取れる。

「いざとなったら室長もいるし。……でも次会うときまでに頭下げられるようになっとけよ」

片山の言葉に甘え、空井は自分もソファに腰を下ろした。

「……購買《BX》に消しゴムとか売ってないですかね」

「備品あるだろ」

「頭ん中、貼り付いちゃった言葉とか消せるやつ」

だって戦闘機って人殺しのための機械でしょう？　——耳から入り込んで貼り付いたその言葉に動じなくなるには少し時間がかかりそうだ。

片山が天井に煙を長く吹き上げた。

「何なら代わってやろうか？」

「片山一尉だって随分逃げ腰だったじゃないですか。我慢できるんですか？」

「ばっかやろう、広報幹部なめんなよ」

片山がくわえ煙草で空井の頭をぺしんと叩いた。

ありがとうございます、と呟くと、片山はそれには答えず「吸うか？」とまた空井に二本目を勧めてきた。

もらった一本も既に持て余し気味だったので、慎んで辞退した。

＊

片山が言ったとおり、稲葉リカは比嘉が執り成して帰してくれていたが、空井のほうには鷺坂への報告が残っていた。

「ま、比嘉から大体の事情は聞いた」

デスクの前に立った空井が口を開くより先に鷺坂が制した。

「何でキレたぁー？」

まったく深刻さの感じられない口調に拍子が抜ける。五十を目前に若干淋しい頭髪がすっかり白髪混じりになっているような相手から問い質されるにしては「キレた」という単語はいかにも軽い。

「ええと、あの……」

戸惑いながらも何とか正確に状況を申告しようと考え込む。

「戦闘機を人殺しの機械だと言われ、パイロットにもそんな願望があるかのように言われて……その、」

逆上しました、か、頭に血が昇りました、か。思いついた表現の間で悩んでいると、

「で、キレたんか」

結局キレたでまとめられた。はあ、と歯切れ悪く頷く。何だか学校でケンカでもして叱られている子供のような締まらなさだ。ぶつけられた言葉は看過できない深刻さを持っていたはずだが、鷺坂にかかると「悪口言われてキレました」というレベルで片付いてしまう。

もうちょっとこう、受けた衝撃とか憤りとか色々フクザツなものがあったはずなんだけどなぁ——などと思いつつ、それをむきになって主張するのもますます子供じみているようで憚《はばか》られる。

「まー、稲葉さんもちと暴論すぎたわな」

「すみません、腹が立っても我慢しなきゃいけなかったのに」

「いやいや、我慢しちゃいかんのよ」

ちゃいちゃいと手を横に振られて空井は目をしばたたいた。

「戦闘機は人殺しのための機械でパイロットも殺人願望があるに違いない、なんて暴論を黙って聞いてちゃいかんよ、それは。俺たちゃ航空自衛隊の広報なんだから、ンな暴論はキッパリ否定せにゃあ。広報が否定しなかったらその暴論を認めたことになっちまう」

確かに正論である。

「腹を立ててもいいんですか？」

「いいよ。ただしキレんな」

あくまでキレたと言い募《つの》られて、そろそろ居心地が悪くなってきた。いっそ頭ごなしの叱責が来たほうが気分的には落ち着くかもしれない。

「人を殺したいなんて思ったことありません、だったっけ？　お前が怒鳴ったの」

「はあ」

「その主張自体は正しいんだ。だって事実だもの。陸自で普通科の連中に『殺人願望があるから銃が撃てる陸自に入ったんだろう』なんて言ってみ、タコ殴りにされるよお前。大変よ？」

何で俺が言う前提にされちゃってるんだろう、と首を傾げつつ神妙な顔で頷いておく。

「その正しい主張をな、怒鳴っちゃ駄目なのよ」

言いつつ鷺坂は腰に右手を泳がせ、いかんいかんとまた机の上に出した。どうやらポケットに煙草の箱を探したらしい。オフィスは禁煙である。

「俺らの信条は専守防衛だからな」

油断していたところへ横っ面を張られたような気分になった。

売り言葉に買い言葉。それくらいの感覚でいた。しかし、対人関係において売り言葉を買って怒鳴るということは、相手を攻撃するということだ。

国境侵犯は海が主流になったので昔ほど多くはなくなったが、空井がパイロットだった頃にも警戒待機中に緊急発進がかかったことは何度かある。大抵は迷子になった民間機というオチで、侵犯目的の軍用機と鉢合わせしたことはないが、それでも緊迫感に慣れることはなかった。

兵装を使うことになるか否か。トリガーはいつも意識の中で重かった。撃つ判断は究極的にはパイロットに委《ゆだ》ねられている。

いつでも撃てる、撃つ能力もある、しかし極限まで撃たないことを任ぜられているのが自衛隊だ。――兵器を委ねられていないだけで広報も同じだ。

撃てば交戦だ。稲葉リカの発言は撃たねばならないほどのことだったかと問われれば、否だ。スクランブルに喩《たと》えれば退去勧告で済んだはずだ。

「すみませんでした」

頭は自然と深く下がった。

分かりゃいい、と鷺坂は軽い調子で頷いた。

「腹が立つのは仕方ない、人間だからな。けど怒りを相手にぶつけるな。広報ってのは自衛隊についてどんな暴論を食らっても相手を攻撃する権利はないんだ」

「専守防衛だからですか？」

おさらいのつもりで尋ねると、鷺坂は「それもある」と答えた。それも、ということは他にもあるということだ。

「自衛官やってりゃ、何でこんなこと言われなきゃならないんだと思うことはいくらでもある」

内心をずばりと言い当てられた。何で俺たちがこんなこと言われなきゃならない、稲葉リカの言葉を聞いて確かに反射でそう思った。

「そんなことを言われるのは俺たちのせいだ」

鷺坂は明快に言い切った。

「広報は自衛隊を理解してもらうために存在してる。不本意なことを言われるのは広報の努力が足りてないせいだ。パイロットである空井大祐が『何でこんなこと言われなきゃならないんだ』

と思うのは当然だ。だが、広報官の空井大祐は同じことを聞いて思うことが違わなきゃならん」

ああそうか。俺はもうパイロットじゃなかったんだった――とっくの昔に理解しているつもりでいたことが改めて胸に迫る。

パイロットを含め自衛隊の組織や人を広報する立場になった以上、外部から向けられる無理解な発言は自分の仕事に対する評価だ。責めるのは何より自分の不甲斐なさだ。

もう過去のことにしなくてはならないパイロット時代の仲間のことが思い浮かんだ。――彼らに自分が今日聞いたような言葉を聞かせてはならない。いざというときが来ないことを願いつついざというときのための練成に励む彼らは、無駄に終わらねばならない訓練に命を懸けて臨んでいる。かつての自分と同じように。

駄賃がむごい言葉ではあんまりだ。

「――励みます」

もう一緒には飛べない仲間のために、それを最初の立ち位置にすることは許されるだろうか。

「ちょっとはマシな目ん玉になったじゃないか」

鷺坂がからかうようににんまり笑って、「行っていい」と放免になった。

＊

さて一服、と鷺坂はデスクを立った。空井を説教している最中から口が淋しかったが、その後電話が立て続き、煙草休憩のタイミングは逃したままだった。

そこへ顔を覗かせたのは比嘉である。

「室長、よろしいですか」

「よろしくない」

言いつつスラックスのポケットを叩くと、「付き合いますよ」と比嘉も一緒に室長室を出た。

廊下の一画にソファとテーブルを置いただけの喫煙所は折良く無人で、ソファは独占できた。

ゆったりくつろぐ。

「空井二尉のことですけど」

比嘉が切り出した用件は案の定だった。

「やっぱり来たばかりで稲葉さんの相手はキツいと思うんですよ。私が交替させていただければと……」

「お前で二人目だ、それ」

目をしばたたいた比嘉が、ああ、と思い当たる節があるように頷いた。一人目は片山だ。

「お前らから見たら危なっかしいんだろうけどなぁ」

「ええ、まあ。正直、またこんなことがあったらと思うと……素直で飲み込みもいい人材ですし、こんなところで挫折させたくありません」

「でも、そんなに悪い組み合わせじゃないと思うんだよな」

比嘉の表情は雄弁に懐疑を語っている。「いやいや」と鷺坂は手を振った。

「空井のことは元の上官に頼まれてるんだけどさ」

「築城の飛行隊ですか？」

「まあ、その辺も含めいろいろ」

よろしく頼むと拝まれた主要な理由が一つある。

「事故に遭ってからこっち、一度も荒れたことがないらしいんだ。知ってるだろ、空井の事故」

話を聞くだに間の悪い交通事故だった。空井には何の落ち度もない。他の歩行者と一緒に横断歩道で信号を待っていただけだ。交差点の右折を青信号の終わる直前で車が無理に突っ込むのもよくある話だ。

無理に突っ込んだ車が重量級のトラックで、運転手が酒気帯び。これもよろしくはないがまあよくある話。死者が出なかったことは不幸中の幸いといっていい。重傷者一名、それも足の骨折で全治三ヶ月なら運がいいほうだ。

それが現役の戦闘機パイロットである空井大祐二尉でさえなければ。

「右膝の半月板が三分の一しか残ってないんだってさ。日常動作に支障はないけど激しい運動は医者と相談、って戦闘機に乗るより激しい運動なんて探すほうが難しいよなぁ」

「何度聞いてもいたたまれないような不運ですね」

比嘉が痛ましい表情で目を伏せる。

「ブルーインパルスに入るのが子供の頃からの夢だったそうでな。……事故の数日前に、内示が出てたらしいんだ」

「へっ!?」

痛ましさを突き抜けたのか比嘉がぎょっと目を剝いた。空井とはそこそこ仲良くしているようだが、聞いたことがなかったらしい。

「いや、マジでマジで。仲間内で壮行会の計画まで立ててたってよ」

それは……と比嘉が絶句して天井を仰ぐ。

「こんだけ不運が重なったら荒れるだろ、普通。むしろ荒れてなきゃ気持ち悪いだろ？」

「いや、まあ、気持ち悪いかどうかはさておき、心配になりますね。荒れなかったんですか」

「言われるままにP免になって、言われるままに総務で新しい仕事を覚えて……まるでロボットみたいだったたってさ。今だって能面みたいじゃないか」

「いや、別に能面ってことは……」

「当たり障りのない穏和な顔で固まってるだけだよ、ありゃ。能面と変わらん。——リハビリの限界が見えた頃からずっとあんな顔してるらしい」

分かりやすく荒れてくれたほうがどれほど安心か分からない。荒れてくれたら立ち直りも目に見える。最初から「大丈夫、大丈夫」とニコニコ笑われていたのではどれほどへし折られたのかさえも分からない。しかしへし折られていないわけはないのだ。

「自殺でもするんじゃないかって当時はかなり周囲がピリピリしてたらしいぞ。本人はあの顔でずっと『仕方ないですよ』なんてニコニコしてたそうだが」

有望な若手パイロットだったらしく、何人かの幹部に空井のことを頼まれた。ああいう奴じゃなかったんだ、と何人もに言われた。あんな寝ぼけたように笑っている奴じゃなかった、と。

「少なくとも片山に突っかかられてただニコニコしてるような空井くんじゃなかったらしいぞ」

そうなんですか、と比嘉は溜息をついた。

「片山一尉より若いのによく我慢のできた人だなぁとばかり……」

良くも悪くも強気な片山はしょっちゅう内外で衝突を起こしており、比嘉は好むと好まざると調整役に回ることが常である。ネジが一本どこかへ落ちてしまった空井の緩さはむしろ鷹揚《おうよう》さに見えたのだろう。

「カチンとくる回路が切れちゃったままなんだよ、多分」

「回路繋がっても片山一尉よりはオトナだったらいいなぁ……」

それは確かに、と鷺坂も認めた。オレ様は片山一人で充分である。

「それなりに機転が利いて元気な奴だったらしいんだ。本人の夢が断たれたとしても浮かぶ瀬があってほしいというのが古巣の意向でな」

「稲葉さんを当てたのは荒療治ですか」

「ドンピシャだったろう」

鷺坂はふふんと鼻を高くした。

「事故からめっきり能面だった空井をたった数日で怒らせたんだ、稲葉さんの人を不愉快にする才能は天下一品だな！」

「そんな才能を認定されたら今度は向こうが打ちのめされて立ち直れないでしょうねえ」

「ま、あっちはあっちで粉砕してくれってことで預かったから」

比嘉は階級こそ下士官だが、現在の広報室で最も広報歴が長い。鷺坂でさえ本来の職種は高射部隊で広報への配属はリリーフ的だ。若い頃から空幕と統幕の広報室に勤めたことが数回あるが、それを全部足しても広報経験は五、六年だ。

比嘉に経験は及ばないが、片山も広報幹部としてわきまえるべきはわきまえている。

「無難に相手ができちゃう奴に預けても意味ないからね。今日の暴言食らったところでお前たちは怒鳴ったりできないだろ」

「……そんな事情で預かってるなんて知りませんでしたよ」

「空井にバレたら台無しだもの。空井は空井で成長してもらわんと。反省って大事なことよ？」

その空井が広報室から出てきたのが廊下の先に見え、鷺坂はソファから立ち上がった。

「稲ぴょんは稲ぴょんでいろいろ思い悩むといいよ。でないと空井も傷つき甲斐がない」

「手玉に取ってますねえ、若者を」

苦笑した比嘉はもう少しくつろぐつもりらしい、二本目に火を点けた。

＊

「稲葉！」

突然大声で呼ばれて、稲葉リカはびくっと肩を竦めた。

デスクから振り仰ぐと、ひげ面のおっさんがぬっと覗き込んでいる。同じ『帝都イブニング』のディレクターだ。もっとも、同じディレクターでも記者から転向したばかりのぺーぺーであるリカとは比べ物にならないベテランである。

「何ですか阿久津《あくつ》さん、急に」

「急にじゃねえよ、三回呼んだ」

言いつつ阿久津は空いていた椅子を引っ張ってきてどすんと座った。

「何ぼけっとしてんだ、そっちこそ」

「別に……企画を考えてただけです」

上の空だったことを見透かされたのが気まずく、リカは言い訳のようにいつも使っている取材ノートを引き寄せてページを繰った。

阿久津が覗き込み、首をひねる。

「ってお前、ずいぶん初歩的なおさらいだな。自衛隊こどもニュースでも作るのか？」

はっとページに目を落とすとあまり人には見られたくない記述があった。「○軍とは言わない。○自」「陸＝駐屯地、その他＝基地」

「これはその……」

慌《あわ》ててページを乱暴に送る。自衛隊こどもニュース、まったくそんなレベルのことを懇切丁寧に説明してくれた自衛官が脳裡《のうり》に思い浮かび、後ろめたいような気持ちが疼《うず》いた。

「基本のおさらいっていうか……」

「まー、オンナのコは興味がなかったらほんと軍事オンチなまんまで来ちゃうからなぁ。お前もそのクチ？」

はい、と曖昧に頷く。個人的な事情は話す必要がない。

「どうよ、新しい部署は」

「前と勝手が違うので……」

慎重に言葉を選んだが、阿久津の表情を見るに異動を不本意に思っていることは見透かされているかもしれない。逃げるようにノートを意味なくめくる。

「お前さぁ」

呼びかけに顔を上げると、

「頭でっかちなとこ、どうにかしないとどこに行っても一生無能のまんまだよ」

——髪の毛が逆立ったかと思った。

そんなことを言われる筋合いは、喉《のど》まで迫《せ》り上がった言葉を飲み込んだ。

「そんだけ漏れてりゃ口に出したのと一緒だ、バカ」

言いつつ阿久津が自分の目玉を指差す。リカはとっさにノートに目を伏せた。

「……何かご用だったんじゃないんですか」

「おう、それそれ」

阿久津は投げた暴言に悪びれる様子もなくさっさと話を変えた。

「お前、いま空幕の広報に出入りしてるよな」

「ええ、まあ……」

つい数日前、担当者とさっそく一悶着《もんちゃく》あったばかりなので、返事は歯切れが悪くなった。

「あそこの室長はまだ詐欺師とかいう奴か？」

「は？」

一体何を言っているのかと眉をひそめると、阿久津は「あ、お前知らんか」と勝手に納得して言い足した。

「本名鷺坂で詐欺師って呼ばれてる変わり者がいるらしいんだけど」

「……詐欺師なんて呼ばれてるんですか？」

「俺もよくは知らん。以前、海幕の知り合いからちらっと話を聞いたことがあるだけなんだよな。空幕にちょっと面白い広報室長がいるって」

ともあれ、室長の鷺坂なら——

「先日、挨拶させていただきました」

その折、いいようにからかわれたことは沽券《こけん》に関わるので黙っておく。

「ドラマの撮影協力を頼んでくれるか。月9のプロデューサーから頼まれてな」

帝都テレビの今期の月9ドラマは、国民的人気を誇る若手男性俳優をテレビ局の報道記者役に据《す》えた社会派モノで、高い視聴率を出している。報道記者から外されたばかりのリカにとってはやや心がすさむ内容だ。

地震現場の山村を中継しようとした主人公たちテレビクルーが、余震による道路の崩落で村に孤立してしまう。取材するはずが一転被災者側となり、村民と避難所生活を送っていたところへ自衛隊の救助がやってくる——という筋書きで、この救助シーンに協力がほしいらしい。

「何でそんな調整を報道に？」

「どうやら手配を失敗しちゃったらしいんだ。内局ヅテで陸自に協力を申し込んだんだけど無茶言いすぎて蹴られたようでな」

手当たり次第にツテを探して阿久津にも話が回ってきたということらしい。

「用立ててほしいのはＣＨ－47を一機」

リカは慌ててノートの空きページを繰った。ＣＨ－47という型番が一体何を示しているのかも分からないまま書き留める。

「撮影は一週間後」

急な話はテレビ業界ならよくあることだ。だが、自衛隊のほうは一応お役所である。スパンが短い話に対応できるのだろうか。

それを尋ねたリカに阿久津はあっさり投げっぱなした。

「ま、フツーなら無理だろな」

え、と思わず眉根が寄る。無理が前提の話を持って行けるような関係性は作れていない。

「駄目元で藁《わら》にもすがりたいらしい。駄目だったときの手配ももちろん進めてはいるが、自衛隊の登場を全面カットするとかなりストーリーに無理が出るってことでな」

「阿久津さんのツテじゃ駄目なんですか？　海自に知り合いいるって……」

「CH－47って言っただろ、海自は持ってないんだよ。陸自のほうは交渉を失敗しちゃったからあとは空自しか残ってないんだ」

そう言われると逃げるわけにはいかなくなった。リカは帝都テレビにおいて空幕広報室の人脈を持っているはずのスタッフだ。

取材担当しているくせに交渉できるツテも作れていないのか、ということになれば無能の烙印《らくいん》を押されるだけだ。

「……分かりました、頼んでみます」

渋々ながら頷くと、「頼んだぞ」と阿久津は椅子から立ち上がった。「月9の視聴率はお前の肩にかかったからな」と勝手なプレッシャーをかけて立ち去る。

残された宿題にリカはがくりと肩を落とした。

＊

ジャーナリストになるのが子供の頃からリカの夢だった。

大学ではマスコミ研究会に入り、入学時から就職活動を睨んで準備は万端だった。会社訪問は大手のテレビ局と出版社に絞り、帝都テレビの内定も早々に決めて周囲に羨《うらや》ましがられた。

入社後の配属は希望のとおり報道部の記者だった。

警視庁付きは苛酷だが一番目立つ部署でもあり、新人の野心を煽《あお》るには充分だった。

事件が起こるたびに犯行現場の地取りに飛び出し、近隣をローラー作戦で訪問して証言を集め、嫌がる被害者家族にマイクを突きつける。目の前で泣かれ、詰《なじ》られることなど日常茶飯事だった。

迷惑がられ嫌悪されることに傷つき、打ちひしがれる同期たちの中、リカはいち早く割り切りを身につけた。

たとえ相手が嫌がっても群がり、食らいついてマイクを向け、そうして見えてくる真実があるのだという上司の訓話をまともに受け止め、体当たりで泥を被《かぶ》った。

それが仕事だ。世間は綺麗事を言いながら結局生々しい事実を知りたがる。そっとしておいてくださいと涙する被害者だって、自分が傍観者の側に回ればどうせ野次馬になるのだ。

社会のために自分が汚れ役になってやっているのだと思えば、罵《ののし》られ唾《つば》を吐かれることでさえ崇高《すうこう》な使命と思えた。

同期に大きく水をあけ、リカは有望な新人として高く評価された。

被害者の家族に泣かれたくらいですごすご引き下がってくる軟弱な同期など眼中にもなかった。上司の覚えもめでたく、リカの将来は順風満帆だった。いずれはニュースキャスターを任されることだって夢ではないかもしれない。

雲行きが怪しくなってきたのは入社して三年ほどが経った頃である。そろそろ同期の中で転職組も出始めたその当時から、リカの仕事にはつまずきが目立つようになった。

今までと同じスタイルでやっているだけなのに、強引な取材がトラブルにもつれることが多くなった。取材先から強硬な抗議が入ることも増えた。

対して軟弱な同期たちが伸びてきた。取材相手に詰られてしおたれていたような連中が意外といい談話や証言を取ってくるようになった。

焦《あせ》ったリカは今までにも増して精力的な取材をかけるようになったが、成果は芳《かんば》しくなかった。

今までリカを評価していた上司も渋い顔をするようになった。

いつまでも力押しだけでどうすると新人の頃とは真逆の説教を食らい、不満が雪だるまのように膨れ上がった。

あんたたちがこうしろって言ったのに何を今さら。同期の奴らなんて三年前に言われたことをようやくできるようになっただけなのに、最初からできてたわたしがどうしてこんな説教を。

評価を取り戻そうとあがけばあがくほど裏目に出た。職場での人間関係も軋《きし》むようになった。

そうして五年目の今年、ついに配置換えになった。報道局から出されることは免れたが肩書きは記者から『帝都イブニング』のディレクターに変わった。リカにとっては下ろされた感覚しかなかった。

ディレクターが扱うのはニュース以外の企画や特集だ。番組との関わり方も記者とは異なる。事件を軸に各ニュース番組に横断的に関わる記者に対して、ディレクターは基本的に一つの番組専任だ。記者とはまったく勝手が違う。それも不本意な異動だったのだから、モチベーションは上がらない。

そのうえ気に食わないことには自衛隊特集の担当になった。自衛隊など未だに合憲か違憲かの議論がかまびすしく、存在の正当性すら怪しい組織である。少なくともリカは身近な大人たちにそういう教育を受けていたので、自衛隊に対しては曖昧な位置づけで存在を許されている日陰者というイメージしかなかった。そんな日陰の組織の担当にされるなど、ますます干されたという意識しか持てない。

その苛立《いらだ》ちもあり、また取材で何かスクープを物にできたら記者に戻れるかもしれないという計算もあり、前担当から引き継いだ三幕の広報室に対する態度は頑《かたく》なになった。記者が取材先と馴れ合うと切れ味のある記事を書けなくなる。記者だった頃は捜査本部とも丁々発止で渡り合うのが常だった。取材対象を怒らせて反応を引き出すのも常套《じょうとう》手段で、人の神経を逆撫でするようなことにも躊躇《ちゅうちょ》はなかった。

ことにメインでリカを引き受けた空幕広報室への当たりはきつくなった。だが、空幕広報室の面々はリカが煽っても乗ってくることはなく、柳に風と受け流すばかりだ。強いて言えば紅一点となる女性がたまに顔を引きつらせていたが、その程度である。

半ば八つ当たりのように、こらえる彼らを試すように挑発的な発言を繰り返した。どうせ何を煽っても反論などしてこない、と侮りはじめていたところだった。

人を殺したいなんて思ったこと、一度もありません！

怒りを籠めた声に横っ面を張られたかと思った。

俺たちが人を殺したくて戦闘機に乗ってるとでも。憤りと悔しさのにじんだその深刻な声に、自分でも意外なほど動揺した。

一過性の事件の取材なら相手を怒らせようと泣かせようと反応さえ引き出せばこっちのものだ。これが記者の仕事だという割り切りはもうできている。

帝都テレビの看板で詰め寄り、反発も批判も報道の使命という大義名分で受け流せばいい。これが記者の仕事だ、記者ならもちろんそう突っぱねられる。だが、今の自分は一体何だ？

とっさに焦るほど激烈な怒りを受けて、ようやくそうなってはまずいということを思い出した。はき違えていた自分をいきなり目の前に突きつけられた。取材協力を打ち切られるのでは、と

これから協力関係を作っていかなくてはならない相手なのに。それより何より――

大義名分を持たない状態で受けた怒りに心が竦《すく》んだ。怒った空井は同時にひどく傷ついていて、憤りに声を詰まらせながらこのまま泣くのではないかとさえ思った。

自分は記者としてではなく、稲葉リカ個人として空井大祐という個人をこれだけ傷つけたのだという事実に気がついた。これくらいの反発は慣れていると思っていたが、報道という大義名分を剝ぎ取られた状態で受け止める怒りは衝撃が違った。それは自分が加害者になった衝撃だ。

好んで人を傷つける者は卑しい。だが、自分は空井に対してそういうことをしたのだ。

それでもごめんなさいという言葉は喉の奥でつっかえた。

だって戦闘機なんて戦争のための機械じゃない。人を殺すための機械じゃない。わたしは別に間違ったことを言ってないでしょう。

それに自衛隊を批判する人なんてわたしの他にもたくさんいるじゃない。どうしてわたしだけこんないたたまれない思いをしなくちゃならないの——批判されたくないのなら自衛隊になんか入らなければよかったじゃない。

自衛官も人間なんです。

困ったように笑いながらそう言ったのは比嘉だ。何を投げつけてもニコニコ受け流す最高峰と思っていたが、そのとき初めて諭《さと》された。空井のことを詫びながら、でも分かっていただけたら幸いですと遠慮がちに。

自分でも薄々分かってはいた、自分の理屈は自衛官であるというだけで彼らが自分よりも身分の低い人間だと言っているのと同じだ。

「自衛官も人間なんです」——あなたと同じように。

たった一言のその訴えは、言葉をどれほど尽くされるよりもリカの後ろめたさを暴いた。

あれから三日と経っていない。どの面下げて、と気が重い。

「……もしもし、帝都テレビの稲葉ですが空井さんをお願いします」

少々お待ちください、と答えた声は女性で、ときどき顔が引きつるあの紅一点だと分かった。

名前は柚木といっただろうか。この人も自分を嫌っているのだろうなと今さら思い至り、電話のこちら側で居心地が悪くなる。

平気でいられたのは今まで相手をまとめて「自衛隊」という括《くく》りで処理していたからだ。個々の人間として認識していなかった自分の傲慢さも追い着いてきてちくちく責める。

「お待たせしました、空井です」

穏やかな声を聞いていると先日憤ったのが嘘のようだ。こんな穏やかに受け答える声を自分はあれほど激させたのだとまた疼く。

先日は、と空井が謝罪らしきものを切り出す気配がして「実は」と強引に被せた。

「急な話で申し訳ないんですが、お願いしたいことがありまして。できるだけ早くお伺いしたいんですが」

リカの勢いに空井が「ええっと、」とやや押される気配がした。

「できれば今日中にでも」

そして責任者がいたほうが話が早いかもしれないと思いつき、「もしかすると鷺坂さんに同席していただいたほうがいいかもしれません」と重ねる。

「分かりました……じゃあ四時からでいかがでしょう。室長も在室しています」

「お願いします」

空井は電話を切る間際まで謝罪の隙《すき》を窺っている気配だったが、気づかないふりで逃げ切った。

防衛省の正門には受付事務所が併設されており、訪問者はここで面会申請書を書いて通行証をもらう。帰りは申請書に面会相手のサインをもらって通行証とともに返すシステムだ。申請書のサインを忘れると頑として出してもらえない。

いつもの手続きを踏んだリカは通行証を首に提げ、空幕広報室へ向かった。A棟庁舎の入り口ではゲートチェックだ。金属探知機をくぐり、手荷物はX線検査である。面倒だし自分が不審者と疑われているようで毎回軽い反感を覚えるが、防衛省という組織の性質からして警備を厳しくするほうが正論だろう。

受付嬢に面会申請書を見せてホールを通過し、エレベーターで十九階へ。

先日は比嘉に執り成されてうやむやのうちに帰った。それ以降初めて訪れる広報室は、リカにとってかなり敷居が高く感じられる。考えなしに敵だらけにするんじゃなかったと今さら悔んだところで遅い。

広報室のドアはいつ来ても全開になっている。閉まっていたらノックするのにだいぶ躊躇しただろう。ドアを開け放してあることで少しでも立ち入りやすくしているのだろうなと初めて気がついた。改めて見てみると、同じフロアのどの部屋も全部ドアは開いている。自分たちが親しみやすくない組織だということを知っていて風通しの良さを意識しているのだろうか。

「すみません……」

入り口から声をかけると、ドアから席の近い空井がすぐに気づいた。

「いらっしゃいませ!」

先日のことがあったから雰囲気を暗くしないようにと意識しているのだろうが、まるで威勢が取り柄の飲食店のウェイターだ。いかにも頑張っていますという気負いが透けておかしいような苛立つような。

広報室に通され、しばらく待つと空井がお茶を持ってやってきた。

「すみません、室長がちょっとまだ出てきまして……追っつけ戻りますから」

できればあの食えないオジサンが最初から一緒のほうが色々まぎれてよかったなと思いつつ、出されたお茶をすする。

「先日は申し訳ありませんでしたっ」

空井が押し切るように言い切って頭を下げる。——ほら、こう来るから。リカは気まずく目を伏せた。

「いえ、こちらこそ……」

口の中で曖昧に謝罪のような謝罪でないようなものを転がす。

「理解が足りなくて」

「何でも訊いてください」

空井がせがむかのように申し出た。

「稲葉さんに理解してもらうことが僕の仕事なんです」

こんな意欲的なタイプだっただろうか、とリカは内心でややたじろいだ。もっとぼんやりして頼りない印象だったのに、わずか数日でまるで人が違ったような——置いて行かれたような。

取り残されたのだと気づいてぎょっとする。同じ場面を経て自分はまだうだうだしているのに、空井はもう立て直したのだ。

同じ程度だと思っていたのに、むしろ自分が優位だとさえ思っていたのに、気がついたら先を越されている。同期にいつのまにやら後れを取った報道局での苦い記憶が蘇り、はっと我に返ると眉間に皺を寄せていた。

気遣わしげに空井が窺っていることに気づき、慌てて険しい表情を緩める。

「あの……」

空井が逡巡《しゆんじゆん》しながら口を開く。

「どうして自衛隊がそんなにお嫌いなんですか？」

逡巡したわりにド直球で、却ってリカが怯んだ。怯んだことに腹が立ち、「別に」とすげなく突っぱねる。

「あ、すみません。何かすっごい恐い顔してらっしゃるので、そんなに嫌いなのかなぁって」

そんなことは、とは言えない。自分の異動が不本意で八つ当たりが混じっていたにせよ、確かに元から好意は持っていない。

ただ、今まで記号でしかなかった『ジエータイ』の中に自分と同じ人間がいたのだと気づいて戸惑っている。気づかせたのは目の前で生々しく傷つき、憤った空井だ。どうせ記号だと思って石を投げたらまともに石を受けた人がいた。

「あの……たとえば」

やめときなさいよ、踏み込むなんて。面倒を嫌う本音が囁《ささや》く。

生身の人間が中にいるということに向き合うなんて面倒くさい。気づかなかったことにして、記号で突っぱねたほうが楽に否定できる。

だが、楽でいいのか。仮にも記者だった人間が、目を閉じたまま楽に何かを否定していいのか。否定するとしても対象を知ったうえで判断を下すべきじゃないのか。

「……わたしはやっぱり、戦闘機は戦争のための機械としか思えないんです」

人殺しのための、という表現は慎んだ。さすがにあれは言いすぎだった。悪意のある表現だと批判されても仕方がない。

「兵器とか武器とか、全部そうとしか思えないんです。自衛隊の人はそういう道具を扱うことをどう思っておられるんですか」

空井がうんと考え込んだ。やがて「僕の個人的な話でも構いませんか」と顔を上げる。

「戦闘機のパイロットだった頃、毎日訓練に励んでましたけど、磨いた技術を実戦で使いたいと思ったことは一度もありません」

「でも、技術を磨いたら実際に実力を試したくなるものじゃないんですか」

懐疑的な声を投げたリカに、空井は驚いたように目を瞠《みは》った。「え、だって」と口籠もる声は心底から戸惑っている。

「自衛隊は専守防衛が信条なんですよ。国外に攻め入ることはありませんから、もし僕が実戦を体験するとしたら日本で戦争が起こっちゃってるんです。僕の大事な人が戦争に巻き込まれるんですよ。親兄弟や友達……もし結婚したら奥さんや子供も。イヤに決まってるじゃないですか、そんなの」

シンプルかつストレート。異論を差し挟む余地はない。

「で、でも……だったらどうして戦争の訓練とか」

空井がまたうんと考え込む。そしてピコンと何か閃《ひらめ》いた顔になった。

「護身術みたいなものだと思ってもらえませんか」

「護身術？」

「そう。護身術を習う人って、護身術を試すために暴漢に襲われたいとは思わないでしょう？」

俺いいこと言った！　と言わんばかりに意気揚々と述べてから、「……思いませんよね？」と気弱に同意を求める。その落差に思わず笑いがこみ上げる。慌てて噛み殺した。

「一理あるご説明かと思います」

しかつめらしく認めると、空井はほっと胸をなで下ろした。

「でも自衛隊を認めるかどうかということは……」

別問題ですから、と最後にちょっと突っぱねようとしたら、「分かってます」と先回りされた。

「ちょっとずつでも僕らの話を聞いてもらえたら、それで。僕らは理解していただくために努力するしかないので」

空井のほうがわきまえているようで、また負けた気分が煽られた。

「お、若者同士で討論会？」

能天気にやってきたのは鷺坂だ。既に苦手意識があるリカは反射で警戒して体を硬くした。

「俺も混ぜてよ」

「そんなことより稲葉さんは急ぎの用件で来られてるんですから」

話を逸らしてくれた空井にリカはほっと胸をなで下ろした。

「実はドラマの撮影協力をお願いしたくて……月曜九時からの、」

言いつつリカが説明用の資料を出そうとすると、間髪入れずに鷺坂が答えた。

「『報道記者、走る！』ね！」

「月曜日でしたっけ、あれ」

「何、お前チェックしてないの？　面白いよ、あれは」

「家に帰ったときやってたら観ますけど……」

「俺なんか毎週ちゃんと録画してるぞ！　あれは今期の目玉だよ！」

ドラマが狙っている年代はむしろ空井だが、鷺坂のほうがよほど食いつきがいい。

「何しろキリーがいいよねぇ！　顔かわいいから今まで恋愛物とか青春物ばっかりだったけど、社会派も行けるって前から思ってたんだよ」

キリーというのは主演の桐原隆史の愛称だ。

「主題歌がＭＡＹＡっていうのもいいよね！　ＭＡＹＡが主題歌を歌ってるドラマは当たるってジンクスが早くもあるんだ。去年の『トイ・ボックス』もそうだったし。あれ新人メインだったのに瞬間最高視聴率が三〇％近く行ったんだよな。最終回だっけ？」

話を振られたもののリカはそこまでドラマに詳しくないし、そもそも――

「他社ですから、それ」

「ああそっか、ごめんごめん」

だが、自社のことであってもリカはドラマやバラエティの情報はあまり把握していないので、鷺坂と同じレベルで話ができるとは思えない。実に大したミーハーぶりである。

「で、何が要るの？　ヘリ？　輸送機？」

鷺坂の問いに、リカは慌てて取材ノートを繰った。阿久津から聞いて控えた型番である。

「あの……ＣＨ－47を一機」

「撮影日時は?」

「急なんですが……一週間後です」

ええっ、と声を上げたのは空井である。

「それはちょっと……難しいんじゃ、」

言いつつ鷺坂を窺うが、鷺坂はその空井を片手で制した。

「何分?」

問いかけの意図が分からず口籠もったリカに言い足す。

「何分映るの、うちの機材が」

「あ、はい、こちらに」

ミーハートークで渡しそびれていた資料を慌てて渡す。

「トータル三分程度となってますね」

A4一枚にまとまった資料を受け取り、鷺坂の口元が——緩んだ。

「月9で三分、キリーで社会派。断る理由がないねえ、こりゃ」

「え、でも室長、一週間ですよ」

大丈夫なんですか、と匂わす空井に、頼んだ側ではあるがリカも同意である。

「だってお前、月9でキリーだよ? 注目度は抜群、協力したら空自の好感度丸儲けじゃない」

「いや、でもこんな急な話、許可取れるんですか?」

「意志あるところに道は開けるんだよ、いいから比嘉と片山呼んでこい!」

鷺坂の命令で空井が「はいっ」と応接室を飛び出していく。

そして鷺坂はリカににやりと笑って見せた。

「見といで稲ぴょん。こっから全部おいちゃんのターンだ」

詐欺師鷺坂。嘘か真か知らないが、そんな二つ名をリカは違和感なく信じそうになった。


「いやいやいや、これはきついなぁちょっと」

鷺坂が物言いをつけたのは脚本の内容である。

こっから全部おいちゃんのターン、そう宣言した鷺坂はリカに『報道記者、走る！』の主要なドラマスタッフを広報室に呼びつけさせていた。

撮影日まで一週間という無茶を飲むというのだから、プロデューサー以下スタッフは一も二もなく駆けつけた。そのまま応接室で慌ただしく夜のミーティングが始まったのである。

見といで、と名指しされた行きがかり上、リカも仲介者として立ち会っている。

陸自に無茶な要求を出し過ぎて蹴られたという脚本は自主的に没にし、ドラマ班が持ってきたのは要求のハードルを下げた脚本だった。

「まだ厳しいですか」

プロデューサーが苦しい表情になる。

リテイク後の脚本は村の広場に着陸したＣＨ－47のシーンで始まり、隊員の誘導に従って村民がキャビンに乗り込む。キリー演じる主人公がその光景をレポートするという筋書きだ。

厳しい厳しい、と鷺坂は頷いた。

「ほら、このシナリオじゃヘリの所属がどこだか分からないでしょ」

言いつつ鷺坂が該当シーンのページをぱらぱらめくる。

「キャストの台詞の中に空自や航空自衛隊という文言が一つもありません。こりゃ厳しいです。これだと視聴者は漠然と『自衛隊のヘリ』としか思ってくれません」

スタッフとしては機材が出せない人手が出せないなどの物言いを予想していたらしい。一様に虚を衝かれたような顔になる。

「撮影まで一週間、なんて無茶なスケジュールに付き合うのは空自なんだから、ちゃんと空自が撮影協力したって分かるようにしてくれないとうちが協力する意味がなくなっちゃう。空幕長の許可だって下りませんよ」

航空自衛隊が出動したと明確に分かる台詞なり演出なりを撮影協力するシーンに入れてほしいと主張する鷺坂に、プロデューサーが恐る恐る提案した。

「エンディングのテロップで取材協力先として航空自衛隊をクレジットしますが、それでは駄目ですか」

提案したプロデューサーに「何を仰ってるの」と鷺坂は大仰に顔をしかめた。

「それは最低限の条件ですよ、当たり前。せっかく協力するんだからその労力に対して最大限の費用対効果がほしい、ということはご理解いただけますね？　現場の隊員にも超過勤務で無理をさせるし、上層部や撮影を受け入れる基地にも理解してもらわなきゃならない。それなのに成果が『最低限』じゃ誰も納得しませんよ。なあ？」

鷺坂が話を振ったのは片山と比嘉だ。

「ええ。特に上層部はこういう急な話は嫌がりますから、説得しやすい材料がほしいですね」

「成果が大きければ協力隊員のモチベーションも上がりますし」

直せるか、とプロデューサーが話を振ったのは連れて来ていた脚本家である。そのままドラマスタッフたちが相談を始める。

「……何だか意外」

何がですか、と応じたのはリカの隣に座っていた空井である。リカは門外漢で立ち会っているだけだし、転属してきたばかりの空井も具体的な相談ができるほど経験がないらしく、二人とも末席に押しやられている。

「もっと杓子定規な感じかと思ってました、自衛隊って」

しかし、鷺坂たちの会議の運び方は一般の企業と変わりない。しかも取材協力に費用対効果を求めるなど、マンパワーを自然と利益換算する感覚はかなり柔軟な部類である。

「僕もそう思ってました」

頷く空井にとっても意外な光景だったらしい。ここの経験値は同列だったとほっとする。

シーンの修正を渋るドラマスタッフに対して、鷺坂は「分かりました！」と手を打った。

「航空自衛隊という文言を入れてくれたら飛行中のヘリの撮影をつけましょう。設定は夜間飛行でしたっけ？　飛んでるヘリ、ほしいでしょう」

「飛ばせるんですか！」

プロデューサーが食いついた。

「ドラマのために新たに飛ばすことはできません。しかし、元から飛行する予定のヘリに対して撮影許可を出すことは可能です。加工の仕方で挿入カットに使えるでしょう」

こなれた交渉ぶりはまるっきりどこぞの営業マンである。制服を着ていなければ鷺坂が自衛官だとは誰も思うまい。制服を着ていてもリカなどは疑わしい思いでいっぱいだ。

結果として鷺坂は「航空自衛隊」という文言を二ヶ所勝ち取った。一つは救助を待つ主人公の携帯に上司から「喜べ、航空自衛隊の出動が決定した」と励ましの電話が入るシーン。そして、着陸したヘリから搭乗員が降り立ち「こちらは航空自衛隊です、皆さん落ち着いて誘導に従ってください」と指示するシーンである。

電話のシーンは予定になかったらしいが、飛んでいるヘリを撮影できるという魅力は何物にも代え難かったらしい。

鷺坂が宣言したとおり、ミーティングは全面的に鷺坂のターンで終わった。

＊

鷺坂が掛け合い、空幕長の許可は翌日の朝一番で取れた。もともと空幕長は広報活動に理解があり、鷺坂の提案を通さなかったことはあまりない。

「よし、これで空幕は一枚岩で動ける！」

鷺坂の声に広報班が沸いた。「楽しそうでいいわよね〜、広報班は」と面白くなさそうなのは報道班の柚木だ。

「キリーに会えるんでしょ？　あんたなんか入ってきたばっかりのくせにィ〜」

尻をつねられて空井は飛び上がった。

「柚木三佐、キリーのファンなんですか？」

「いやぁ、自分が年食ってきたせいか最近めっきり年下好きでさ。こんな役得あンならあたしも広報班がよかったなぁ〜」

「人前で尻を掻くような女を人気俳優の前に出せるわけがないでしょう。おまけに若い男の尻を平気でつねり上げるなんて慎みのない。露出の少ない報道班で正解ですよ、あんたは」

命知らずに切って捨てたのはもちろん空井ではなく槙である。

「出よったか、風紀委員。人の尻ばっかりチェックしよって実は助平だろアンタ。属性は尻か、さては」

人を挑発する物言いは柚木のほうが一枚上手だ。

「……三十も半ばになって調子に乗るな中年っ！」

槙が見事に乗せられて激昂し、はいはいと手を打って止めたのは報道班長の天海《あまみ》二佐である。

「よそはよそ、うちはうち！　羨ましがらない！」

「班長！　羨ましがったのは柚木三佐であって自分は……！」

槙が異議を唱えるが「喧嘩両成敗！」と天海は取り合わない。鷺坂が天海に向かって軽い敬礼を飛ばしたのは、話を混ぜっ返しにきた柚木たちを引き取ったタイミングへの礼らしい。

「で、広報班のほうだが……」

鷺坂が広報班長である木暮《こぐれ》二佐を振り返った。

「ドラマ要員で四人ほど引っこ抜くけど、残った人員で業務は回せるかい」

「まあ、一週間だけなら……それ以上延びると困りますよ」

釘を刺しつつの慎重な承諾は、基本が行け行けどんどんの広報班では一人だけカラーが違う。教頭先生って感じですかね、と以前比嘉が評していたのを空井はなるほどと思い返した。

そんじゃ任せた、と鷺坂はドラマ要員のほうを向き直った。

「ドラマ班はこれより省内の調整と受け入れ基地の調整！　片山が省内、空井が基地を担当！　比嘉は空井の補佐についてやれ、片山の補佐は石橋《いしばし》！」

比嘉より階級も年齢も下だが、比嘉より年配のベテランに見える石橋二曹は仕事の濃《こま》やかさは広報班随一だ。仕事は速いが荒っぽく、必然的にポカも多い片山のフォロー役には最適である。空井のほうはといえば補佐の比嘉がマルチタレントなベテランなので問題ない。

「空井はすぐに入間の調整に入れ」

「えっ、でも……」

CH－47を持っている航空自衛隊基地は入間、三沢、春日、那覇だが、現実的に帝都テレビが撮影に赴けるのは関東の入間だけである。入間基地への受け入れ打診は既に行っているが、まだ省内で正式に許可が下りたわけではない。帝都テレビが強引なやり方で一度調整を失敗しているため、空自の撮影協力は陸海空の三幕に加えて統合幕僚監部と内局が審議することになっていた。

正式な許可が未だ下りていない状態で調整を取って、もし許可が下りなかったら一大事だ。

だが、鷺坂は明快に言い切った。

「空自の信条は勇猛果敢・支離滅裂だ！　許可は後から追い着かせる、いいから走れ！」

「そんな無茶な……！」

空井が言い募ろうとすると、鷺坂がおやっと入り口を見やった。

釣られて空井や他のメンツも振り向くと、稲葉リカが立っている。

「どしたの、稲ぴょん。朝っぱらから」

「稲ぴょんはやめてください！」

噛みついたリカが「その、」と鷺坂から目を逸らしつつ口籠もる。

「昨日、見といでと仰ったので……広報室としてかなり能動的に動かれるようですし、これから先の一連の動向を見せていただいたら勉強になりそうだと思いまして」

「そりゃいいとこに来た、今から空井が現場の調整に出かけるところです。よかったらご一緒にどうぞ」

そうでなくとも自衛隊に好意的でないリカの前でそれ以上はじたばたできず、比嘉に促されたこともあって空井は外出の準備を始めた。


移動には公用車を使い、運転は比嘉に任せて空井は助手席に乗った。

後部座席に同乗したリカに、朝一番で空幕長の許可が下りたことや、これから鷺坂らが省内の調整に入ることを説明する。

「省内ではまだ許可が下りてないんですよね？　先走って準備をしても大丈夫なんですか？」

リカの疑問は正に空井が思っていたとおりで、どう答えたものか絶句する。

すると運転しながら比嘉がさりげなく説明を引き取ってくれた。

「何しろたった一週間でしょう、上の許可が下りるのを待ってから段取りを進めてたんじゃ到底間に合いません」

リカがすみませんと声を小さくしたのは、たった一週間の無茶な話を持ち込んだ側として肩身が狭かったらしい。

「いえいえ、我々としても帝都の月9で撮影協力ができるのは広報効果が大きいですからお気になさらず。ただ、いつ許可が下りても動けるように現場を先に段取っておかないと、現場も急に話を投げられても困っちゃいますから。せっかく許可が下りても現場の準備不足で実行不能ってことになっちゃう」

ああそうか、だから現場の根回しも同時に進めておくのか——と空井もようやく合点がいった。比嘉は多分、リカに説明する態で空井にも聞かせてくれている。

「こういう話は上層部と現場で上手に段取りを同期させられるかどうかが肝なんです。どちらか先走っちゃうと大体こじれて巧く行きませんね」

なるほど、と頷いたリカが「ところでもう一つ伺ってもいいですか」と尋ねた。積極的に質問を重ねてくるのは、頑なだった今までを思えばいい傾向のように思える。

「先ほど鷺坂さんが仰っていたのは何なんですか？　勇猛果敢……」

「ああ、それは……ねえ？」

比嘉がさりげなく空井に振った。リカの直接の担当は一応空井ということになっているので、花を持たせてくれたらしい。

「勇猛果敢・支離滅裂ですね。航空自衛隊の性質を言い表したとされている言葉です」

「支離滅裂ってけっこう痛烈ですけど、悪口ではないんですか？」

「いや、からかってる程度の意味合いじゃないですかね。あるいは自虐ギャグ」

リカは「不愉快ではないんですか」と意外そうにまばたきをした。

「各隊の性質をよく言い表してるってもっぱらの評判ですし、それこそ自虐ネタとして自分から使っちゃうこともあります。空自は特に気に入ってる隊員が多いんじゃないかな。何か景気いい感じですし」

「他の隊にもあるんですか？」

「統幕や内局まで全部ありますよ。陸は用意周到・動脈硬化。海は伝統墨守・唯我独尊。統幕は高位高官・権限皆無。内局は優柔不断・本末転倒……だったかな」

あははっ、と高い笑い声が上がった。素でウケたらしい、いつものリカからは想像がつかない明るい声に、空井は思わず後部座席を振り返った。リカがはたと気づいてまた真面目くさった顔になってしまう。

しまった、見るんじゃなかった。せっかくちょっと打ち解けた感じだったのに。

「あまり不愉快に思う人がいないのはね、これを作ったのが何十年か前の防衛記者会だって説があるからだと思いますよ」

比嘉が横から付け足したのは空井も知らない話だ。

「どうしてマスコミの記者会だったら不愉快じゃないんですか？」

リカも興味はあるらしい、身を乗り出してきた。

「この標語ね、実は防衛記者会のものもあるんですが、最後でキレイに自分でオチをつけてるんです。このオチがあるから防衛記者会起源説に私は一票入れてるんですけどね」

「それ、俺も知りませんでした。どんな言葉です？」

空井が尋ねると、比嘉はちょっともったいをつけて答えを明かした。

「浅学非才・馬鹿丸出し」

聞いた瞬間吹き出したが、「でも」と自然に感想が漏れた。

「起源が記者会だったら確かにカッコいいですね」

「えっ、どうしてですか？」

尋ねたリカに、元記者さんの前で遠慮なく爆笑しちゃまずかったかな、と今さら思い至ったがもう遅い。そこは気づかなかったことにして答える。

「自衛隊を皮肉りながら最後に自分を一番落としてくるところ、バランス感覚が抜群ですよね」

「バランス感覚っていうのは」

「記者会ってやっぱりマスコミだから立場が強いじゃないですか。一方的にあてこすっても誰も文句言いませんよね。それなのに自分のこともちゃんと落として、一方的な悪口にせずに関係者がみんな笑えるギャグにしたところがすごくカッコいいと思います。自分の立場を笠に着てないっていうか……そういう記者さんが書く記事だったら信用できるし、取材もきちんと協力したくなりますよね」

調子に乗って喋っていて、リカの反応がないことに気がついた。

「……と、僕は思っただけなんですけど」

と弱気に付け足して窺うと、リカは随分と思い詰めた表情で俯《うつむ》いていた。何かまずいことでも言っただろうかと気がそぞろになる。と、リカが気づいてぎこちなく笑った。

「興味深いお話でした」

ホントに!? ホントにそう思ってる!? ――と訊きたくなるほど強《こわ》ばった笑顔だったが、それ以上は突っ込めない。やぶ蛇になったらことだ。

「特に鷺坂室長は勇猛果敢・支離滅裂を地で行くような人かもしれませんね」

比嘉がリカの様子に気づいているのかいないのか、横からそんなことを言い添えた。

「嘘かホントか知りませんけど、一部のテレビ関係者から詐欺師呼ばわりされてるそうですよ。これは無理だろうというような話でも、あちこち押したり引いたりしてスルッと通しちゃったりするから」

「それも初耳です、俺」

でも確かに詐欺師という二つ名は似合いかもしれないなと思えるようなところは既に見ている。リカと最初の挨拶をしたとき、リカを茶化しては煙に巻く話術は確かに詐欺師めいていた。

そのリカはといえば、後部座席で何やらぼんやりしているような、考え込んでいるような――様子を気にしつつも迂闊に踏み込めず、空井は比嘉と空々しい世間話を続けた。


空井は入間で比嘉の広報官としての底力を目の当たりにすることになった。

何しろどの部署へ行っても比嘉を知らないという者がいないのである。しかも溶け込んでいる。真っ先に顔を出した広報班からしてそうだった。

「また何か無理難題を持ってきたな！　帰れ帰れ！」

口先だけは迷惑そうに、しかし満面の笑みで迎えたのは広報班長を務める大藪《おおやぶ》一尉である。

「そう仰らず！　大藪一尉が頼みの綱なんですよ」

やり取りはすっかり気心が知れている。比嘉はもともと入間の出身ではあるが、それにしても空幕広報室に移ってから四年目になるはずである。良好な関係を維持できているのは綿密に人脈を繋ぐ努力があってのことだろう。

のっけから帰れ帰れというご挨拶ぶりに初手から呑まれ、空井は目を白黒させるばかりだったが、比嘉が前に押し出してくれた。

「こちら、この四月から広報室に着任した空井大祐二尉です。それから帝都テレビディレクターの稲葉リカさん」

大藪が明らかに空井よりリカに興味を示したのは、広報班長としての嗅覚だろう。自己紹介を交わすわずかな時間でリカの担当番組や取材予定まで聞き出していた。もっともリカの取材予定はまだ定まっていない状態なので、広報室で素材を探しているという曖昧な返事だけだったが。

「で、空幕は今回どういう用件なの」

訊かれて空井は背筋を伸ばした。

「はい、帝都テレビさんの月9ドラマに撮影協力を……」

一週間後という期限を告げたら目を剝かれるだろうなと思いながら詳細を説明すると、大藪は空井の予想以上に目を剝いた。

「空幕は気でも違ったのか!」

またまたご挨拶で空井はとっさにすみませんと頭を下げた。

「でも大藪一尉。帝都の月9、それもキリー主演の社会派ですから」

すかさず執り成したのは比嘉である。

「普段ならこっちが平身低頭で売り込んでも見向きもしてくれません。向こうがポカをしたこの隙を拾わないと。……あ、すみません帝都さんの前で」

比嘉が如才なくリカを拝んで詫びる。大藪はその間もうーんと唸っていたが、

「ま、鷺坂一佐がやると言ったらやっちゃうんだろうしな。付き合うしかねえかぁ」

渋々の振りをしながらその実ノリノリ、あっさりと決断は下った。

「話は通しておくから関係部署を拝んで帰ってくれるか。基地司令が今日は不在だからまた足を運んでくれ」

それから協力を願うことになりそうな部署に挨拶回りである。大藪に話は通していると言うと概《おおむ》ね「仕方ないなぁ」と苦笑する反応だ。「キリーのサインって頼んでいいの」などと先走った質問も出る。

「……これで話が動き出してからやっぱり許可が出ませんでした、なんてことになったら……」

一通りの挨拶が終わってから空井が弱気を呟くと、比嘉はからから笑った。

「そのときは私たちが土下座回りですよ」

「やっぱり？」

室長、ホントに頼みますよ——と今頃は省内の調整をしているであろう鷺坂を心の中で拝んだ空井に、

「大丈夫だと思います、きっと」

急に口を挟んだのはリカである。え、何でと怪訝に振り向いた空井に、リカは目を合わさないまま呟いた。

「詐欺師鷺坂」

行きがけの車中で比嘉が披露したうわさ話だ。

「でもうわさですから」

「うわさじゃありません。うちのディレクターが言ってました、空幕広報室には詐欺師がいるって。詐欺師なら何とかしてくれるかもって」

「……裏付け取れちゃいましたねえ」

比嘉本人も意外そうだ。空井は受け答えを迷ったが、「ありがとうございます」と頭を下げた。

「何か、励ましてもらっちゃって」

「……誤解しないでください、うちの看板ドラマを心配してるだけです！」

噛みついたリカの勢いは久しぶりに初対面のときのような強烈さで、状態が巻き戻ったのなら困るけど元気が出たんだったらよかったなと空井は内心で安堵した。

何しろリトマス試験紙なので、事情が分からないなりに落ち込まれるとそれもだだ漏れで気にかかることこのうえない。


「鷺坂さんは引かないんでしょうねえ」

溜息をついたのは鷺坂が出向いた内局広報課の課長である。撮影協力を審議する会議はその日の三時からで、鷺坂はそれまでに根回しをするべく関係部署を走り回っていた。

「引きませんとも！」

明快に鷺坂は言い切った。

「こっちは幕長も全面的に承認してますから。五時間でも六時間でも粘り腰で交渉し続けますよ。いたずらに帰宅が遅くなって晩飯を一人寂しくレンジでチンするより、さっさと承認しちゃったほうが得策です。どうせ結果は同じです」

「それは交渉じゃなくて脅迫というと思うんだがね」

課長は苦笑いである。

「ただ、一度断った話だからね。そのときは陸自が泥を被ってる。すんなり空自が取って代わることを了承するとも思えんが」

「そりゃあもう、七時間でも八時間でも粘り腰で理解を求めますとも」

気前よく粘る時間を上乗せしたが、実は陸自への根回しはもう済んでいる。——というか先方から根回しされに飛び込んできた。

おいおい、帝都の月9を引き受けるって!?

どこから聞きつけてきたのか、陸幕広報室の室長が電話を寄越したのだ。

おう、そっちには悪いけどやらせてもらうからね。

どんな条件で受けた!?

CH－47を地上でアイドリング、協力隊員を二十名前後かな。ヘリの夜間飛行を地上から撮影させるオプションはこっちでつけた。

くそぅ、と陸幕広報室長は電話の向こうで歯嚙みした。

帝都の連中、俺たちのときはやれ協力隊員を百人用意しろ、夜間飛行するヘリを空撮させろ、レンジャーに空中からの救出をやらせろってワガママ放題だったんだぞ！

そりゃまた無茶こいたなぁ。

そうとも、最初っから調整もできねえような無理ばかりでみすみす断るしかなかったんだ！

そんなに条件下げるならうちだっていくらでもやれたのに！

地団駄を踏まんばかりの勢いで悔しがっていることが声だけで分かった。机の下で足くらいは踏み鳴らしているかもしれない。

陸幕は幕僚長が毎朝広報室に立ち寄ってから出勤できるようにと広報室を庁舎の一階に置いているほど広報意識の高い幕《ばく》である。海幕は海幕で海上幕僚監部と同じ階に広報室を置いているし、幕僚監部と広報室を中途半端に別の階に離してある考えなしは空幕だけだ。今回のような大きな話をこんなうっかりな幕にさらわれるのは悔しいだろうな、と同情の念が湧き起こる——が。

火事場泥棒のようで申し訳なくはあるが、この話はうちが拾わせてもらう！

くそーっ！

もう一度律儀に悔しがった陸幕広報室長が、急に真面目な声になった。

きちんと撮影に関して交渉のテーブルに乗ってくれたらうちも協力できたってことを、帝都にきちんと理解させてくれよ。

もちろん。一人だけいいカッコする気はないよ。

陸自は協力してくれなかったのに空自は協力してくれた、などと誤解されたら陸自のこれからの広報に支障が出かねない。

交渉に難があって実現しなかったのだということを理解させるのは、こぼれ球をもらった空幕の義務である。

それから、と陸幕広報室長は付け加えた。

これは一つ貸しだからな。いずれ返せよ。

それももちろん。利子は期待してちょうだい。

今の銀行並みじゃ期待できねえなぁ、と陸幕広報室長は苦笑しながら電話を切った。

根回し成立である。統幕と海幕はもともと自分が噛んでいないので、あっさり空幕を支持することに同意してくれている。

「じゃ、そんなわけで会議ではよろしくお願いします」

会議が始まれば内局も空気を読むはずだ。一応苦言を呈するのは向こうのお役目のようなものである。

既に審議の趨勢《すうせい》は定まりつつあった。


空井たちが広報室に戻ったのは三時過ぎである。鷺坂はもう会議に出ていた。

「結果、どうなるんでしょうか」

そわそわと落ち着かない空井に、片山が「室長が戻るまで分かるわけないだろ」と鼻で笑う。手元は忙しくキーボードを叩いており、何やらドキュメントを作っているようだ。

「稲葉さん、お茶でもいかがですか」

そわそわしたままほったらかしていた空井に代わって、リカに声をかけたのは比嘉である。

「ああっ、すみませんすみません、俺やります」

運転は行きも帰りも比嘉がしてくれた。お茶汲みまでやらせていては申し訳ない。

「コーヒーでいいですか」

「うん、いいよ」

――と答えたのはリカではない。そのタイミングで室内に入ってきた鷺坂である。

「って室長、会議は⁉」

空井の声は裏返った。会議は三時からだが、時計の針はようやく三十分を回った辺りである。

「終わった終わった」

「早くないですか⁉」

「いい結果の出る会議は早く終わるもんだ」

ということは――、空井は固唾《かたず》を飲んで続く言葉を待った。鷺坂が発表する。

「許可は九割方下りた！」

九割方？　九割方って？　残りの一割方は？　戸惑った表情は空井とリカだけだ。

「ただし大臣の承認が必要になった」

比嘉などはああやっぱりねという顔である。

「一両日中に内局広報課に申請書類一式を提出！　片山！」

「出来てます！」

片山がキーボードから鋭く片手を上げた。どうやら朝からかかりきりで申請書を用意していたらしい。

「お前の上がりたての仕事は穴だらけだからなー。石橋、チェックしてやれ」

「室長ひどいっすよ！　先に誉めて、上がったことを誉めて！」

「誉めたらお前、調子に乗るんだもん。嫌だよ」

取りつく島もない鷺坂に片山が派手に打ちひしがれる。「小芝居はいいですからさっさと書類をくださいよ」と隣の席から石橋二曹が容赦なくつついた。

「申請書は明日の朝一番で提出な。そんで……」

言いつつ鷺坂がリカを振り返る。

「お、撮ってんの？」

鷺坂の声に全員がリカのほうを向く。リカは部屋の片隅で持参していたらしいハンディカメラを回していた。注目されてやや慄きながら、

「……何となく、素材としていい瞬間のような気がしたので」

「いいよ、好きにいろいろ集めてちょうだい。そんでドラマの人に連絡してくれる、許可取れたので大車輪で始めましょって」

大車輪で何かが始まるとは思われないほど鷺坂の口調は気楽だった。

＊

「いや、だから名簿を早くくださらないと困るんです」

声を荒げることだけはこらえたが、空井は電話口でほとんどキレていた。相手はドラマのＡＤである。

「当日のスタッフさん全員の名簿です、役者も全員。どんな端役でもです、例外はありません」

当日の入門手続きをしておくために撮影スタッフの名簿を出してくれと言ってあったのだが、撮影日が二日後に迫っても一向に名簿が届かない。再三の催促にも拘わらずである。

「いや、だから当日飛び入りとか無理ですから。あり得ませんから」

ADは当日まで流動的なエキストラがいるとか何とかの言い分だが、そんなものスケジュールを確定できる人間を使ってくれよという話である。

スタッフが概算で百五十人ほどに上るという話で、事前に手続きを取っておかねば迎え入れることはできない。

「いいですか、うちは一応軍事施設なんです。直前にぽいっと名簿を渡されても手続きできないんです。……顔パス!?　ないですから！　キリーでも駄目っ！」

とにかく前日までの名簿の提出を約束させて電話を切る。

「お疲れさまです」

入り口からかかった声に振り向くとリカだった。ドラマの話が勃発してからは毎日通ってくる。

「進行はいかがですか」

「大わらわですねえ、もう」

この三日間、空井は広報室に泊まり込みで家に帰っていない。

「今日明日はついに妻帯者組も泊まりコースになるんじゃないかな」

ドラマ担当班は空井以外は全員既婚である。

「すみません、随分ご迷惑かけてるようで」

どうやら電話のやり取りが途中から聞こえていたらしい。空井は小さく首をすくめた。

「どういった作業で立て込んでるんですか？」

「細々といくらでもありますね。小物の準備も終わってないし……」

例えばエキストラの制服に着ける階級章や防衛記念章だ。役柄に対応するものを調達しようとすると、撮影用に確保してあるものでは意外と足りない。いっそ現場の隊員から借り受けるか、などという乱暴な案も出ている。

愉快なトラブルとしては、自衛隊員役のエキストラを関係部隊の隊員から募ったところ希望者が多すぎてなかなか決まらない、というようなこともあった。

「それより心配なのは大臣の承認がまだ下りてないことですね」

申請書は要求されたその翌日にほとんど叩きつけるかのような勢いで出したが、肝心の承認がなかなか下りない。

明後日が撮影当日である。明日中に承認が下りなかったら——ということは関係者全員が一切口にしなかった。状況が切羽詰まってくると人間は験《げん》を担《かつ》ぐようになる。不吉なことを口にしてもし言霊《ことだま》が宿ったらどうする、というようなことを多分全員が思っている。

目の前の電話が鳴ったのでリカに手で詫びを入れながら取る。相手はまたぞろ帝都のＡＤだ。要件はロケハンの申し込みである。

「え、それは追加ってことですか？」

ロケハンは空幕長の撮影許可が出たその翌日に早速行われているが、その後の検討で押さえておきたい場所が増えたらしい。

どうしよう、と空井は思わず比嘉を探した。席を立っていた比嘉が気づいてすっ飛んでくる。

「何かありました？」

「今日の午後から追加でロケハンしたいって……時間は短く済ませるって言ってますけど」

「それはアテにならないなぁ。調整してから折り返すって一度切ってください」

比嘉はすぐさま自分の机で電話をかけはじめた。相手は入間基地の広報班のようだ。受け答えからして班長の大籔だろう。

しばらく深刻な顔で話し込んでから電話を終えて空井に向き直る。

「キリーのサイン色紙で手を打つそうです。協力した部隊と基地司令部宛てで、部署名を入れてください。協力の記念として」

「それでいいんだ!?」

「テレビはとかくイレギュラーが発生しやすいですからね。大籔班長も予想はしていたようです。ついでに空幕と広報室の分も頼んじゃいましょう」

「わ、わかりました」

電話を折り返してから気がつくと、リカがまたカメラを回している。

「わぁっ、変なとこ撮らないでくださいよ！」

「ライブな感じで面白そうかなと思いまして」

リカはてきぱきとカメラを丈夫そうな革のバッグにしまった。面白そうとかそういうくだけた判断を自衛隊に対してするようなキャラではなかったと思ったのだが、最近は油断がならない。

とっさにどうしていいか分からず先輩の助けを求めたところなんか撮られたくなかったなぁ、と肩を落とす。残る映像は柔軟でカッコイイ比嘉とおたおた情けない自分だ。

「その映像、どこかで使うんですか？」

「今のところ予定はありません。ただ、珍しい現場に立ち会っているのでできるだけ色んな素材を集めておこうと思って。そのうちどこかで使えるかもしれないし」

それならまあ、すぐに映像を使ってどうこうというわけではないか——と空井は自分を慰めた。

大臣の承認は撮影日前日の夜にようやく下りた。

鷺坂と片山が連日のように内局広報課を訪れ、「万が一にも承認が下りなかったら日本を代表する大勢の俳優のスケジュールに大穴が開く」と陳情という建前の恫喝《どうかつ》をし続けた結果である。「関係者全員に防衛省の悪印象を植え付けることになりますよ」という脅しで向こうも落ちた。

撮影隊が入るのは午後三時からだが、広報室は昼過ぎに余裕を持って乗り込んだ。鷺坂以下、空井と比嘉である。

片山が立ち会えないことを悔しがっていたが、空井の経験値を上げるということで空井が鷺坂の指名を受けた。比嘉は入間の調整に外せない人材なので、最初から頭数に入っている。

関係部署に最後のお願いとばかり頭を下げて回っているところを、取材の名目で同行したリカが要所要所でカメラに収める。今日はカメラマンも連れてきており、そちらにもあれこれ指示を出していた。ハンディカメラでは不安な画《え》を押さえているらしい。

そして定刻どおりに撮影隊がやってきた。スタッフは総勢百四十七名、乗り入れ車輛は五十台という規模である。駐機場の一角に村役場前の広場という設定で組み立てるセットを持ち込んでいるため、大型トラックも多い。

撮影スポットへ誘導すると、すぐさまセットの組み立てが始まった。殺風景な駐機場に着々と古ぼけた役場の庁舎が組み上がっていく。

「うーん、どうも野次馬が増えてきたなぁ」

鷺坂が呟いたのは、日が暮れてからのリハーサルに間に合うタイミングで役者陣が到着した頃である。ちょうど終業の時間帯に重なったが、撮影現場の周辺を不自然にうろうろしている若い隊員が多い。

「箝口令《かんこうれい》は敷いてあったんですが、やっぱり漏れますねぇ」

比嘉が苦笑しながら野次馬を眺める。

「まあ、これだけ大掛かりに準備をしてたら気がつくでしょうし」

「どうしましょう、解散させますか？」

尋ねた空井に、鷺坂がいいよいいよと手を振った。

「なかなか抑制されてるじゃないか、遠巻きにして立ち入り禁止にした区域には入ってこない。邪魔になったら散ってもらえばいいさ。静かにねってことだけ注意してあげて」

そして定刻にやや遅れてリハーサルが始まった。ヘリは既に格納庫から引き出して所定の場所に停めてあり、パイロットも操縦席に待機しているが、まだアイドリングはしていない。

「パイロット役は女性ですか？」

カメラを回していたリカに尋ねられ、空井は頷いた。

「ええ、画面に映るので見映えのいい隊員がほしいと言われまして……」

「自衛隊員なんですか？」

「ええ。最初は役者を使いたいと言われたんですが、エンジンをかけたヘリの操縦席に素人さんを座らせるわけにはいかないので」

答えながら空井はちらちら野次馬のほうを気にしていたが、主演のキリーが現場に登場しても歓声が上がるようなことはなかった。

リカも空井の視線に気づいて野次馬を眺めた。

「何だか……普通なんですね」

出てきた感想に正直がっかりした。空井のほうはどうだ行儀がいいでしょう、くらいに得意に思っていたところだ。

「あの子たちとか」

リカがそっと指で示したのは女性隊員が数人で固まっている辺りである。声を出さない分だけ動作に感動が現れるのか、その場駆け足をしたり飛び跳ねたり、手も雄弁に興奮を語っている。

「桐原さんを見てはしゃいでるところとか、ミーハーで普通の女の子みたい」

ああ。これはもしかすると、行儀の良さを誉められるよりも——

「……普通ですよ、みんな。キリーを見てミーハーにはしゃいだり、毎日泣いたり笑ったり……恋したり」

「歯が浮くようなことを言うねえ、空井くん」

急に後ろからのしかかられて空井は飛び上がった。危うく悲鳴を上げかけたのを飲み込んで、振り返ると鷺坂である。

「やめてくださいよ、大声出しちゃうとこでしたよっ」

抗議した空井は完全に無視して鷺坂がリカに話しかける。

「ちなみにおいちゃんもミーハーだったら誰にも負けないよ。結婚は恋愛結婚。親近感湧く？」

鷺坂もリカには完全に無視され、空井としてはざまあ見ろである。


「ヘリはまだ来るので慌てないで！　この便は怪我人と子供連れを優先してください！」

役場の声かけで救助を待っていた村民がヘリに整然と乗り込んでいく。

「おい、柴田！」

カメラマンが桐原隆史の役名を呼ばわる。

「お前も怪我してるんだから早く……」

頭に包帯を巻いたキリーは余震で頭部に怪我を負ったという設定だ。

「応急処置も終わってるし大したことありません！　それより中継を！」

座っていたキリーが立ち上がる。

「村の外には村民の救助を心配して待っている人たちがたくさんいます！　一刻も早く知らせて安心してもらわないと……！」

避難生活で村民と折り合いが悪かった取材陣はキリーの主張に戸惑ったが、キリーが再び叫ぶ。

「俺たちは電波を持っているんです！　ここで義務を果たさないと、俺たちはホントに都会から野次馬に来ただけのいけ好かないマスコミになっちまう！」

その言葉に突き動かされ、スタッフは慌ただしく中継の準備を始めた。中継を送る準備ができ、キリーがカメラの前に立ち、頭の包帯をむしり取った。

「おい、怪我……！」

心配する声を「傷口はもう塞《ふさ》がってます！」とキリーは一蹴した。

「記者が視聴者に無用な心配を与えるべきではありません！」

そしてキリーがカメラを見据える。カメラマンのキューが出た。

「こちら、北沢村です！　余震で一部の村民が避難所に孤立していましたが、ついに救助が開始されました！」

キリーの背後にはヘリに乗り込んでいく村民が映っている。

「このヘリには怪我人や病人、子供連れが優先して搭乗します！」

怪我人の数や程度を尋ねるスタジオと質疑をいくつか重ね、やがて中継映像の中でヘリの後部ドアが閉まる。

「どうやら一便が離陸するようです！」

エンジン音が辺りに響き、前後の巨大なローターがゆっくりと回りはじめ、やがてその回転数が増す――

そのまま上昇したら画になるのだろうが、撮影はここまでである。離陸と着陸のシーンは数日後に別撮りする夜間飛行ヘリの映像を編集して繋げる予定だ。

はい、カットー！　というテレビでよく見る光景は、ローター音で声など通るわけもないので手振りで行われた。指示がヘリの操縦席にも送られてアイドリングが停止、ローターが回転数を徐々に下げる。

リハーサルでは何度か失敗があったものの、本番は一発で決まった。村民の避難誘導のシーンなどはリハーサルの失敗でしっかり段取りを確認したのが功を奏したらしい。

それでも予定時刻はやや押している。撮影隊は慌ただしく撤収にかかった。

＊

撮影隊が撤収し、使用したヘリを格納庫に戻した頃には深夜一時を回っていた。自衛隊の側は撮影隊を送り出してからの後片付けがあるので致し方ない。

協力した関係者が集まり、鷺坂が一同の前で挨拶を述べた。

「皆さん、この度は深夜までたいへんご苦労様でした。この一週間、関係部署にはハードワークを強いて本当に申し訳ありません……しかし！」

鷺坂の声が力強く跳ねた。

「今日の協力映像は帝都テレビの月9で最低三分流れます！　これは広告費に換算すればおよそ二億の効果がある！　諸君はこの一週間で、航空自衛隊に対して二億の利益をもたらしたことになります！　これは大いに誇っていただきたい！」

おおっ、と隊員たちがどよめいた。

そのどよめきの中で、空井はぞくりと背筋が粟立つのを感じた。悪寒ではない。――逆だ。

話が決まってからは目の回るような忙しさで、最後の数日は広報室に泊まり込みだった。昨夜はほとんど徹夜である。

だが、その苦労が明確に二億という巨大な金額に換算されたカタルシスといったら――周囲で盛り上がっている隊員たちも同じものを感じているはずだ。

自分は隊に対して二億の働きができたのだと、それほどの能力を持っているのだと。

自衛隊が動くときは基本的に不幸なことがあったときだ。だから自衛隊は訓練を重ねながらも出動しないこと、無用の長物であることを望まれる。

疎《うと》んじられながら永遠の待機状態が最上、そんな組織に務める自分たちが、これほど生産的な物語に立ち会えるなんて。

そして、明確に数字を表すことで一瞬にして隊員の努力を報いた鷺坂の凄《すご》みがじわじわ滲《し》みてきた。――筆頭は片山や槙、そして比嘉や他の室員たちが鷺坂を慕う理由がようやく分かった。

それは好きだよ、好きになるよ、こんなカッコイイおっさんが上官なんて最高だよ。

「空井さん」

リカの声で空井ははっと我に返った。

「お疲れさまでした、こんな遅くまで」

連れていたカメラマンは撮影隊と一緒に引き上げたらしい。密着取材の映像はディレクターが自前で撮ることが多く、ここぞというときだけカメラマンを手配するとの話だった。今日は正に、ここぞだったらしい。

「いいえ、わたしは見せていただいただけなので。それより、さきほどの女性パイロットの方に少しお話を伺ってみたいんですが」

「あ、はい、少しでよければ大丈夫だと思います」

空井は人混みの中を泳ぐように件《くだん》のパイロットを探した。交渉すると十分程度でよければとのことだったので、リカと一緒に引っこ抜いて静かな物陰へ移動する。

リカは例によって持ち歩いているハンディカメラを出した。だが、女性隊員はリカのカメラにエッと慌てる。

「撮影があるならちょっとトイレに行ってきていいですか？　髪とか……」

いかにも年頃の女性らしい要求に、リカは笑ってどうぞと頷いた。——俺らにそんな感じイイ笑い方したことないのに、と少し不満が湧いた。不公平不公平、と心の中でブーイング。

やがて戻ってきた女性隊員に、リカが質問を開始した。

「桐原さんとの共演、いかがでしたか？」

「共演なんてそんな、操縦席に座ってただけですし」

と女性隊員は照れたように手を振った。

「でもキリーを近くで見られて嬉しかったです。実はすっごいファンで……録画して一生の宝物にします。挨拶するとき握手もしてもらえたんですよ」

よかったですね、とリカが一緒に笑う。不公平不公平、と空井はまた唱えた。

「ところで、女性でパイロットというのは珍しいんでしょうか？」

「そうですね、多くはないけど最近はぽつぽつ出てきてますよ。輸送機とか」

「パイロットを目指すに当たって、民間企業での就職はお考えにならなかったんですか？」

どうしてもそこには持っていきたいのか、とちょっと残念な気持ちになる。でもまぁあれだけアレルギーがあったんだから仕方がないか……

「あ、私は自衛隊じゃないと駄目だったんですよ」

「それはどうして？」

「ブルーインパルスに乗るのが夢だったんです」

——耳元にジェット戦闘機のエンジン音が蘇った。あの圧倒的な音。力。飛行能力に特化した、極限の飛行のためだけに存在するいびつな美しさ。駆る人間の居住性など一切考慮せず。

圧倒的な飛行の力を律するあの喜び。

「ブルーインパルスに乗るには戦闘機のパイロットにならなきゃいけないんですけど、やっぱり女性にはまだ戦闘機は厳しかったみたいです。私の力じゃ足りませんでした」

俺は、と叫び出したかった。俺は足りてた——足りてたよ！　届いてたのに！

「結局ヘリのパイロットになられたわけですが、今のお気持ちは？　やはりブルーインパルスに未練がありますか？」

「いいえ、今はヘリにやり甲斐を感じています。ヘリはヘリで固定翼とは違う面白さがあります」

と、答えていた女性隊員が驚いたように言葉を飲んだ。驚いたのは——空井を見て、リカにも振り返られて、カメラのレンズもこちらを向いた。

「……あれっ」

頬を伝う熱の心地よさに気を取られていたが、思い直すとそれは涙だった。ということは——

「え、俺泣いてる!?　何で!?」

動揺が四方八方から襲いかかった。

「す、すみません花粉症で！　今日多いかも、」

花粉症などなったこともないのに口走る。リカがまた女性隊員のほうを向き直った。

「お疲れのところありがとうございました」

畳む台詞に女性隊員が「あ、はい」と戸惑いながらも会釈して去る。「ごめんね」とどうにか声だけ追いすがらせた。

「空井さん」

リカが声をかけた。

「すみません、何か邪魔しちゃって、何で俺、」

「カメラはもうしまいました」

その言葉に、——持ちこたえていた堰《せき》が切れた。嗚咽《おえつ》がこらえようもなくこみ上げる。

「——足りてたんだ、俺はっ」

もうその場に居合わせているのが誰かなんてことは吹っ飛んでいた。

「ブルーに乗れるはずだったんだっ！　内示までッ……」

手に入れたスカイのタックネーム。そのタックでブルーインパルスに乗るという夢が叶うはずだった。もう指先がかかっていた。

「何で俺なんだよ!?」

日常動作に支障ないほど回復した膝。趣味のレベルならスポーツさえ。

「ここまで回復する膝だったら困んない奴、他にいただろ!?　替えてくれよ、俺とッ！」

怒鳴れ、何かを。不満を。理不尽を。怒りを。怒鳴って堰き止めないと大声で泣いてしまう。

「ちくしょう————ちくしょうちくしょうちくしょうちくしょうッ！」

頭にぽんと細い手が乗った。あやすようになでる。

電流が走ったかと思った。驚いて声が止まる。

「ごめんなさい。どうしたらいいか分からなかったので、つい」

詫びて離れようとする手にむずがるように頭を振った。しばらく迷った手が結局もう一度髪に着地する。なでてて、と喉の奥で呟くと聞こえたのかどうか手はまたなではじめた。

今度は嗚咽が絶え間なく湧き出した。

何だかすごくみっともないことになっているような気がしないでもないが、随分気持ちよくて何もかもどうでもよくなった。嗚咽と一緒に強ばっていた何かがほぐれていく。

ああ――泣くのってこんなに気持ちがよかったんだな、と思った。

理不尽な運命を聞いた日から、自分が初めて泣いていることに気がついた。

＊

「やるなぁ、稲ぴょん」

リカに頭をなでられながら泣く空井という、何がどうしてこうなったという見せ物を物陰から窺いつつ鷺坂が呟くと、比嘉がやはり窺いながら苦笑した。

「あんまり趣味のいいことじゃないですよ」

「いやぁ、だってここで俺たちが出て行くほうが空井はダメージ大きいんじゃない？　目撃者はいなかったと思わせといてやろうよ」

「まあね。私なら舌を噛んで死にますね」

「そこまで言う」

「実はスタイリストなんです」

言いつつ比嘉はにっこり笑った。

「でもよかったんじゃないですか、空井二尉には」

「なー？　けっこういい組み合わせだって言っただろ？　とはいえ、こんな短期間で泣かすとは稲ぴょんなかなかドSだね」

「一年分ゆっくり泣かせてやりたいところではありますけど」

比嘉が袖を上げて腕時計を見た。そろそろ基地を出なくてはならない時間である。

じゃあそろそろ前触れでも入れてやるかね——と鷺坂はポケットから携帯を引っ張り出した。

2.

はじめてのきかくしょ

＊

Title：懇親会のお誘い
お世話になっております。

先週の『報道記者、走る！』のロケでは取材お疲れさまでした。来週の放映が楽しみですね。

さて、本日は稲葉さんを空幕広報室の懇親会にお誘いしたくメールを差し上げました。

広報室のメンバーと会食をしながら、今後の取材のご予定や広報についてのアドバイスなどを聞かせていただければと思います。

稲葉さんのご都合に合わせますので、お手数ですがご希望の日取りと場所を教えていただけると幸いです。

予算は四千円前後を予定しています。


空井から来たメールの内容に、リカはしばらく考え込んだ。

文脈からすると懇親会というのは建前で、要するに単なる飲み会らしい。空幕広報室における自分の印象などを考えると、自業自得ではあるのだがあまり居心地のいい会にはなりそうにない。

大して迷うこともなく断りのメールを返してしばらく、社用携帯に電話が入った。着信の表示は『空井（空幕広報）』と出る。

「もしもし、防衛省航空幕僚監部広報室の空井ですが」

ボウエイショウコウクウバクリョウカンブコウホウシツという長ったらしい名称を空井は律儀に毎回名乗る。

ロケ以来、メールなどはやり取りしていたが声を聞くのはこれが初めてだ。

「はい、稲葉です」

「あのですね、懇親会のことなんですけど……」

「部外者がお邪魔してても何ですから」

嫌われてるだろうし居心地が悪いからイヤです、とは言いづらい。だが、空井は食い下がった。

「あのですね、実は懇親会とは書きましたけど、稲葉さんの歓迎会なんです」

「は？」

遠慮会釈なく怪訝な声が出た。空井が焦ったように声をうわずらせる。

「僕も来たばかりで初めて知ったんですけど、広報室はメディア関係の方と親睦を深める目的でよく懇親会にお誘いするんですよ。新しく知り合った方は歓迎会ってことにしたいんですけど、自衛官って接待交際費が一切認められていないので、お招きする方にも割り勘をお願いしていて……だから歓迎会じゃなくて懇親会って態にならざるを得なくて」

思いがけず潔癖な『おカネの話』に意表を衝かれる。

「本当なら四、五千円のことですから、こちらで稲葉さんの分を割り勘して被れたらいいんですけど、僕たちがそれやっちゃうと利益供与とか色々難しい問題になっちゃいますし」

民間企業、特にマスコミ関係は接待交際費の使い方が非常に柔軟——といえば聞こえがいいが要するにいいかげんで大雑把《おおざっぱ》なので、彼らの生真面目な金勘定は未知の文化である。

「招待できなくて何が歓迎会だって感じなんですけど、ぜひ」

こう来られると断りにくい。

「分かりました。……空井さんも出席されるんですよね」

「はい、僕が幹事なので」

幹事だったらあれこれ忙しくて落ち着いていられないかな、とやや心配になる。一人で座からはぐれる飲み会ほど虚しいものはない。

「……参加予定はどなたでしょうか」

「比嘉一曹が来ますよ。それと鷺坂室長」

探りを入れたのはバレバレだったかもしれない、空井はリカがどうにか慣れているメンツから挙げた。ただし、鷺坂には一方的にいじられるばかりなのでリカとしては喋れる相手に数えない。

「後は木暮班長と片山一尉と、報道班からは柚木三佐と槙三佐が来ます。他には……」

柚木が来るのか、と少し気が重くなった。同性ではあるが、リカへの反発が一番分かりやすい人物だ。他にも数人名前が挙がったが、まだリカには顔と名前が一致しないレベルである。

「大丈夫ですよ」

って、何が。飛躍した脈絡に首を傾げると、空井が続けた。

「みんな稲葉さんともっと打ち解けたいと思ってますから」

カチンと来た。一体何だ、その「クラスで浮いちゃってる転校生を溶け込ませてあげよう」的な物言いは。――自分でも気まずさを自覚しているだけに余計に気に障る。

何よ――この前なんかわたしに頭なでられてひんひん泣いてたくせに！

さすがにそれを当てこするのは大人げないので、あの甘ったれていた空井を思い浮かべるだけで溜飲を下げた。

懇親会はリカの希望を入れてその週の木曜日、十九時からとなった。場所は神楽坂の創作和食の店——平たくいえばちょっと気の利いた居酒屋である。

リカが店に着いたのはほぼ時間どおりだ。予約名の空井を告げると二階の座敷に案内された。

「こんばんは……」

半ば敵地に乗り込むような気分で室内を窺うと、もうメンバーはリカ以外そろっているようだ。

「おっ、来た来た!」

真っ先に声を上げたのは奥に陣取っている鷺坂である。

「先に一杯いただいてるよ」

掲げたのはビールのジョッキである。空井がすかさず近くから「それは別会計ですからね」と釘を刺した。電話で軽く衝撃を受けた生真面目な金勘定は徹底している。まるで貧乏な大学生の飲み会だ。こんな慎ましい飲み会は久しぶりなので新鮮に感じる。

「さあさあ、好きなところに座って」

と勧められても、ほとんどアウェイの宴会では好きなところなど選びようがない。思わず空井を窺うと目が合った——が、そのまま逸らして隣の片山と話し込む。突き放されたような気分が反射的に襲い、そんな気分になったこと自体が不本意でリカは唇を固く結んだ。

「稲葉さん、どうぞこちらに」

さり気なく声をかけてくれたのは比嘉だ。空けてくれた隣の席に会釈しながら腰を下ろすが、——こういう気遣いこそ本来だったらあなたがするべきじゃないの、と斜め向かいの席になった空井に内心で文句をつける。

その空井は自分の席から腰を浮かせて全体に話しかけた。

「すみません、後になると慌ただしくなっちゃうので先に会費を……」

全員が一斉に財布をごそごそやり始める。メールで送られてきた会費は飲み放題二時間付きで四千五百円だった。

「あっ、万札しきゃねえ！　細かいのある人まとめて払わせて！」

悲鳴を上げた柚木に「じゃあ俺が」と片山が声をかける。「空井、千円お釣りちょうだい！片山と二人分！」と柚木が空井に一万円を突きつける。

「えっ、待って、俺も今細かいのがなくて……」

「あんた幹事のくせに何で細かいの持ってないのよ！」

つくづくつましい光景だ。

「空井さん、これ」

就職一年目のボーナスで買ったヴィトンの長財布からリカがちょうどを数えて出すと、空井が「ありがとうございます」と受け取り、すかさず柚木が釣りの千円をむしって行った。

「すみません、何だかみみっちくて」

内心どう思っているか知らないが、いつも愛想のいい比嘉が話しかけてくる。

「いえ、きちんとしてらっしゃると思います」

接待という名目があれば領収書がほとんど青天井で経理に通る世界の人間として、後ろめたさも感じつつの感想だ。

「こういう懇親会というのはどれくらいの頻度で……」

「割りと頻繁にやりますよ。先月は三万円くらい飛んでったかなぁ。かみさんに小遣いの補充を頼んで怒られました」

比嘉が笑いながら頭を掻く。空井も言っていたが、接待交際費が認められていないというのは本当らしい。

「でも、何か広報室勤務の手当てのようなものは……」

ああ、と比嘉が何やら夢見るような眼差しになった。

「あったらいいですねえ、そういうの……」

「え、でもこういうのって、広報室として人脈を作るための会食じゃないんですか？」

「ええ、もちろんです」

広報という仕事の性質を考えると、人脈を繋ぐための会合を持つのは業務と言っても過言ではない。マスコミ業界のそれは極端としても、企業の経費として接待交際費は認められている。

会社のための交際を全て社員の自費で賄わせるなど民間では考えにくい感覚だ。聞くと広報の成果は別に仕事上の成績になるわけでもないらしい。給料を組織のために使って評価されるわけでもないとなると、広報官は一体どうやってモチベーションを維持しているのか。

「だからこういう仕事が好きじゃないと勤まらないですねえ。達成感だけが報酬ですから」

「でも」

先日の撮影協力で不眠不休の働きぶりを間近に見ているだけに、彼ら自身に何一つ報いがないということが理不尽に思えた。せめて組織は彼らに報いてもいいのではないだろうか。

「ほら、そこはやっぱりお役所ですから。職員の労力はタダなわけですよ」

比嘉はおどけてそう言ったが、笑うと悪いような気がしてリカは微妙な表情になった。

「武士は食わねど高楊枝ってやつです。大丈夫ですよ、心意気で仕事ができる自分かっこいいって悦に入ってる奴らばっかりですから。まったく馴染めなかったらすぐに異動がかかりますし、さすがに上も人の使い方は考えてます」

まったく馴染めなかったらすぐ——例えば空井はどうなのだろう、と思わず斜め向かいを見た。空井が懸命に集めた金を数えている。

「彼は馴染むと思いますよ」

名指しにしない比嘉の言葉に突っかかるのも大人げないように思え、リカは素直に頷いた。

「助かります。そうそう窓口役が変わられても困りますから」

それから比嘉の台詞の別のくだりを噛みしめた。——心意気で仕事ができる自分がかっこいいと悦に入れるのは、実は相当かっこいいことではないだろうか。

仕事に心意気なんて感じたことは今まであったかな——などとうっかり自分を振り返り、非常に虚しい結論を導き出しそうだったので途中で考えることをやめた。

「稲ぴょんはそろそろ取材のテーマは決まったの？」

座がくだけた頃に鷺坂がそう呼ばわった。

「その呼び方やめてください」

無益なこととは知りながら一応不本意なことを表明し、リカは少し考え込んだ。デスクからは少し時間がかかってもいいから新しい切り口で特集を作るようにと言われている。自衛隊が得意だった前任のディレクターがテレビ映えする分野をほとんど手掛けていったので、当分は警察や消防など別のテーマを取り上げていくらしい。『帝都イブニング』のそのコーナーはそのようにテーマを休ませながらローテーションさせる形で作っている。

急ぐ必要がないからリカに任されたということでもあるが、それを思うと僻《ひが》み根性が煽られるのであまり考えないようにしている。

ある程度の冷却期間があるので、視聴率のよかった部隊にまた別の人材を求めて構成するのが手堅いが、おみそ扱いされている状況でそのやり方に乗っかるのも悔しかった。自分なりに色々アイデアを練ってはいるが、――今口に出すと鷺坂がまた調子に乗りそうでそれも悔しい。

「あの……自衛隊のソフトパワーに目を向けるという意味で、こちらの広報室を取り上げるのは面白そうかなと思っています」

有頂天になるかと思いきや、鷺坂は「あらぁ」と拍子抜けした様子だ。

「うち、他に面白い商品が色々あるよ」

「ええ。でも、先日の撮影協力などを見ていて、広報を演出する皆さんの動きも非常に興味深いと思いましたので」

何かの裏方というのは地味ではあるが玄人《くろうと》受けする切り口だし、上手くやれば視聴者の興味を引く。最近は華やかな表舞台より裏方を知りたがるという流行もある。

さすがにデスクワークがメインではテレビにならないが、広報室なら営業的な動きも活発だし、メディアとの接点など華やかに見せられる部分もある。

自分ではかなり面白い切り口ではないかと自負していたのだが、

「何か問題がありますか？」

「いや、問題ってことじゃないんだけど」

鷺坂が困ったように頭を掻いた。

「広報室ってのは裏方だからね。輝かせなきゃいけないのは現場であって、広報室が目立とうとしちゃいかんのよ」

「ですが、たまには広報室にスポットが当たってもいいんじゃありませんか」

口を挟んだのは広報班の木暮班長だ。報道班の天海班長は出張中につき欠席である。

「うちの室員はよくやっていると思いますよ。それが報われることがあっても……」

「いや、それはさぁ」

鷺坂が苦笑いでますます頭を掻く。

「空幕の俺らは各基地の広報と違って現場に密着してるわけじゃないじゃない？　一番効率的なところに采配を持っていって現場を走り回らせるわけであってさ、それは現場にしてみたら楽に上前だけはねていく奴らだってことにもなりかねない。中央がスポットライトを浴びちゃうっていうのは、現場の感情を考えるとちょっと気が引けるかな」

「しかし、現場は現場で中央の苦労を理解してくれても……それに稲葉さんの仰るソフトパワーへの注目は新しい広報展開が期待できるかと」

「いや、稲葉さんの着眼点は面白いと思うよ、もちろん」

何やらややこしい話題を振ってしまったのだろうか、と心配になって空井を窺う。空井は確かにリカの視線を受け止めたはずだが、ふいと議論している二人に目をやった。

逃げた、と反射的に思った。飲み会が始まってからもう数度目だ。——避けられている。

比嘉が相手をしてくれているが、他のメンツからは腫れ物に触る感じが拭《ぬぐ》えない。ただでさえ居心地が悪いのに、直接の担当者がこの態度ではなおさらだ。

何よ。——あなたが呼んだんじゃないの！　カチンカチンと心が何度も不快に弾かれる。

「だから稲ぴょんはさ」

鷺坂がリカに話を振ったのは、絡む木暮から逃げを打ったらしい。

「広報室を取り上げるのはかまわないけどさ、できればそのときどきで関わってる現場の連携もきちんとクローズアップしてちょうだいよ」

「ていうかさーぁ」

割って入ったのは柚木だ。

「広報室とか言ってもどうせ取り上げるのは派手な広報班で、地味な報道班は取り上げるつもりなんかないんでしょー？」

いきなり絡まれて内心どぎまぎしたが、槙が横から投げた「僻《ひが》まないでくださいよ、みっともない」というツッコミで柚木は「何を」と槙に矛先《ほこさき》を向けてくれた。

「そういや、我が広報班のホープはそろそろ広報プランが決まったのかよ」

空井に絡んだのは例によって片山だ。

「大ベテランの比嘉ちゃんが指導してて未だにノープランじゃねえだろな、まさか」

「あ、あの……」

目を泳がせた空井がまたリカと交差しかけた視線を不自然に逸らした。——癇《かん》に障る。

「戦闘機の体験搭乗で人気のある芸能人を乗せてみたいなぁ、って。それこそ例えばキリーとか、メジャー感のある人で」

片山がむっと唇を尖らせたのは、そのプランが効果的なことを認めて悔しかったらしい。

「おっ、それはなかなかいいな！」

手を打ったのは鷺坂だ。空井に指鉄砲を向けながらぐいっとビールのジョッキを呷《あお》る。さっきから一体何杯目だろう。鷺坂だけではなく周囲の面々もピッチが速い。しょぼくれたおじさん風でまったく肉体派ではなさそうな木暮班長も、途中からウィスキーをぐいぐい行っている。空井も決して遅くはないペースで、自衛官は酒豪が多いのだろうか。

「先日のドラマで制作系のプロデューサーやディレクターともかなり名刺を交換できましたしね。上手く人脈を手繰っていけば実現可能な話だと思いますよ、絵になるから売り込みやすいし」

比嘉の言葉に空井が「そうですか？」と表情を明るくした。指導役に認められて嬉しかったのだろう。

わたしだってディレクターなんだけど、とちょっと面白くない気分が翻るが、まあ報道だからバラエティ系は弱いしね、と自分でオチをつけてウーロンハイと一緒に飲み込む。

そこへ——

「よっこらしょー！」

と、かなり強引にリカと比嘉の間に尻を割り込ませてきたのはふらふら歩いてきた柚木である。槙とのバトルは終わったらしい。

「飲んでるぅ？」

ぎょっとして声も出ないリカに、柚木は持参のビールジョッキをカチンと合わせた。

「せっかくだからこの機会に稲葉サンとはじっくり話をしとこうかと思ってさぁ」

「柚木三佐！」

比嘉がたしなめ、さすがに空井も斜め向かいで腰を浮かせた。だが柚木が「うるせぇ」とそれを蹴散らす。

「女同士で腹割ろうっつってんだ、邪魔すんじゃねえ」

「酒癖悪いんだから！　保護観察官、どうなってんですか！」

比嘉が柚木を引っ張りながら槙を振り返るが、槙は槙で彼の敬愛してやまない鷺坂と討論中だ。

柚木と鷺坂では天秤は問答無用で鷺坂に傾くらしい。

るせぇ、と柚木が比嘉に剣突を食らわせ、比嘉が「おふっ」とやばめの息を吐いた。さすがは自衛官というべきか、いいところに入ったらしい。

「ていうかさぁ、聞きたかったんだわー。あんた、自衛隊嫌いなくせに何で自衛隊を担当してるわけ？」

剣突で地味にのたうっている比嘉に代わって、とうとう空井が腰を上げる——と。

「いいよ、やらせときー」

言い放ったのは槙の相手をしながら鷺坂だ。

「柚木の酒癖、けっこう突破力あるからさ。稲ぴょんにはいい洗礼かもよ」

えー、と空井が疑わしげにブーイングを鳴らしたが、結局また腰を落ち着けた。落ち着けないでよ、とリカとしても内心でブーイングだ。

ともあれストッパーは完全になくなり、リカは虎になった柚木と対決を余儀なくされた。

*

うわぁ、と空井は目の前で繰り広げられる光景に目を覆った。

「だからぁ！　わたしは記者になりたかったの！」

立派な酔っ払いと成り果てたリカは同じ管が延々とループしていた。隣で柚木が「はいはい、分かる分かる」とこっちもかなり回っている様子でやや上下の激しすぎる頷きを繰り返している。

二人ともいい感じで頬が上気し、美人を二人ほとんど向かいにした空井の席はかなりの特等席だが、それは音声を完全に切れたらの話である。

リカは行きつ戻りつしながら相当あけすけに自分の鬱屈を吐き出し、周囲はその迫力と勢いに為す術《すべ》もなかった。

「弱かったなー、稲ぴょん」

鷺坂がニヤニヤしながら大虎のリカを眺める。

「そりゃ、柚木三佐のペースで引っ張ったら……」

そういう比嘉も剣突を食らってから傍観を決め込んだらしい。完全に女二人は放置されていた。

「記者は汚れ仕事だから取材対象に憎まれることなんか気にするなって言ったくせに！　今さら手のひら返して力押しばっかでどうすんだなんて！　わたしはちゃんと最初から汚れ役をきちんと引き受けてたのに！」

「はいはい、分かる分かる」

「同期なんかわたしが突っ込んで行ってたとき後ろでめそめそしてばかりだったくせに！　稲葉を見習えってキャップだって……！」

「はいはい、分かる分かる」

「どうして最初からちゃんとやれてたわたしが記者を下ろされなくちゃいけないのよぅっ！」

リカは柚木にすがりついて泣きを入れ、柚木も「はいはい、分かる分かる」をループで稲葉をしっかと抱き止める。

美人が眼の前で二人絡み合い、くどいようだが音声を切ることさえできれば空井の席は特等席である。音声付きではいたたまれない。

「面白いから誰か写メ撮っとけよ」

鷺坂がそんなことを言うが、「嫌ですよそんな恐いこと！」と片山が突っ込む。空井としても完全に同意である。

「何だよ、度胸ねえなぁ。じゃあこっちで撮っとくか」

言いつつ鷺坂は途中で何度か記念写真を撮った広報室の備品のデジカメを出し、二人に向けて何度かシャッターを切った。

「それにしてもあれだね、稲ぴょん、優等生が社会に出て頭を打つ典型の図だったね」

「五寸釘を額でコンクリに打ち込む並みに全力で打ってる模様ですねぇ」

比嘉の形容も容赦がない。

「いやー、その勢いで打って頭蓋が砕けないところにこの子の真髄があるよ」

鷺坂はやに下がるばかりだ。リカは柚木にすがりついたままぐだぐだ呟き続けている。

「だから自衛隊が嫌いっていうのは、ちょっと八つ当たりもあって……だって高校の先生は違憲だって言ってたし、憲法九条を汚す自衛隊に反対しましょうって年賀状が今年も来たし……」

「何というヒダリマキマイマイな恩師……」

どん引いた片山の漏らした呟きに、空井は思わず吹き出しそうになった。表現は不穏当だが、年賀状で政治的主義を語る恩師は確かに存在が重そうだ。

要するにリカは良くも悪くも飲み込みのいい優等生なのだろう。指導者のいうことをきちんと聞いてきちんと実行し、――誰よりも早く模範生になれるが、指導がなくなると勝手が分からず頭を打つ。

「記者を下ろされてそんな日陰の担当に回されるなんて、って悔しくて……」

酔っぱらっているだけに本音であろう日陰という言葉に周囲が苦笑する。実際、自衛隊に反感を持っている一般の皆様の認識はそんなものだろう。隊内に務めていたら却ってこういう意見に触れる機会は少ないので、ある意味貴重である。

まだこのレベルでしか届いてないんだなぁ、と誰かが呟いた。当たり前だろ、と鷺坂が答える。

「おまわりさんや消防士は小学校の教科書から出てくるのに、自衛隊が初めて教科書に出てくるのは中学校の公民からだぞ。基礎点がそもそも違う、公の場で既に日陰扱いなんだから」

「職業差別はいけないって学校で教わったような気がしましたけどねぇ」

槙がそう言って溜息をつく。

「唯一の例外だぞ、レアじゃないか」

おどける鷺坂に槙が「嬉しくありません、そんなレア感」と膨れる。

「ごめんなさい空井さんっ……！」

一際大きなリカの声に空井はぎょっとして大虎の美女たちを向き直った。リカが柚木の首っ玉に抱きついている。え、待って、何で柚木三佐に抱きつきながら俺の名前!?　と倒錯した光景に目を白黒させる。

「八つ当たりしてすみませんでしたァ……！」

「ちょ、急展開だなぁこれ」

比嘉が面白そうに隣の美女たちを覗き込む。空井としては一体リカが何を言い出すやら気が気でない。

「もういい許す！　気にすんねぇ！」

「――って何で柚木三佐が許してんの!?」

思わず全力で突っ込んでしまい、酔っ払い相手に何たる無益なと空井は自分で頭を抱えた。

「何、お前まだ許してないの？　けっこう根に持つねぇ」

揚げ足を取った鷺坂に「いや、別にそんなことは」とへどもど答える。

「ならいいじゃないの」

「いやでも、俺のロールプレイでこういうことされても」

柚木は抱きつくリカに熱い抱擁を返し、これ稲葉さん的には俺がやってることになるんだろうかと悩む。正気に戻ったときにセクハラ云々の騒ぎになったら立ち会ったメンバーは潔癖を証明してくれるかどうか微妙だ。鷺坂に至っては面白がって混ぜっ返すかもしれない。

それに何だか——空井は目のやり場に困って俯いた。相手を自分だと思ってこれほど無防備にしなだれかかっていると思うと妙な気分になってくる。柚木がまた躊躇なく抱き締めているから余計だ。

「お前、今から柚木三佐と代わってもらえば？」

片山ににやにや窺われてうっかりバカと口を滑らせそうになり、それを聞き咎《とが》めた片山に今度は空井がしつこく絡まれる羽目になった。


宴の後にはすっかり潰れた美人二人が残された。地を這うようないびきで日頃の残念度に磨きがかかっているのが柚木で、軟体動物と化して何やらうにゃうにゃ呟いているのがリカである。

「柚木は保護官任せでいいとして、稲ぴょんは空井が何とかしてちょうだい」

鷺坂の采配に空井は途方に暮れながらリカを抱え起こした。完全に熟睡した柚木は槙が小脇に抱え、どうにかこうにか店を出る。

「稲葉さん、住所！　住所教えて！」

何度か揺するが、リカはろくに反応しない。さりとて女性の荷物を勝手に漁《あさ》って免許証の類を探すのも憚られる。女性が立ち会っていればまだしも、頼みの綱の柚木は地鳴りのいびきだ。

「お前、住所聞いたってその状態の女を一人でタクシーに叩き込むわけにもいかないぞ」

横から声をかけたのは地鳴りを小脇に抱える槙である。官舎が同じ方面なのでこうしたときの尻拭い役は槙ということになっているらしい。

一行はぞろぞろとタクシーを拾える通りのほうへ歩き出している。駅は近いが尻拭い役二人に付き合ってくれているのだろう。

いつも尻拭いをさせられているのだから、槙が柚木に口うるさくなるのも無理はないかと漠然と納得した。柚木はがらっぱちに振る舞って飲み会でも男顔負けに杯を呷るが、一定量を超えるといきなり潰れる。

「何というか、酒が入ると柚木三佐は残念っぷりがすごいですね」

空井がこの残念っぷりに立ち会うのも既に数度目である。

「日頃も充分残念だから変わりゃしないよ。どこか一つくらい慎みがあったらどうなんだ」

「それはもう柚木三佐の個性と思って諦めたらどうですか？」

すると槙はますます仏頂面になった。

「個性だったら放っとくよ、そんなもん」

「けっこう買い被ってますね」

茶化すとじろりと睨まれ、空井はそれ以上の軽口を慎んだ。

リカを根気強く揺すぶると、人形町の駅名だけがどうにか転がり出てきた。後は車中で何とか聞き出そうと決め、比嘉が停めてくれたタクシーに乗り込む。

「稲葉さん、お願い、起きて！　道教えてってば！」

空井も地方出身で東京勤務は初めてなので、タクシーに指示を出せるほど地理に明るくない。リカが切れ切れに漏らす住所で運ちゃんが気を利かせて車を運んでくれた。

多分ここいらだと思うんだけどねぇ、というところで降ろしてもらう。

「領収書お願いします」

タクシー代は後で請求だ。と、急にリカがもぞもぞ動き出した。覚束ない手付きで財布を開け、「これ」と運ちゃんに万札を渡し、回りきらない舌で「領収書」と呟く。

もらった小銭混じりの釣りをどうするのかと思っていたら財布にしまうことは端から放棄し、領収書ごと鞄に突っ込んだ。豪快な処置である。

目が覚めてくれたのかと思いきや、車を降りると生まれたての子馬のような足取りで、慌てて発進する車に巻き込まれないように引き離す。

どうやら一定の方向に進もうとしているのでそれを支えて歩き出す。こうなっては帰巣本能に期待するしかない。

「ごめんなさい……」

呟くリカはまだ夢うつつらしい。はいはい、もういいですよと相槌を打ちながら歩いていると、突然リカが癇癪《かんしゃく》を起こしたように空井の手を振り払った。

「適当な相槌打たないでっ」

この状態でも相槌が適当なことは分かるのか、と空井はむしろそちらに慄いた。

「まだ怒ってるんでしょ、だから無視するんでしょっ」

一体何の話だ!?　と突然の濡れ衣にうろたえると、リカは両手の拳で空井の胸をぶった。

「ずっと目を合わせてくれなかったじゃないですかっ」

あいた、と思わず顔をしかめる。それなら確かに覚えがある。飲み会の間、ずっとリカの視線から逃げていた。リカがこちらを窺っていたのも気づいていたが、目の合う直前で逃げまくり、いつのまにやら柚木に絡まれて泥仕合の飲み比べが始まっていた。

「空井さんが来てくれないと困るっていうから行ったのにっ」

「ごめんなさい！」

先手を打って謝ってしまう。

「ちょっときまりが悪くて、その」

酔っ払いに言い訳して通じるのかという命題は取り敢えず置いておく。

リカの前で号泣してしまってから顔を合わすのは初めてだった。メールや電話なら棚上げしておけるが、面と向かうとさすがに気まずい。しかも――

なでてとか！　自分でも頭が湧いたとしか思われない甘ったれた言い草は三十路手前の男が正気に戻って直面するには恥ずかしすぎた。

「稲葉さんがどう思ってるだろうと思うと、まともに顔を見られなくて。すみません、せっかく来てくれたのに」

そうでなくとも広報室との出会いは頑なな滑り出しで、リカとしては心細かったはずだ。空井を頼りにしていただろうに――

するとリカがふにゃっと笑った。

「怒ってないならよかったァ」

その無防備な笑顔は日頃の難しい顔からは想像もつかない。単なる仕事の関係者が拝んでいい範囲のものではないような気がしてどぎまぎする。彼氏とかの前だったら意外とこんななのかなと埒《らち》もないことを考えたり。

「仲直りしましたか」

仲直りするような仲があるとも思われないが「はいはい仲直り仲直り」と頷いておく。すると「適当な相槌打たないで」とまたねじ込まれた。女の対人センサー恐るべしである。

泣いた自分も相当恥ずかしかったが今日のリカも相当箍《たが》が外れているので、これでおあいこになったかなと少しほっとした。

そうは問屋が卸さなかった——と判明したのは翌日だ。

「昨日は大丈夫でしたか」

送り届けた責任上、空井は合間を見てリカに見舞いの電話をかけた。独身用らしいマンションまで送り、オートロックの玄関に入るところまでは見届けたが、多少その後が心配だった。

平常営業でしらっと「ご心配いただきまして」と返されて、安心するのと同時にいたずら心が湧き上がった。

「だいぶ飲んでおられましたけど」

ちょっとからかってやろうとつついてみると、リカはそうでもありませんと答えた。

「飲み会の記憶は途中からないんですけど、家にはちゃんと帰れてましたし」

「えっ、あの」

しらばっくれているのかと思って「僕が送りましたけど、昨日」と申告すると、「まさか」とリカは笑った。

「どんなに飲んでも家にはきちんと帰れてるんです、いつも。人様のお世話になったことだけはありません」

こう来たか、と電話のこちらで肩を落とす。恥ずかしいのはこちらが一方的に持ち越しだ。きちんと家に帰れているという事実の裏には、自分のようなサポートがそのときどきできっとあったのだろうなと苦笑した。

*

「比嘉一曹、見ていただけますか」

空井はプリントアウトする前の書類をパソコンの画面上で確認してもらおうと比嘉を呼んだ。席が隣なので何かと気軽に頼んでしまう。

はいはい、と比嘉が腰を上げ、空井の空けた席に座る。作った書類はテレビ向けの企画書だ。先日の懇親会で提案してみた芸能人による戦闘機の体験搭乗を実際に売り込んでみることになり、これが空井が初めて手掛ける広報企画になる。

「ははぁ、なるほど……」

頷きながら比嘉が画面をスクロールさせていき、空井を振り返ってにっこり笑った。

「これじゃ駄目ですねぇ」

ああー、と空井はがっくり首を落とした。

「時間かかったのになぁ」

「ていうか、無駄な時間をかけすぎなんですよ」

比嘉はさらりと突っ放す。かけた労力を全否定されて空井はますます落ち込んだ。

「こんにちは」

入り口からかかった声に振り向くとリカである。

「こんにちは……今日はどうなさいました？」

「取材です」

リカはいつもの革のバッグを軽く叩いた。中には例によって油断するとすぐ出てくるカメラが入っているのだろう。

「先日の懇親会で、鷺坂さんにも許可をいただきましたし」

……こないだのことはどこまで覚えてるんだろうなぁ、と空井は微妙な相槌を打った。先日の美女虎の一件は柚木の側が完全に忘れ去っていたので、誰も触れないままで過ぎている。

「今は何をなさってるんですか」

リカの問いに比嘉が爽やかに答えた。

「駄目出しです」

「そんな言い方……！」

空井は口を尖らせた。と、リカが案の定「へえ」と反応してカメラを出した。ほら、こうなるんだから、絶対。

「続けてください」

何で俺の情けないとこばっかりカメラ回すんだよ稲葉さんは、と空井は肩を落とした。比嘉が
「いいですねぇ、空井二尉」と親指を立てる。

「怒られてしょげてる感じが出てますよ」

比嘉のほうは根っから広報体質なのでカメラに動じることがなく、むしろカメラが回っているとサービス精神が発揮されるのか元から軽やかな喋りに磨きがかかる。

「何の駄目出しですか」

「空井二尉の作ったテレビ用の企画書です。芸能人を戦闘機に乗せたいってアイデアですね」

「ああ、懇親会で仰っていた……」

頷いたリカが片手でキューを出す。さあ続きをどうぞ。すると比嘉は椅子の後ろに立った空井をくるりと向き直った。

「この企画書、どうして駄目か分かりますか」

さり気なく状況説明から入る芸の細かさはさすがの広報慣れだが、空井にとってはそれが徒《あだ》だ。

「すみません、よく分かりません」

腹を括って空井も生徒役に徹し、カメラの存在は意識の外に追いやった。

「これね、読まなきゃ内容が分からないんですよ」

異なことを言われて空井は首を傾げた。読まねば書類の内容が分からないのは当然だ。すると比嘉が自分のデスクに手を伸ばし、積んであるファイルを一冊抜いた。ページをしばらく送って「あ、これいいな」と開いた。

「これ、片山一尉が作った企画書です。テレビではなく雑誌への売り込みだったんですけど」

見せられた瞬間、空井が作った企画書との違いが分かった。

見出しは『斬新なロケーションよりどりみどり！』。

リードに『ファッション誌の撮影などに一風変わったロケーションはいかが？　以下のようなロケーションを航空自衛隊が提供します！』とあり、風景写真がいくつか貼られている。

戦闘機の停まっている駐機場や格納庫、広大な滑走路やメカニカルな基地内の設備、そうかと思えば打って変わってレトロな建物や古びた庁舎の屋内各種。いかにも**らしい**ものから「こんな風景が自衛隊にあるのか」と意外なものまで、写真を眺めただけでロケーションの多彩なことが窺える。

本文は写真の場所など具体的な説明が簡潔に続き「一般では実現が難しいロケーションも航空自衛隊なら無償でご提供できます」と売り込んでいるが、本文を読まなくても見出しとリード、写真類を一見しただけで企画書の意図が分かるようになっている。枚数はわずか二枚だ。

読まなくても分かるというのはこういうことか。

「この企画書で、実際に『アンナ』や『フローレンス』のモデル撮影を引き受けています」

どちらも空井ですら名前を聞いたことのあるメジャーな女性ファッション誌だ。

「空井二尉のは企画書じゃなくて報告書なんですよ」

確かに自分が作った企画書は書式からして堅苦しい。見出しなど『芸能人による戦闘機の体験搭乗企画について』という味気なさだ。写真も一応使ってはいるが小さく、ほとんどが論述形式である。

「この『戦闘機の映像的魅力について』とか要りません。文章でくどくど述べるよりカッコイイ写真をドーンと一枚使ったほうがよっぽど説得力があります」

理屈で納得させないと認めてもらえないと思って懸命に文章を綴《つづ》ったのだが、それはどうやら間違った努力だったらしい。

「テレビっていうのは非常に目立つ媒体です。取り上げてもらったら広報効果も高いですよね。だから、あらゆる分野の広報がテレビに取り上げられたがってるわけです。企画書も山のように持ち込まれます。忙しいプロデューサーやディレクターがそんな中でこれを選んで読んでくれると思いますか？」

「……いいえ」

隊内で勤務していると、競合という概念自体が存在しない。読んでもらえるまでに既に競争があるというのは思いも寄らないことだった。

「必要な要素は全部入ってるんですよ、これ」

言いつつ比嘉が空井の作ったテキストを眺める。

「ただ、いくらでも面白い企画が持ち込まれてくる立場の人たちに届けようとしたら、論述じゃなくて簡潔なキーワードを抽出して叩きつけないと駄目です。それから余計な要素はできるだけ削ぎ落とす。細かいことは実際に会えたときに説明すればいいんです」

「余計な要素って例えばどれですか」

尋ねた空井に比嘉は画面をスクロールさせた。

「これ、不要の最たるものですね。『国防の意義——戦闘機が社会的に果たす役割』」

「えー……それ要りませんかー……」

個人的に一番熱意を籠めた部分で、少なからずショックを受ける。

「でも、こういうことを理解してほしいんですけど」

「こっち側の思惑なんて、先方には何の意味も持ちません。意味があるのはテレビの企画として面白いかどうかだけです」

比嘉はばっさりやっつけた。

「企画が叶ったら、こちらにとっての意味はこちらで考えたらいいことです。テレビはテレビの都合で採用する企画を決めます。こちらはテレビの都合に対してプレゼンテーションすればいいだけの話です。そもそも国防の意義を考えたうえで採用してほしいなんてしちめんどくさい企画、一体誰が買ってくれるんですか。そうじゃなくても私たちは社会の嫌われ者なんですよ」

にこにこ笑いながら畳みかけてくる論理には容赦がない。道理だがそれでも割り切れない思いが食い下がらせた。

「……でも、隊の装備をただ見せ物にするだけっていうのは……」

「見せ物で何が悪いんですか」

思い切り突っ放されて空井は鼻白んだ。

「理解してもらうためには、まず取っかかりを作らなきゃいけません。見せ物になってもそれが意識するきっかけになれば充分なんです」

何でそんなに割り切れるのかと不満が顔に出たのだろう。比嘉が苦笑した。

「そもそもゴールの設定を間違えてるんですよ。テレビに採用されることは私たちのゴールじゃないんです」

まるで猫騙《ねこだま》しを食らったような気分になった。テレビに企画を持ち込むのはテレビに採用してもらうためじゃないのか——

「テレビを観て興味を持ってくれた人に、『自衛隊ってこういう組織なんですよ、こういう仕事をしてるんですよ』って理解してもらうことが目的なんです。むしろテレビで取り上げられた後が本番です」

「……あ、そっか」

テレビに企画を通さなくてはと気が焦り、目的を取り違えていた。確かにテレビに採用されるのは短期的な目標ではあるが中・長期的な目標ではない。

テレビCMを打つ会社の目的はCMを流すことそのものではない。CMを観た視聴者に商品を買ってもらうことだ。

「テレビはテレビの都合で企画を選びますが、私たちだって私たちの都合でテレビを利用するんですから、そこはギブ&テイクです」

「すみません、ちょっといいですか」

話に参加してきたのはカメラを回しながらリカだ。

「各メディアへの広報活動そのものに対する疑問はないんでしょうか？　国民の理解があろうとなかろうと果たす義務は同じなわけですから、広報室を運営すること自体が無駄な労力だという意見もあるかと思うんですが。浮ついているという批判も免れませんし」

身も蓋もない質問だが、比嘉はあっさり頷いた。

「自衛隊の内部でもそういう意見はありますよ。ただ、国民の理解があると自衛隊は有事の際に活動しやすくなるんです。例えば災害派遣でも理解してくれる人が多いと少ないでは出動までに要する時間が違うことがあるんです」

比嘉は具体的な事例を出さなかったが、何を示唆しているかはすぐ分かった。空前の大震災で自衛隊が四時間も出動に足止めを食ったことは未だに社会のトラウマになっている。その四時間で何人救えた。最初の一報が入ってから自衛隊はすぐさま出動態勢を整えていた。

実際に災害派遣の実績を重ねた結果、今では比較的容易に出動できるようになってはいるが、

「現実の被害を積み重ねないとそうならないというのは、あんまり悲しいでしょう。前例のないことに対してはやはりハードルが高くなりますし……被害者を実績にしないために、広報活動は絶対に必要なことだと私は思っています」

「……確かにそれはそのとおりですね」

リカからこの相槌は最大限の理解の表明だろう。

「浮ついているという批判については甘んじて受けますっていうか……堅苦しいこと言ってても誰も興味は持ってくれないでしょうし」

そして比嘉は空井に笑いかけた。

「空井二尉の企画はすばらしいですよ。戦闘機という空自最大のハードを非常に柔らかく視聴者に紹介するものだと思います」

広報室に着任した頃、広報の仕事について柔らかい仕事だという印象を持った。初めて自分が発案した企画でその柔軟さが実現できているとすれば、それは素直に嬉しい。

「……頑張ります！　直したらまた見てください」

階級こそ下だが、年齢が上で広報歴も長い比嘉は空井にとって大先輩である。そうした人物に認められることはモチベーションに直結した。

階級が上ならそれこそ良い上官になっただろう。どうして未だに幹部になっていないのか少し不思議に思った。

「この企画書は持ち込む先が決まってるんですか？」

カメラをしまいながらリカが尋ねた。

「ええ、先日のドラマのときに知り合ったディレクターから、バラエティ部門のディレクターを紹介していただいて……」

近々会えることになっているので、早く仕上げてしまわなくてはいけない。

「打ち合わせの様子を取材していいですか。ディレクターにはこちらから話を通します」

「ええ、もちろん。どうせ帝都さんに伺いますし」

リカの特集がどういう形になるかは分からないが、それも広報活動に一役買うはずだ。

と、そこに表から柚木が帰ってきた。「あ」とお互い呟き、相手を窺う。

懇親会以来初めての接触に周囲は固唾を飲んだ。だが、二人とも失われた記憶は蘇らなかったらしい。

どうも、とお互い探るように挨拶を交わし、しかし何かが引っかかるのか不得要領な顔を両側でしている。

周囲は笑いをこらえることで大変だった。

直した企画書は片山から「まあまあ頑張ったんじゃねえの、新人くんにしては」と憎まれ口を叩かれる程度の出来で、空井はそれを携えて意気揚々と帝都テレビ本社を訪ねた。

地価を考えると気が遠くなるような一等地の立派な社屋は、足を踏み入れるのにかなり度胸が必要だった。

ちょっと広いので、もしも分かりづらかったらわたしに電話をくれたら案内しますよ。リカが事前に言ってくれていたが——

広いどころの話じゃねえよこれ！

一般公開部分からどのように関係者ロビーにたどり着けるのかがそもそも分からない。

何かイベントでもあるのか一般ロビーはすさまじい人混みで、何やら交通整理まで出ている。しばらく混雑の中をあちこちさまよってみたが、待ち合わせに余裕を持って到着したはずが着々とその余裕を食い潰し、空井はギブアップして携帯からリカに電話をかけた。

「今どこですか？」

「……どこでしょう？」

自分でも自分の座標を把握していない。リカは電話の向こうで即座に質問を切り替えた。

「そこから何が見えますか？」

空井は慌てて周囲を見回した。何か目印になりそうなものは——

「あの、帝都くんの銅像が」

帝都テレビのマスコットキャラクターである。銅像の前では一般客の記念撮影が絶えない。

「分かりました、そこから動かないでくださいね」

その一言で電話は切れ、それからカップラーメンが作れるほどを待っただろうか。

「稲葉さん！」

人混みの中から現れたリカは空井にとって救世主にも等しい眩《まぶ》しさだった。

「よかった会えたー！」

空井はほとんどすがるようにリカに駆け寄った。あらぬほうをきょろきょろ捜していたリカは驚いたように振り向いた。

「いやもう、ここ広くって！　どうなることかと……」

「防衛省のほうが広いじゃないですか」

「防衛省こんなに人いませんもん」

リカがさっさと歩き出し、空井は慌てて並んだ。

「声かけられるまで分かりませんでした、いつもとイメージ違って」

言われて首を傾げると、リカが「制服じゃないから」と付け足した。

「行き先が自衛隊関連の施設じゃない外出はいつもスーツですよ。ていうかこないだの懇親会も課業後だから男性陣はスーツだったじゃないですか」

「飲み会だとまた全然イメージが違いますよ。わたしが行ったときには皆さんシャツもネクタイも緩めちゃってたし」

「今日はちゃんとしてますか、僕」

ネクタイの結び目などを気にしてみたりしながら訊くと、リカはちらりとこちらを振り向き、

「今日は普通の人に見えます」

何気に大暴言だ。

「ひ、ひどくないですか、ひどくないですか、それ」

訴えるとリカはあっと口元を押さえた。「そういう意味じゃなくて」と自分のぞんざいな発言には気づいていなかった様子だ。

「自衛隊の人に見えないなって。どこかの元気な営業さんみたい」

「ああ、そういう……」

ほっとしたが、同時に苦笑もこみ上げた。

「自衛官は普通の人扱いしてもらえないんですね」

「どうしたって特殊な職業でしょう。……でも」

逆接に続く台詞を待ち受けると、

「特殊な職業だけど特殊な人間ってわけじゃないんだなって」

それが分かってもらえるだけでもかなり届いた気分になった。


打ち合わせブースに現れたいかにもベテラン風のディレクターは、いかにも業界人風のラフな人相風体だった。

少し離れてカメラを回すリカに緊張は当社比一・五倍である。挨拶を交わして名刺を交換する。

北村と名乗ったそのディレクターは、空井もよく観るゴールデンタイムのバラエティ番組担当だった。司会に人気タレントを据えてゲストを呼ぶバラエティだ。

「今日は戦闘機の体験搭乗のご案内をさせていただこうと思いまして……」

空井は広報室勤務になって初めて買ったブリーフケースから自信作の企画書を出した。何しろあのひねくれ者の片山に「まあまあ頑張った」と言わしめた出来である。

「へえ、戦闘機ってあれ？　ブルーインパルスとか？」

「あ、ブルーインパルスは練習機なのでちょっと種類が違うんですよ」

「そうなの。ブルーインパルスって戦闘機かと思ってたよ」

ブルーインパルスですら世間様ではこの認知度である。

企画書の煽りには『〝トップガン〟を番組にデリバリー！』と打ってある。古い映画ではあるが、戦闘機を売り込むために効果的な文言を探すとやはりこれが一番ということになってしまう。

自分がパイロットだった頃はそんなこと考えたこともなかった。戦闘機は夢と憧れの固まりで、カッコよくて美しいということに何の疑いも持たず、その機能美を使いこなす自分の練成を素直に誇れた。その価値観が当たり前の世界にいた。

だが、ひとたびその世界の外に転げ出ると、自分たちがマイノリティだったことを思い知る。

戦闘機が実写映像作品で文句なしの主役を張れたのは、一九八六年に日本公開のハリウッド映画たった一本。それ以降、これを超えるものはただの一つも出ていないのだ。

「画としては派手で良さそうだね、なかなかカッコイイし」

世間様では〝なかなか〟扱いが現実だ。すごいねとは食いついてもらえない。

「空井さんとしてはどういうタレントを乗せたいの？」

空井と名指しされたのを「航空自衛隊としましては」とさりげなく修正する。あくまで自分は空自のスポークスマンだ。

「先日もドラマの撮影協力でご縁のあった桐原隆史さんなどにご搭乗いただけると……」

桐原隆史クラスの人気俳優に乗ってもらえればF－15の格好のPRになる。

「ああ、いいね。キリーの事務所もそろそろバラエティデビューさせたいみたいだし。初めてのバラエティが戦闘機ってのは派手でいいね。スペシャルくらい組めそうだ」

いきなりの好感触に空井は却ってどぎまぎした。え、こんなに巧く行っちゃっていいのかな、何か落とし穴とかない？

「実現するにはどういう条件が要るの？　何か規則とか」

「あ、はい」

空井は慌てて手元の企画書をめくった。体験搭乗に必要な要件等は最後のページに備考としてまとめてある。

「航空生理訓練……」と言いかけて、専門用語では取っつきにくいと言い直す。

「事前に安全講習を受けていただく必要があります。それから身体検査表の提出を……」

「その講習っていうのは時間がかかるの？」

北村ディレクターがいきなり難色を示した。忙しい俳優をセッティングする都合上だろう。

「いえ、一日だけです。身体検査は検査項目のリストをお渡しするので、ご都合のよろしいときにお好きな病院で受けていただけます」

「うーん、その講習ってさぁ、キリーのスケジュールに合わせてもらえたりする？」

さすがにそれは即答できない。

「あ、あの……基本的には実施日程をお渡しするのでご都合のいい日を選んでいただく、ということになっています。以前、防衛大臣が搭乗されたときも……」

北村は「へえ」と面白そうに身を乗り出した。

「イシダさん乗ったんだ？　さすがだねぇ」

さすがというのはかの大臣が世間的には軍オタと評判を取っているからだ。その評判はどうかと内部では首を傾げる向きもあるが、こういうところでは会話に弾みがつくのでありがたい。

「でもまぁ、スケジュール合わせてもらえるかどうか確認しといてよ」

と、何の脈絡もなくその場に流行りの曲のサビが流れた。携帯だ。北村が手で詫びながら電話に出る。何かこみ入った話を二、三やり取りしはじめ、どうやら急用が入ったようだ。

電話を切った北村は案の定早くも腰を上げそうな体勢だ。

「これ、乗せるのは必ずしもキリーじゃなくてもいいんだよね？」

「あ、はい。上層部と相談のうえで折り合えば……」

「はいはい。企画書、データがあったらメールのほうにも送っておいてくれる？　あちこち撒くかもしれないから」

早口にそう言い置いて、北村ディレクターは慌ただしく席を立った。

「ありがとうございました！」

立ち去る背中に礼をすると、リカがカメラを止めて近くへ寄ってきた。

「お辞儀をすると自衛隊の人って分かる人がいるかも」

「はい？」

「空井さんたち、お辞儀がすごく綺麗ですよね」

まともに誉められて少し動揺した。たとえ所作一つのことにしても、リカが手放しで自衛隊のことを誉めるのは初めてではないだろうか。

「僕たちにとってはお辞儀も敬礼の一種なんですよ。入隊のとき徹底的に仕込まれますから」

ああ、とリカは納得したように頷いた。

「道理でただごとじゃないお辞儀だと思いました」

ただごとじゃないお辞儀って何だ、と個性的な形容に思わず笑いがこみ上げる。

ちょっと見ててください、とリカがテーブルの上にカメラを置いてその場を離れた。セルフのコーヒーサーバーでコーヒーを二つ作って戻る。

さっきまで北村ディレクターが座っていた向かいに座り、リカが紙コップに淹れたコーヒーを一つ寄越した。

「すみません」

「いつも淹れてもらってばかりですから」

日頃は訪ねてきたリカに空井が飲み物を淹れている。

コーヒーを飲んで一息つくと、リカがカメラを再び手に取った。

「打ち合わせの感触はいかがでしたか」

「あ、何かすごく興味を持っていただけて……」

空井はへへっと頭を掻いた。

「企画の持ち込みは初めてだったんですけど、こんなにいい感触をいただけるとは思ってませんでした。実現してくれたらと思います」

「空井さんは戦闘機には思い入れを持っておられるそうですが」

「ああ……はい」

「戦闘機に興味本位の部外者を乗せるということに関して抵抗はありませんか？」

多分、元パイロットとしての所感を求められている。

「抵抗がある人もいるかもしれませんが……私個人としてはもっと戦闘機やパイロットについて知ってほしいという気持ちが大きいです。有名な方に乗っていただくことで興味を持ってくれる人が増えるなら、そういう機会を積極的に設けるべきだと思います」

企画書を作りながら、戦闘機やパイロットの魅力を語ろうとすると未だ『トップガン』に頼るしかない現実に直面した。空井ですら公開時は幼稚園児で、リアルタイムでは観ていない。

最大の注目が集まったのが既に前世紀のことだ。それくらい世間は戦闘機にもそのパイロットにも興味がない。

「黙って待っていても誰も自衛隊のことなんて理解しに来てくれないんです。自衛隊が変わったことをやろうとしたら内外から批判されますけど……」

数年前だったか、海上自衛隊が戦隊物を模したＣＭを作って各種のニュース番組で批判された。好意的に取り上げていた局はごくわずかで、そのときは空井も広報と無関係だったので「どうせ叩かれるんだからおとなしく無難なことをやっておけばいいのに」と思った。

だが、ふざけていてけしからんと怒る人に限って日頃の真面目に勤務する姿をわざわざ知ろうとはしてくれない。実際、ガチガチの堅いCMは今まで見向きもされなかったのに、海自のそのCMは良くも悪くも多くの場所で話題にされた。

「でも、私はそういう取り組みも興味を持ってもらうきっかけになれるならいいと思うんです。日頃がふざけてたら困りますけど、日頃はきちんとやってますから。いつ見に来ていただいても真剣に業務に取り組んでいる姿をお見せできますから」

「確かに、無関心ではPRのしようがありませんね」

リカの相槌に我が意を得たりとばかりに頷いた。

「そうなんです。愛の反対は無関心って言いますよね。無関心って一番救いようがない状態かと思うんですけど、我々の社会的な基本ステータスってそこなんです。必死でその状態から国民の皆さんに気づいてもらおうと手を振ってるわけで」

あ、これ人間関係に直すとかなり悲惨な立場だなと気づいて若干へこむ。広報に来なかったらこんなこと改めて気づかずに済んだのにな、とちらっと思った。

だが、来た以上は。気づいた以上は。

「私は元パイロットとして、パイロットという職種を理解してほしいと思っています。そのために隊外の方を乗せるということは、現場のパイロットも理解してくれると信じます」

リカがようやくカメラを置いた。

「それ、撮ったのすぐ観られるんですか？」

「デジカメですから。観ます？」

「いや、いつも通り魔みたいに一方的に撮られてるから、どんなふうに映ってるか気になって」

「通り魔ってひどい！」

抗議しつつリカは吹き出し、肩を揺らしながらも録画を少し巻き戻してくれた。

『私は元パイロットとして……』と少し前の自分の台詞が小さな液晶の中で再生される。へえ、と思わず声が漏れた。

「どうしましたか？　意外といい男でした？」

「いや、ちがくて」

稲葉さんも冗談口とか叩くんだなぁ、と意外に思いつつ答える。

「俺、元パイロットってフツーに言ってんなぁと思って」

「はあ」

「P免になったこと自分ではけっこうトラウマだったんですけど……無意識に元パイロットって言えるようになったんだなぁって。吹っ切れたのかな、こないだ――」

泣いたとき。何の気なしに呟いてしまってから耳がかぁっと熱くなった。唯一の目撃者が正に目の前だ。

と、リカがデジカメを操作しながらしれっと言い放つ。

「ひんひん泣いてましたものね」

「ひってで！」

食ってかかりながら、からかわれたのがなでてもらったことでなくてよかった、とほっとする。あれをからかわれたら恥ずかしくて死ねる。

「……でも、また新しい志を持ってらっしゃるので羨ましいです」

その呟きはあながち口先だけでもなさそうで、空井は思わず神妙になった。——そういえば、この人も志を折られた口だったなと思い出す。

懇親会で大虎の美女と化したとき、記者職を失った悔しさを延々訴えていた。なりたいものに手が届いて、届いたと思うや失われたことは同じと言えるかもしれない。

「あの……記者という職を失ったんじゃなくて、ディレクターという職を新たに得たって考え方はどうでしょうか」

え、と怪訝な顔をしたリカにしまったと口を塞ぐ。虎になった記憶もそれこそ失われたはずだ。今さらほじくり返すわけにもいかない。

「いや、あの、先日の懇親会でちらっとそんなこと仰ってたじゃないですか！」

ということにして押し切る。

「僕も似てるっちゃ似てるんで他人事《ひとごと》と思えなくて。でも、自分はパイロットじゃない、自分はパイロットじゃないって思ってるより、これから広報官になれるんだって思ったほうがいいなって。だってパイロットの頃ばっかり振り返ってたら、僕の人生って三十手前にしてもう余生じゃないですか」

口を滑らせたのを何とかごまかそうとまくし立てていたが、——あれっ、俺けっこういいこと言ってない？

「広報にパイロットの経験を生かすことができたら、浮かぶ瀬もあるような気がするし。だから今回の企画もすごくやり甲斐があって」

広報官になれると思ったほうが——そう思えるようになったきっかけは、撮影協力に費やした労力を二億と明快に換算した鷺坂の鮮やかな価値観と、

「稲葉さんのおかげでそう思えるようになった部分もあるかなって。たまたま居合わせただけでこんなの迷惑かもしれないけど、やっぱり僕、誰かの前で泣いて楽になったんです。きっと隊の人間の前じゃ泣けなかったので……僕だけ助けてもらったんじゃ申し訳ないような気が」

って、と慌てて前言を撤回する。「僕が助けるとかおこがましいもいいところですが！」逆鱗《げきりん》に触れなかっただろうかとどきどきしながら窺う。

「——わたしも浮かぶ瀬があるかしら」

どうやらセーフのようで、空井はほっと胸をなで下ろした。安心したのでまた口が軽くなる。

「稲葉さんが広報室に注目してくださったのは自衛隊のソフトパワーって視点でしたよね。木暮班長も新しいって言ってましたけど、それって稲葉さんの記者としての観察眼もきっと影響してますよね」

「……一つお願いしてもいいですか？」

尋ねたリカに「はい」と身を乗り出すと、リカは置いてあったカメラを再び手に取った。

「さっきの台詞、もう一度お願いします」

「は？」

「自分はパイロットじゃないって思ってるよりも……っていうところからずっと」

ええっとうろたえた空井に「同じようなニュアンスでいいですから」とリカが迫る。

「そんな無茶な……」

「空井さん、わたしが回してないときに限っていいこと言うんだもの」

「そんなこと責められてても！」

「わたしのことも助けてくれるって仰いましたよね」

「僕じゃおこがましいって言ったんです！」

結局それから空井はリカが納得するまで台詞のリテイクに付き合わされた。

その代わりと言っては何だが、予備の企画書をリカにも資料として渡し、「稲葉さんの周囲の人にも勧めてくださいよ」と冗談半分にせがんで帰った。

＊

空井は打ち合わせよりリカの撮影に付き合った時間のほうが長かったかもしれない。ほうほうの体で帰っていった。

「稲葉ー」

デスクに戻ったリカに声をかけてきたのは阿久津だった。この先輩ディレクターが声をかけてくるときは大体自分の仕事を手伝わせるときだ。

「ちょっとナレーションまとめてくれない？　特集はできてんだけど、冒頭のナレーションだけどうもパッとしなくてさぁ。テロップももっとまとまり良くなるといいんだけど」

記者時代に細かいものばかりではあるが原稿をとにかく書きまくった経験があるため、リカは文章を書くことが苦ではないしそこそこ器用にこなせる。『帝都イブニング』の番組スタッフに文章が達者な者がいないため、最近ではかなり便利に使われるようになった。

VTRを観ずに書くわけにはいかないので頼まれた数が重なると手間だが、他に大きな仕事を抱えているわけでもないので特に文句もない。細かく貸しを作っておけば自分の仕事のときにも返してもらえる。

「三時までに来ると嬉しいなぁ」

三時までに来ないと困るという婉曲表現だ。リカは頷いてVTRを焼いたDVDを受け取った。重宝がられているのはささやかながら記者経験の蓄積だ。浮かぶ瀬もあるというのはこういうことかな、とふと思った。

「そういや、さっき打ち合わせブースにいたお兄ちゃんは例の空幕広報室か？」

見てたのかと思いつつ「担当の空井さんです」と情報を付け加えて返す。

「声かけてくれたらよかったのに」

広報官にとってはメディア関係者との交流が増えるのはありがたいはずだ。阿久津は顔が広いので紹介したら空井も喜んだだろう。

「取材中だったろう、そっち。人がいい顔で仕事してるときは邪魔しないことにしてるんだ」

空井さんそんないい顔してたっけなと首を傾げると「いや、お前」と指を差された。

「……そうですか？」

「記者だった頃は人でも刺しそうな顔して社内歩いてたけどなぁ」

ぎくりとリカは身じろぎした。人でも刺しそうな——人を刺してスクープが取れるなら刺したかもしれない。それほど思い詰めていた当時を振り返ると自然と肩身が縮んだ。

「『イブニング』に来てからもふて腐れてんのは丸分かりだったしな。あんな機嫌良さそうな顔初めて見たぞ」

「いつも不機嫌そうで悪かったですね」

突っ放したもののふて腐れていたのは事実なので若干きまりが悪い。空井との仕事でいい表情になっていたということも含めてだ。

やっておきますからと仕事を引き取って早々にお引き取り願ったが、阿久津は去り際に先輩風を吹かすことを忘れない。

「ちょっとは角が取れたんじゃないの、最近。さっきの様子を見る限りじゃ先方ともいい関係を作れてるみたいだし」

頭でっかちなとこどうにかしないと一生無能のまんまだぞ、という先日の評からすればかなりの進歩を認めてくださったというところだろう。

別にありがたくもないけど、と憎まれ口は内心で呟いた。無能呼ばわりに比べたら少なくとも気分は悪くない。

――もし、記者の頃の自分だったら。そんな仮定が頭のすみっこをかすめる。

いい関係など望むべくもなかった。取材対象には嫌われて当たり前、むしろ怒らせて談を取れという頭でやっていた。

ひんひん泣いていたと空井を軽口でからかったが、空井があのときのことをリカの前で呟けるのも、リカがそれをからかえるのも、それが二人の間で傷になっていないからだ。

以前の自分ならその泣いている空井を容赦なく撮った。今どんな気持ちですかと追い詰めた。

カメラをしまったことを告げると空井は堰《せき》が切れたように号泣した。まだ生々しい傷の痛みを叫んだ。泣き顔をカメラに収め、追い詰める質問を投げかけていたら、空井は決してリカの前であんなふうに崩れはしなかっただろう。涙の訳を花粉症だと陳腐な嘘でごまかして、その陳腐な嘘しか見ることはできなかった。

必死でごまかそうとしている相手を無理に撮らなくてもと思ったのは記者職でなくなったことで肩の力が抜けていただけのことだ。まだ取材の方向性も決まっていなかったし、他に見せ場は拾えるという判断もあって自然にカメラを下ろした。

たったそれだけのことで空井はびっくりするほど突然壊れた。こんな気遣いとも呼べないほどの気遣いでこれほどさらけ出すのかと慄いたほどだ。

「……もしかすると」

呟きが声に漏れていることに気づいてリカは塞ぐように唇に手を当てた。阿久津から預かったＤＶＤのケースを手遊びのようにぱたぱた開け閉めする。

いち早く割り切った自分に後れを取った同期は、あの衝撃と向き合っていたのかもしれない。目の前で爆発する感情の熱量は、良くも悪くも立ち会った者を圧倒する力がある。空井にリカが慄いたように。

その衝撃を受け止めて迎えた三年目、同期はきっと取材相手に対する匙加減《さじかげん》を身につけたのだ。力押しは衝撃に怯む新人が壁を突破する手段であって、たぶん最終到達点ではなかった。

押すのをやめて引いたときに聞き出せる物語がある。そんなことは誰も教えてくれなかった。目指す場所がもっと先にあることなど誰も。

きっと頭でっかちっていうのはこういうところだな――と先日は素直に聞けなかった阿久津の言葉が今は納得できないこともない。

さっさと割り切って楽になった。ショートカットするルートには実は課金があったからくりだ。同期は未だに記者で、リカは記者ではなくなった。そういうツケだ。

同期に遅れて知った人間に相対する衝撃は、戦闘機を人殺しの機械だと言って空井を怒らせたあのときから始まっている。自衛官という記号として処理しようとしていた空井が自分と同じく感情のある人間だと気づかされてから、同時に気づいたことがある。

今までずっと取材対象をすべて事件の関係者という記号で処理していた。今まで取材したのは記号であってリカの中では人間ではなかった。記号に狙いどおりのコメントを吐き出させることにだけ腐心して――

抜かれるわけだ、とリカは溜息をついた。

壊れたような号泣でリカを慄かせた空井は、リカのことも同時に壊している。思いも寄らない反応を見せ、思いも寄らない考え方を口にする。

記者職を失ったのではなく、ディレクター職を新たに得たという考え方は？　――それも思いも寄らない。

同じように第一志望を失いつまずいたはずが、空井のほうが何かあったときの立て直しが早い。ブルーインパルスに選ばれるのがたいへんな難関であることくらいは門外漢のリカにも分かる。もしかすると記者になるよりももっと。それを理不尽に奪われて立て直した空井を間近に見ると、いつまでも僻んでいる自分が情けなく思えてくる。

空井を取材していたらもっと思いも寄らない何かが見えてくるのだろうか——などとまんまと乗せられている自分が悔しい。

だが、昔を振り返ってばかりだとそこから余生だという指摘はけっこう鋭く刺さった。

二十代の半ばから早くも余生を始めてたまるかとリカはパソコンのドライブに預かったＤＶＤを投げ込んだ。

＊

企画を売り込んだ北村ディレクターから電話があったのは、打ち合わせから一週間ほど経った頃である。

勢い込んで取り次がれた電話に出た空井だったが、北村の返事は期待したものではなかった。

「キリーの事務所が絶叫マシン系はＮＧだって話でね。大の苦手らしいんだ」

Ｆ－15は絶叫マシンと同じ扱いか、と内心不満だったが、ここであっさり引き下がるわけにはいかない。

「でも、絶叫マシンで悲鳴を上げる姿もお茶目でかわいいって印象アップに繋がると思いますよ。もともと桐原さんの女性人気は母性本能をくすぐる方向ですし」

というのはミーハー室長の鷺坂の入れ知恵である。体験搭乗でキリーを狙うことになってから急場凌《しの》ぎだがレクチャーを受けた。

「もちろんそれは言ったんだけどさ」

北村の手応えは芳しくない。

「『報道記者、走る！』で社会派売りをしただろう？　これからはもうちょっと硬派な売り方もしたいってことで、弱みが目立っちゃう企画は受けさせたくないらしいんだ。それに何しろ本人が乗り物に弱いらしくてね。キャーキャー悲鳴を上げるくらいならカワイイで済むけど、さすがにゲロ吐いちゃったらシャレにならないだろ？」

確かにそんなことになったら事務所から放映の許可自体が下りないだろう。ロケをしても無駄になってしまう。

「それでこっちから新たに提案なんだけどさ」

がっかりしたところに何やら餌を投げられて、空井は「何でしょうか」と食いついた。

「企画書おもしろかったからあちこち投げといたんだけど、ぜひ使いたいって奴がいてさ」

「番組はどこになりますか？」

「『爆笑セントラルパーク』なんだけど」

人気の芸人が司会を務めるゴールデンタイムのバラエティ番組で、内容も芸人の突撃型ロケがメインだ。プロデューサーから直接のオファーなので、空自の許可が下りたらすぐにも実現する話だという。

「番組内の罰ゲームでパンチのある乗り物探してたらしくてさ」

「実際に乗るのは誰になるんでしょうか」

「『クレイジーユニット』の島原《しまばら》テツヲ」

クレユニと略称で呼ばれることが多い若手お笑いコンビだが、個人名までは把握していない。

後で検索するかとメモを取ると「不細工なほうね」と補足説明が来たので顔が思い浮かんだ。せめてボケのほうとか言ってあげればいいのになどと思ったが、空井もイメージ的には二枚目のほうがいいなと考えていたので人のことは言えない。

ともあれ『クレイジーユニット』なら人気急上昇中の芸人なので注目度の点では悪くないかもしれない。ロケには人気のある二枚目のツッコミ役も来るだろう。

でもお笑い芸人かぁ、と思ったところで北村が囁いた。

「視聴率は一八％、帝都のバラエティ部門ではトップクラスだよ。一番人気の『疾風☆どとう』でも二三％だから」

具体的な数字を出されてかなり気持ちが揺らいだ。それに何しろ枠がいい。水曜八時、まさにゴールデンタイムど真ん中だ。

八時のお茶の間にF－15を飛ばすことができたら広報効果はかなり大きいはずだ。鷺坂は先日の『報道記者、走る！』の経済効果は三分で二億と言った。『爆笑セントラルパーク』もそれに負けず劣らずの効果があるはずだ。

「分かりました、ひとまずお預かりして検討させていただきます。お返事はいつ頃までに……」

「今週中。早けりゃ早いほどいいけどね」

テレビ関係者の時間感覚はとにかく早い。正確には自分が頼んでくるときはということだが。そのくせ実作業に入ると途端にルーズで、その身勝手な時計には空井もかなり慣れてきた。

「分かりました、早急に検討させていただきます」

「いい返事を待ってるよ」

期待してくださいというのは先走りすぎているようで飲み込んだが、初めての企画持ち込みが予想外の釣果で、空井は意気揚々と電話を切った。

すると向かいの席から「何の話だったんだよ」と片山が探りを入れてきた。電話を繋いだのは片山である。

いつも先輩風をびゅうびゅうに吹かされているので、ちょっとやり返したい気持ちが湧いた。

「こないだの企画でゴールデンがちょっと取れそうなんですよ」

なーんてね、と内心で鼻を高くする。むっと片山が複雑怪奇な顔をした。

「帝都だろ、どの番組だよ」

「決まったら教えますよ。大きな話だからまずは室長に相談しないと」

「むかつく奴だなお前は！」などと言われても、片山のほうが日頃よっぽどむかつく奴なのだが本人に自覚はないのだろうかと空井は首を傾げた。

「曜日だけでも教えろよ！」

食い下がる片山をかわし、空井は「忙しい忙しい」と仕事をしている振りをした。鷺坂は比嘉と一緒に出張中で、戻りの予定は明日だ。それまでに簡単なレポートにしておけば話が早いかもしれない。どうせ上層部に上げるときは報告書が要る。

パソコンでプレゼンテーションソフトを立ち上げようとしたが、ふと思い立ってメールソフトを先に立ち上げた。選んだのはリカのアドレスである。

北村ディレクターとの打ち合わせに立ち会っていたので、進捗《しんちょく》を知らせたら喜んでくれるかもしれないと思い立った。

もしかするとまた取材していただけるような展開になるかもしれませんよ、と少し思わせぶりに煽った文章を書きながら気持ちが弾んだ。


「駄目だよお前、そんなの」

鷺坂の返事はまったく思いがけないものだった。

「え、でも……」

視聴率一八％のゴールデンタイムである、まさか反対されるなど。テレビは興味を持つ最初のきっかけにさえなればいいと比嘉も言っていたし、それには最適の番組なのに。

『爆笑セントラルパーク』ですよ。視聴率は帝都のバラエティの中でもトップクラスですし、搭乗する『クレイジーユニット』も人気上昇中の若手芸人ですし」

「いやいや、そんなこたぁ先刻ご承知だけどさ」

言われてみればミーハー鷺坂である。その程度のことは把握していないわけがなかった。

「戦闘機の扱いがいけないよ、これは」

言いつつ鷺坂はデスクに頬杖を突き、空井の渡した報告書をめくった。

「扱いというのは……」

お笑い芸人を乗せるのは軽薄でよくない、とか。確かにそれは空井も若干引っかかってはいた。

だが、それを尋ねた空井に「そういうことじゃなくてさ」と鷺坂は首を振った。

「別にお笑い芸人だっていいんだよ。芸人の体験ロケで見応えのある番組もたくさんあるしさ。趣旨さえ広報の理念に沿ってたら検討する価値は充分ある。だけどこれは……」

鷺坂が指先で報告書をトンと叩いた。

「戦闘機が単なる罰ゲーム扱いじゃないか。戦闘機をそこらのジェットコースターやお化け屋敷と同じレベルでしか扱ってない企画に許可は出せんよ。お前にとって戦闘機ってのはそんな安い乗り物か？」

その指摘に空井は言葉をなくした。鷺坂の使った「安い」という言葉が企画の本質を突いた。

「戦闘機っていうのはやっぱり特別な乗り物だよ。価格も運用コストも飛び抜けて高い主力商品だ。安売りするわけにはいかん。これは親しみを持ってもらうのとは別問題だ。そういう乗り物に乗せるには誰が見ても納得する人物と趣旨じゃないといけないよ」

乗せるに値する人と趣旨。気安さを売りにしている芸人を乗せるなら、それこそ趣旨はもっと堅くなければならなかった。罰ゲームでパンチのある乗り物をという程度の話ではふざけているという批判は免れない。戦闘機とはこんな程度の乗り物かと侮られもするだろう。

そんなおふざけ企画のために現場の隊員を駆り出すわけにはいかない。――パイロットの日頃の練成は、整備員たちのバックアップは、罰ゲームのお笑い芸人を乗せるためのものじゃない。

「すみません……」

思い至らなかった自分が情けなかった。

「まあ、水曜八時のゴールデンで『爆笑セントラルパーク』だものな。目が眩《くら》むのは分かるよ」

まさに目が眩んだ。その時間に戦闘機を登場させることができれば。それは確かに効果的には違いないが、自衛隊の広報は単に目立てばいいというものではなかったのだ。比嘉も目立ちさえすれば何でもいいという意味で見せ物上等と言ったわけではないのだろう。

一週間でドラマのロケを受け入れた鷺坂の柔軟さは見境なしのものではない。キリーが主演で月9で社会派だからだ。そこに空自の輸送ヘリが登場するのならその広報効果は計り知れない。だが、同じキリーで月9でも、政治家が権力に物を言わせて自衛隊を動かしたというような内容だったらとても協力できない。協力できたのは災害救助という空自の本来の業務に合致した登場だったからだ。

「……たとえば、クレユニが社会科見学というような話だったらOKだったんでしょうか」

許可が出ないことも許可が出ない理由も分かった。それならせめてこれを経験則にしなければという思いが問いかけさせた。

鷺坂がにっと笑う。「お前、打たれ強いから好きだよ」急に誉められてちょっと照れる。

「それだったら深夜枠でも検討する価値があるね」

「ありがとうございました！」

頭を下げて空井は室長室を出た。

事の顚末《てんまつ》を知った片山には散々勝ち誇られた。

「所詮はまだまだ駆け出しだな！　考えがアサハカだよ、アサハカ！」

確かにちょっと考えなしだったがそれにしてもここまで勝ち誇られると鬱陶《うっとう》しくなってくる。

「考えが足りなかったことは認めますけど、片山一尉に迷惑かけたわけじゃないでしょう」

「お前がこの失敗を糧に成長できるように駄目出ししてやってるんだよ」

片山は一向に悪びれない。

「指導は鷺坂室長にいただきましたし、自分でも反省材料にしようと思ってますよ。正直……」

空井はやさぐれて横を向いた。

「いいかげんウザい」

ぼそりと吐き捨てると「何だとぉ!?」と片山が自席からいきり立った。相手にしていられないので無視を決め込む。片山は一人で「生意気だ」「なってない」とぎゃーぎゃー騒いでいたが、やがて「もう知らん」とぷんぷんしながらデスクワークに戻ったようだ。

最初からもう知らんの扱いにしといてくれよと思いながら北村ディレクターに電話をかける。

「いただいた企画を上層部に掛け合ってみたんですが、趣旨的にちょっとご協力が難しいという判断が下りまして……すみません」

ああそう、と北村はややがっかりした様子だったが、自分の番組ではないからかそれほど不満そうでもない。

「まあ、君の企画書とは内容がかなりズレちゃってたしな。仕方ないや」

「申し訳ありません。たとえばクレユニさんが大人の社会科見学って感じの企画だったらもっと前向きに検討できると思うんですけど……」

駄目元で新しい提案を滑り込ませてみる。北村は「お、面白いね」とは言ってくれたがすぐに食いつく様子はない。空井も深追いはしなかった。これはこれで新しく企画書を作ってあちこちに持ち込んでみたほうが良さそうだ。大人の社会科見学というコンセプトなら、お笑い系以外の芸能人も狙えるかもしれない。カッコイイ戦闘機にカッコイイ人を乗せたいという最初の発想はできれば実現したいところだ。

「それじゃあまた、何か面白いことやれそうだったらよろしく頼むよ」

このコメントを引き出せたことだけが今回の成果かな、と空井も「よろしくお願いします」と電話を切った。

受話器を置いて溜息をつくと、比嘉が隣から「お疲れさまです」と労ってくれた。

「初めての持ち込みでよくここまで話が動いたと思いますよ。趣旨はちょっと残念でしたけど、まさか『爆笑セントラルパーク』が食いついてくるなんて」

「そ、そうですか？」

片山に散々笑われたところにこの労《ねぎら》いは、正に北風と太陽だ。指導力は比嘉がずっと上手《うわて》だ、と自分のことではないが空井は勝手に勝ち誇っていい気分になった。

「ゴールデン番組のプロデューサーが興味を示すくらい企画が強かったってことですよ」

「あんまり誉めないでくださいよ、調子に乗っちゃう」

照れ照れ頭を掻くと、向かいから片山が「そうだそうだ」と野次を飛ばした。茶々だけ入れて知らんふりの片山に空井もべえっと舌を出してやり返してから比嘉に向き直った。

「でも、強いのは俺の企画じゃなくて戦闘機っていう装備です。広報的にも底力があるんだなって嬉しくなりました」

自分の乗っていた機体に価値が認められたことは素直な喜びだ。

「戦闘機パイロットだった人からそういう意見が出てくると嬉しいなぁ。パイロットってもっとそこら辺は頑なな人種だと思ってたんで」

比嘉の言葉に空井は首を傾げた。

「頑なって……どういう」

「実は、私も入間にいた頃に芸人さんを戦闘機に乗せる企画を作ったことがあるんですよ。一日パイロット入門みたいな感じで」

自分が思いつく程度のことをこの人が思いつかないわけがないか、とちょっと残念に思う半面、同じ発想にたどり着けたことは密かな自信にカウントされた。

「それこそ大人の社会見学的なノリで、芸人だから逆にちょっと無茶な体験にも突っ込めるって感じの切り口で、決しておちゃらけてるだけではない番組の企画だったんですけど……戦闘機を持ってる部隊に交渉したら、パイロットの一人に頭ごなしに怒鳴られまして」

えっ、と思わず声が出た。現場の調整にかけては右に出る者がいないという今の比嘉を見ると想像もつかない。

「お笑いタレントを乗せて飛べっていうのか、バカにするなってガッチリ怒られました」

「え、でも決してそんなバカにするような企画じゃ……」

罰ゲームで芸人を乗せて飛べなんていう自分の企画では怒鳴られても仕方ないが、比嘉の企画は聞く限りイメージアップに繋がる可能性のほうがずっと大きい。

「今にして思えばその辺をきちんと伝えることができなかったんだと思います。ゴールデンからは少しずれてますが視聴率の高い番組でしたし、何とか物にしようとちょっと舞い上がってたんでしょうね」

当時を振り返りつつ「でも当時は『そんなんだから戦闘機はトップガンで時代が止まってるんだよ』ってかなりむかついてました」と笑う。

空井もトップガン止まりの現実は今回の企画で思い知ったので釣られて笑ったが、その現実はちょっと胸に痛い。パイロットの志望者は民間でも減少傾向にあるというし、危険な戦闘機ではもっと分が悪い。最近では自衛隊のパイロットも視力など矯正可能なものについては募集条件を若干緩和している。昔のように規定を厳しくしていたら応募者自体が集まらないのだ。

「それ、俺の部隊に話を持ってきてくれたらよかったのに……俺、絶対希望しましたよ。隊長もノリ良かったし。……でも」

お笑いタレントを乗せろなんてと怒ったパイロットの気持ちも分かる。昔気質《かたぎ》な隊員の中にはテレビに出るなど浮ついているようでけしからんという意見の者もいるし、自分が誇りを持って乗っている戦闘機をお笑いタレントの番組に提供するなどバカにされていると思ってしまう者もいるだろう。

どちらも悪くない。比嘉は自衛隊の認知度を上げようと広報として当然の努力をしたまでだし、怒鳴ったパイロットも自分の職務に真剣だっただけだ。同じ自衛隊でも人によって立場によって考え方はそれぞれ違う。

「今ならもうちょっと上手に説明して理解してもらえたかなぁと悔しいですね」

「……何かちょっと安心しました」

首を傾げた比嘉に頭を掻き掻き答える。

「比嘉一曹でもそんな頃があったんだなって……だったら俺、まだまだでも仕方ないよなって。でもちゃんと努力してればいつか比嘉一曹みたいに、」

「こっちの実績は十年以上ですからね。そんな簡単に追いつけると思われても困りますけど」

さくっと釘を刺されてうなだれる。

「だから広報官の王道は広報幹部だっつってんだろ新米！　比嘉におべっか使ってんじゃねえ」

片山が呼んでいないのにわざわざ割り込む。実はかまってほしいのか。

「……まあ、追いつけると思ってる人もいるみたいですけど」

小さく呟いた比嘉に空井は吹き出しそうになった。笑ったらまた片山が突っかかってたいへんなので噛み殺す。民間の広告代理店で研修を受けた尉官ということで広報幹部扱いの片山だが、広報歴は五年ほどで比嘉に到底及ばない。アグレッシブではあるが仕事は荒いという評判である。

比嘉一曹の濃やかさとかいろいろ見習えばいいのに、と外野としては思わなくもない。

「ともあれ先方もすんなり引き下がってくれてよかったですね。変に言質でも取られてたら約束したじゃないかとごねられることもありますから」

比嘉の言葉に空井は軽く首をすくめた。話を持ちかけてきた北村ディレクターに期待してくれと無責任なリップサービスをするところだった、なんてとても言えない。

そして空井にはもう一人結果を相談しなくてはならない相手がいた。そちらはいい結果が出るかもしれないと見栄を張ってしまっている。

余計なこと言うんじゃなかった、と空井はリカに送ったメールを読み返した。

残念ながら、と新たなメールを書き出しながら後ろめたさがどんどん煽られる。何で無意味にカッコつけちゃったんだろう、特集の素材として既に期待されていたらどうしよう——

ともするとあれこれ言い訳がましいことを書きそうになり、最低限の報告で終わらせる。

当日のうちに返信が来た。

『実現しなかった理由や今のお気持ちなどをインタビューさせていただきたいのですが』という申し入れに苦笑した。この状況はこの状況でリカ的に素材としておいしいらしい。

前向きな貪欲さに、負けていられないなと気分が持ち直した。また新しい企画書でも作ろうと文書作成ソフトを立ち上げる。

企画というものは一〇〇持ち込んで実現するのはようやく一だという話があるくらいだ。まだ数えるほどしか企画を作っていない自分がへこんでいる暇などない。

大人の社会科見学という切り口をどう見せようか、真っ白のドキュメントを前に胸が弾んだ。

＊

リカは印象が薄れないうちにと翌日に早速やってきた。

「空井さん、いろいろ聞かせていただきますのでよろしくお願いします」

その前口上に苦笑する。挨拶段階でこの宣言ということは質問攻めを覚悟しなくてはと応接室のほうへ向かうと、通りがかった柚木が「あらぁ」と厭味《いやみ》な口調を作った。

「稲葉さんは最近空井によく懐いてんのねぇ。少しは自衛隊の印象変わったの？」

リカも喧嘩上等で柚木に軽く顎を煽り、「懐くとか懐かないとか低俗な表現はやめてください。仕事です」と負けていない。

「柚木三佐が印象を悪くするような突っかかり方しないでくださいよ！　稲葉さんも乗らないで、この人は酒が入ってても入ってなくても絡むんだから！」

と、あんたどっちの味方なのと言わんばかりの視線を双方から同時に食らって閉口する。

そこへ「おーい」と鷺坂がてくてく室長室から出てきた。

「稲ぴょん来てるんならちょうど良かった、これ」

とこちらへやってきてリカに手渡したのは片手に持っていた封筒である。表に「稲葉さん」と走り書きの宛名がある。

「ほい、これ柚木。これ空井」

同様に宛名が走り書いてある封筒を部下にも順番に配っていく。ただし部下の宛名は敬称略だ。

「こないだの懇親会の写真の焼き増しなー」

ああ、そういえば合間でパチパチ撮り合ってたなと空井も封筒を開けて写真を見る。うわ、俺すぐに顔真っ赤になるなーなどと顔をしかめる。片山一尉超バカ顔、と内心で勝手な論評をしていると、

「……何じゃあ、こりゃあ！」

残念な美人の名に恥じぬ野太い叫びは柚木である。

「こ、こ、これ……」

そしてリカは口をぱくぱくさせて言葉の続きが出てこない。二人とも写真を凝視している。

「仲良しだったなー、お前ら。あ、稲葉さんをまとめてお前らとか言っちゃいかんか」

そういえば、と該当の写真の見当がつく。へべれけで抱き合っていた二人を恐いもの知らずの鷺坂だけがパシャパシャ写真に撮っていた。

「……って、何で俺ンとこにもその写真が入ってるんですか？」

めくっていたスナップの中に二人の熱愛写真が現れて空井は怪訝に尋ねた。

「面白かったから全員の焼き増しに入れといた。参加してない奴、見せてもらうと楽しいぞ」

キャーッとリカが悲鳴を上げて空井に摑みかかる。とっさに写真を持った手を上に上げると、リカは空しくぴょんぴょん飛び跳ねながら空井の焼き増し写真を引ったくろうとし、柚木は柚木で槙を相手に同じことをしていた。明らかにからかうつもりで写真を取り上げている槙の鳩尾《みぞおち》にすかさずボディブローが入り、槙の体がくの字に折れたところを奪った展開だけがリカと違う。

「ちょっと稲葉！　あんた右回りで回収！　あたしゃ左から行く！」

素早いチームワークが成立し、リカは空井をひとまず飛ばして隣の比嘉から問題の写真の返却を交渉しはじめた。比嘉は与《くみ》しやすくさっさと返す写真を探している。その隙に空井も焼き増し写真をチェックした。リカと柚木の熱愛写真を抜きながら、最後に見つけた写真で手が止まる。

ぐだぐだに酔っ払ったリカを空井が抱えてタクシーに向かっているところだ。どうやら鷺坂が撮ったらしい。どこまでパパラッチだよと苦笑する。

リカは空井が自宅へ送ったことを信じなかったが、図らずも物証が手に入った形である。リカに見せてからかおうかなと一瞬思ったが、何となくそれは机の上のファイルの中に滑り込ませた。

見つかったら没収確定である。

比嘉から写真をもらい受けて再びリカが空井に迫る。

「空井さん、写真！」

「えー、けっこう美人ですよ二人とも」

渋る振りをすると足を踏まれた。「次はヒールですよ」と脅されて素直に手放す。

どうせ今見せたって熱愛写真以上のインパクトなんてないしな、と写真を隠した理由をつける。どうせからかうならもうちょっと寝かせてからだ。

物証写真は俺のほうだけにくれてたらいいなとちらりと鷺坂を伺うと、鷺坂がにやりと片頰で笑った。どうやら機微は分かっている模様である。

鷺坂の仕掛けたイタズラに美女二人は後日までぷりぷりしていたが、その後微妙に打ち解けたので、単なるイタズラ以上の効果はあったと男性陣はジャッジした。

3.

夏の日のフェスタ

＊

「こんにちは、お世話になります」

常に開け放してある空幕広報室の入り口から女性の澄んだ声がかかると、空井はリカが来たかと思って反射的に振り向くようになっている。広報室を取材対象に定めたリカはそれほどまめに広報室を訪れるようになっていた。

だが、そのときの来客はリカではなかった。やはり長期取材で去年辺りから度々訪れているという漫画雑誌の編集者だ。自衛隊を舞台にした小説を原作にベテラン漫画家の連載を立ち上げるという話で、ディテールを詰めるためにあちこち取材しているらしい。後ろに連れているラフな格好の中年男性がどうやらその漫画家のようだ。ペンネームは碓氷《うすい》リュウだったか、空井は漫画に詳しくないので著作までは知らない。

「すみません、三時からのお約束だったんですがちょっと早く着いてしまいました」

ベテラン作家と若手編集者という組み合わせなのだろう、ぽっちゃり気味だがチャーミングな女性編集者が申し訳なさそうに頭を下げる。

三時まではあと二十分ほどという頃合いだ。ちょうど広報班の面々はあちこちに出払っているところで、あまり面識はないが空井が応対に立った。

「いえ、構いませんよ。お約束は誰とでしょうか」

「片山さんです」

あれ、と空井は首を傾げた。片山なら午前中に出張に出たところで戻りは明日の予定だ。

「すみません、片山はちょっと出張に出ておりますが」

あら、と首を傾げたぽっちゃりちゃんは「班長の木暮さんも用件をご存じかと思いますが」と代打指名をしてくれた。

木暮なら他部署と会議中だが、三時に約束があるのならそれまでに戻るだろう。応接室に案内して「しばらくお待ちください」とお茶を出す。

空になったトレイを小脇に戻ったところで、煙草休憩に出ていた比嘉が戻ってきた。

「あれ、来客ですか？」

「ええ、碓氷先生と担当さんです」

「えっ？　片山一尉いませんよ」

碓氷リュウの取材担当は片山である。

「あ、だけど木暮班長でも大丈夫だそうですよ」

そう、と一度は頷いた比嘉だったが、何か気にかかることがあるらしい。しばらくそわそわと応接室のほうを窺っていたが――

「……嫌な予感がするのでちょっと聞いてきます」

比嘉が席を立ったのと、応接室からぽっちゃりちゃんが不安気に顔を出したのがほとんど同時だった。

「あの……三時からの定例記者会見を見学させていただくお約束なんですが、移動とかしなくて大丈夫なんでしょうか」

これほど分かりやすく血の気が引いた人の顔を間近で見ることはめったにない、というくらい比嘉が青くなった。——この時点で三時まで残り十分。

毎週決まった曜日に行われる定例記者会見は十階の防衛記者会室で行われるので移動の問題はない。だが、他に大問題があることくらいは空井にも分かる。——記者会室はあくまで防衛記者会のものであり、記者会見を見学するには防衛記者会の許可が必要だ。

「ど、どうしよう天海班長は」

班長の天海二佐をはじめ、報道班の面々はもう記者会見の準備で記者クラブに下りている。

「ちょっ……とお待ちくださいね！」

引きつり気味の笑顔で表情を固まらせたまま、比嘉が室長室に駆け込んだ。ぽっちゃりちゃんは泣き出しそうな顔で事の推移を見守り、不穏な気配を察したのか碓氷リュウも出てくる。

「もしかして話が伝わってなかったのかなぁ？」

碓氷に訊かれて空井はしどろもどろになった。事情がさっぱり分からないので迂闊な受け答えができない。

「誰がアポイントを受けてたんだ？」

比嘉が駆け込んでいった室長室から鷺坂が早足に出てくる。

「片山一尉と木暮班長が聞いていたそうなんですが、片山一尉は出張で……」

「木暮はまだ会議中か。誰か申し送りを受けてないのか？」

「それが誰も」

鷺坂が碓氷リュウとぽっちゃりちゃんに目を止め「少々お待ちくださいよ」と今にも質問の堰

を切りそうなぽっちゃりちゃんを制する。

「天海に電話！　記者会に見学の申し入れを入れさせろ！」

すぐさま比嘉が電話に飛びつく。

「空井、お二人を記者クラブにお連れして。段取りこっちで追っつかせるから」

「はいっ！」

空井は二人を先導してエレベーターホールへ向かった。

「あの、大丈夫なんでしょうか、碓氷先生お忙しくてまた来週っていうわけにはいかないんですけど」

半べそのぽっちゃりちゃんに空井は「大丈夫です」とできるだけ太鼓判に見えるように頷いた。鷺坂が先に下りていろと言ったからには必ず調整するはずだ。

十階の記者会室に下りると、記者会見用の部屋に記者たちがぞろぞろ入っていくところだった。そして会見室の外で天海が待っており、天海が碓氷に向かって手短に説明する。

「すみません、記者会見室には立ち入りできないので、外から見ていただくということで大丈夫でしょうか」

「記者会見が終わってから室内を写真に撮ってもかまいませんか？　構図の参考用に資料写真が必要なので」

「記者さんが出た後なら大丈夫です」

それだけ確認するなり碓氷リュウはドアを開け放した空間に張り付いた。十数人が席に着いたその前に幕僚長が登場する。ギリギリセーフのタイミングである。

事件や事故が起こっていないので会見自体はものの十分で終わった。記者からいくつか質問が出たくらいである。自分が書こうとしている記事の参考だろう。質問の内容からして装備開発についての記事を練っている最中らしい——ということくらいは報道についての訓練をしていない空井にも分かる。

「——それではこれで定例記者会見を終了します」

進行役の幕僚が宣言し、また記者がぞろぞろと出てくる。入っていく先は彼らの詰め所である記者会室だ。

「あっさり終わるものなんですねえ」

拍子抜けしたようなぽっちゃりちゃんに「何も起こってないときはこんなものですよ」と天海が答えた。

その後、碓氷リュウが空になった記者会見室で資料写真の撮影を始め、会見中のディテールを再現するために広報官たちが記者席に座ったり壇上に立ったりと被写体として協力した。

＊

「そんなことがあったんですか」

目を丸くしたリカに空井は顔をしかめて頷いた。

「危うく広報室の面目が丸つぶれになるところでしたよ」

受けた取材をすっぽかすなど広報室としては大失態だ。

「そんな変わったことがあったんなら昨日も来ておけばよかった」

悔しそうなリカに空井は唇を尖らせた。こちらはそれどころの話ではない。

「でも、どうしてそんなことに？」

「それが……」

ぽっちゃりちゃんは片山と木暮に同送で取材申請のメールを送っており、片山が承諾の返事を出していた。だが、片山に急な出張が入り、来客は木暮が対応するだろうと他に申し送りをせずに慌ただしく出発。対して木暮は午前中に片山が出張に出たことを知らず、予定のとおり会議に出たという寸法だ。

「意外と初歩的なミスだったんですね」

「食い合わせが悪かった感じかなぁ」

「片山はワガママだし、木暮班長は頭固いしねえ」

空井がうっかり口を滑らせたのは、話題の二人がどちらも席を外していたからである。

言いにくいことをずばりと言ってのけたのは報道班の机の島から柚木である。無遠慮な物言いには揺るぎない定評があるが、それにしても率直すぎる。

「比嘉だっていつも片山には苦労してんでしょー？」

話を振られて苦笑した比嘉は、仕事が荒っぽい片山のフォローに駆り出されることが常である。

「木暮班長は木暮班長で、予定に組んであることなら完璧だけど予定外のことは関知しないって人だしね」

融通を利かせてほしいならその旨を事前に申告しなさい、というタイプである。

「なるほど、食い合わせ」リカが納得したように頷いた。

人に融通を求めすぎるきらいのある片山と、人より融通が利きにくい木暮では当然起こり得る人為的ミスである。

「木暮班長なんかあの年で今さら性格が変わるわけないんだからさー。堅物ってことを活かして付き合わなくちゃ」

「あんたは人のことを偉そうに論評してられる立場じゃないでしょう。広報班に片山なら報道班には柚木ですよ」

本質を鋭く突いた揶揄《やゆ》はもちろん槙だ。空井の立場からではワガママというのは憚られるが、マイペースぶりではどっちもどっちの両巨頭である。

「うっせえ若造」

「二期違うだけでしょうが、何言ってんだか」

報道班側には突っ込み役兼保護観察官がいるが、広報班にはいないのが違いと言えるだろうか。保護観察官だけならいるかもしれないな、と空井は比嘉を当てはめたが、そんなキャスティングが知れたら本気でぶん殴られそうだ。

「片山一尉は一つの案件に夢中になると他がほったらかしになっちゃいますからねぇ」

苦笑混じりに口を挟んだのは比嘉である。

「え、じゃあ出張って『SS《ダブルエス》』ですか？」

尋ねた空井に比嘉が頷く。

「先方のスケジュールが急に空いて、直接お会いできることになったらしいですよ」

「あー、それは……」

舞い上がっちゃうだろうなぁ、という呟きは飲み込んだ。すると話題に置いてけぼりを食ったリカから「夢中になってる案件って何ですか？」と訊いてきた。

「『スーパーマリン・スピットファイア』が主催の夏フェスです。三日連続の」

グループ名が長いので前半と後半の頭文字を取り『ＳＳ』の略称で呼ばれることが多いロックグループだ。

今年で結成二十年目を迎える『ＳＳ』は老若男女を問わず幅広いファンを持ち、日本の音楽界で不動の地位を築いている。リカもその名前を聞いて目を丸くした。

「すごいですね。どういう関わり方をするんですか？」

「二十万人規模の野外フェスの初日オープニングにＴ－４を飛ばす企画だそうです」

「戦闘機を？」

リカは相変わらず装備に関する知識が薄いが、女性はそもそも機械に興味のないタイプが多いので仕方ないことかもしれない。しかし戦闘機というコメントが出てきたということはＴ－４と言われてフォルムが思い浮かんだということだ。実際は性能やスケール感が桁違《けたちが》いだが、素人目には同じように見える——ということは空井にも理解できる。広報室で頻繁に話題に上る装備の型番を漠然と把握できるくらいには地道に勉強しているのだろう。

「Ｔ－４は戦闘機ではなく練習機になります」一応訂正すると、リカもすみませんと頷いた。

「でもそれはすごいですね。オープニングに花火なんかはよくあるけど、飛行機を飛ばすなんて……そんな派手な演出、なかなかありませんね」

感心した口ぶりに、リカもコンサートに行ったりするのだろうかとふと思った。どういう音楽を聞くのかななどと興味も湧いたが、脱線したら仕事の話を聞いているのに関係ないでしょうと怒られそうだ。

「リーダーの多田宏平《ただこうへい》が航空ファンなんだそうです。それで売り込んだらすんなり……」

「へえ、知らなかった」

ファンの間では有名だそうですよ、と注釈を入れたのは比嘉だ。

「バンド名もまんま飛行機ですものね」

空井が言うと「えっ？」とリカと比嘉が二人とも首を傾げた。リカはともかく比嘉が知らないというのは優越感がくすぐられる。

「航空自衛官なら常識じゃないですか、『スーパーマリン・スピットファイア』。第二次大戦で使用されたイギリス製のレシプロ戦闘機ですよ。スーパーマリン社のスピットファイア」

「へえ、本当にそのまんまなんですね」

リカは素直に感心したが、比嘉は「それは常識ですかねぇ」と納得が行かない様子だ。

「えっ、常識でしょ？　フォッカーやメッサーシュミットを知らないのと同じくらい恥ずかしいことじゃないですか」

「そうなんですか？」鞄から手帳を取り出してメモを取ろうとしたリカを比嘉が止めた。

「空井二尉が言ってるのは多分オタクの範疇《はんちゅう》の知識です。知ってる人は知ってるかもしれませんが、航空自衛官の常識っていうのはちょっと違うような……パイロットでもどっちかっていうと好き者の知識……」

「そ、そんな。パイロット仲間には普通に話が通じますよ」

「それは飛行機漬けの人種だからでしょ。それにしたってレシプロに興味があるかどうかでまた話が変わってくると思いますし」

パイロット職を離れると自分の常識がオタク・好き者にカテゴライズされてしまうことに衝撃を受け、それ以上食い下がる気力は失せた。広報室内で統計でも取られて本格的にオタクの烙印を押されてはたまらない。

「じゃあ、出張っていうのはその『ＳＳ』絡みの……」

リカは企画に興味をそそられたらしい。

「片山一尉はどちらに？」

空井と比嘉は同時に室長室へ続くドアを指差した。

「昨日のすっぽかしでお説教中です」

比嘉が言いにくい説明をさらりと付け加える。終わったらお話聞けるかしら、とリカがそちらを窺い、空井はうーんと唸った。

「怒られた直後はやめといたほうが……テンション下がってますよ、多分」

自分に置き換えてもそうだし、鷺坂を慕ってやまない片山のことである。申し開きようのないミスで叱責を受けるなど、さぞや落ち込んで出てくるに違いない。

「片山一尉はすぐに入れ込みすぎちゃうからなぁ」

案じる口調は比嘉である。何だかんだと言いつつ片山を一番心配するのは比嘉で、これは仲がいいからなのか片山の補佐に駆り出されてしょっちゅう割りを食うからなのかは分からない。

「大きな話ですから、比嘉一曹がサポートついてあげたらどうですか？」

やらかしてから駆り出されるより楽なのではないかと常から思っていたので提案してみたが、比嘉は困ったように苦笑した。

「片山一尉はあまり私に手伝われたくないと思いますよ。特に今回は」

「好きなんですねぇ、『SS』が」

片山は若い頃から『SS』の大ファンだそうで、企画の売り込み段階から思い入れがただごとではなかった。好きなバンドの企画を仕切るのにライバルと目している比嘉の手を借りたくない、という気持ちは分からなくもない。

比嘉は「あまり囚われすぎないでほしいですけどね」と曖昧に笑った。

そのとき席を外していた木暮が戻ってきたので、その話題はそこで尻すぼみに終わった。

*

「天海が直前で記者会の承諾を取り付けられなかったらどうなってたと思ってるんだ？」

鷺坂が声を荒げて怒ることは滅多にないが、本当に怒っているときは眉間に描き込んだような見事なシワが二本立つ。やや後退気味の額は血色良くつるりとしているので、縦に刻まれる二本がやけに目立つ。

たった二本のシワだが片山を打ちのめすには充分だった。

「申し訳ありません……」

首が外れて落ちそうなほど片山はうなだれた。

「予定表に書いて出たから木暮班長がやっておいてくれるだろうと思ってしまいました」

「そんなこたぁ訊いてないだろ」

鷺坂が指先でデスクを叩いた。中指たった一本で叩いた音だが、拳で机を殴ったより鋭く片山の耳朶《じだ》を打った。首が勝手にすくむ。

「碓氷先生が記者会見を見学できずじまいだったらどうなってたと思ってるんだって訊いてるの。言い訳なんか訊いてないよ」

質問に嚙み合わない返事をすると鷺坂はますます機嫌が悪くなる。やみくもに謝っても逆効果だということはよく分かっているのだが、早く叱責の時間を切り上げたいという思いがついつい言い訳を口走らせる。

「あの……たいへん面目ないことになっていたと思います」

「はいそこ！　そこが分かってない！」

鷺坂は糾弾するように「！」のタイミングに合わせて二回片山を指差した。

「うちの面目なんかどうだっていいよ。碓氷先生が記者会見を見学できなかったら、碓氷先生に無駄足を踏ませたことになるの。碓氷先生の時間を無駄にしたことになるの。それが一番の問題だと思えないから駄目なんだ。相手の時間を無駄にさせるのは相手を粗末にしてるってことだよ、分かってる？」

「決して粗末にしたつもりは、ただうっかり……」

また言い訳に走ってしまい、言い訳すんなと一蹴される。

「そこで碓氷先生を粗末にしたと認められないからいけない。粗末にしたと認めなきゃ何度でもいろんな人を粗末にするよ」

一言もなく黙り込む。

「内部に対してはまだまだ甘えて振り回してるけど、外部の人に対してはこういう説教しなくて済むようになったと思ってたんだけどなァ」

せっかく認めてもらえていた部分が相殺されたことが悔しく、片山はますます首を落とした。

『ＳＳ』の多田宏平と急に面談できることになったって話だったな」

「はい……」

ツアー先の福岡で急遽《きゅうきょ》時間が空いたとのことでその日の午後に打ち合わせができることになり、防衛省から発着する定期便に飛び乗れば間に合う時間だったので取るものも取り敢えず広報室を飛び出した。碓氷リュウの見学のことは少し気にかかったが、時間がギリギリだったので説明の時間が惜しく、三時には木暮が会議から戻っているはずだから大丈夫だろうと高を括った。実際は予定以上に長引いて間に合わなかったわけだが。

「確かに先方は芸能人だから多忙だよ。そのタイミングを逃したら会えないってんならそっちを優先すんのは仕方がない。碓氷先生の話は案内が誰でも用が足りるしな。でも、それならそれできちんと誰か指名して後を頼め。知ってる奴がもう一人いるし大丈夫だろうなんてでたらめな話があるかい」

でたらめな仕事をしたのだと突きつけられてへこみ、言い訳したくなったがこらえた。そんなつもりはなかったが、言えばそれは「お前の主観の話じゃないよ」と突っ放される。

今まで何度もそんなふうに叱責を受けてきた。――そして、それが鷺坂が片山を比嘉のように信頼してくれない理由だ。

「レアなほうに飛びついて元から約束してたほうを蔑《ないがし》ろにするような真似をしてたら、そのうち誰も空幕広報室なんか相手にしてくれなくなるぞ」

自分の一挙手一投足に航空自衛隊の信頼がかかっていることを知れ、というのは部署の別なく日頃から言われることである。そうでなくとも世間的な好感度の貯金が少ない自衛隊だ、自衛も兼ねた教育であると言える。

こんな叱責を食らうたび鷺坂には「お前一人で広報室の貯金を食い潰したことになるんだぞ」と言われてきた。

レアなほうに飛びついて、というのは『SS』ファンである片山が私情を挟んだわけではないと言外に認めてくれているのだろう。効果の高い大きな企画を優先して他を「粗末にした」ことに的を絞った叱責はありがたかったが、反発も感じた。

別に損得勘定だけじゃない――というのはそれこそ言い訳なので、片山はますます黙り込んだ。それだけは絶対に言い訳として口走りたくなかった。

＊

あちこちの基地で不定期に広報に関わり、片山の広報経験はトータルして五年強になる。初めて広報を経験したのは百里《ひゃくり》基地、まだ二尉になったばかりの二十代の後半だった。

防衛大を卒業してから総務に関わることは多かったが広報には縁がなく、右も左も分からない片山を補佐してくれたのは比嘉である。片山より二つ年上だったが高卒から一般曹候補生として入隊しており、当時もやはり一曹だった。

下士官のほうが経験が長いということは若い防大卒幹部にはよくあることだ。経験を盾にして高圧的な態度に出る者もいるが、比嘉はそのようなこともなく年下の片山を立ててくれていた。

広報のイロハは比嘉に仕込まれたと言ってもいい。それまで自衛隊内部しか知らなかった片山に、民間との感覚の違いを教えてくれたのも比嘉だ。五分前行動は一般人には必ずしも根付いていない、ということは比嘉に教わった。マスコミ関係者（特にテレビ関係）の時間感覚は一般人に輪をかけており、自衛官からするとあり得ないほど定刻の幅が前後に広いということも。

テレビの撮影協力で撮影隊が集合時間に一時間遅れて到着したときは天地が引っくり返るほどの衝撃を受けた。一時間！　一時間遅れるなどという事態がフィクション以外の世界であり得るのか！　ドラマなどで約束に何時間だか遅れたという話はよくあるが、片山は物語を面白くするための誇張だとばかり思っていた。

「私は二時間待ってすっぽかされたことがありますよ」

にこにこ笑ってそう語る比嘉の言葉にも衝撃を受けた。怒らなかったのかと尋ねると「注意はしますけどやみくもに怒っても意味がないので」とまた笑う。

怒って協力を打ち切ることは簡単だが、それではその後の人脈が残らない。舐《な》められては駄目だが強硬になっても駄目、なだめすかして何とか話を巧く回すしかない。何でそんな面倒なことをしなくてはならないのかと不満に思った片山に、比嘉は言った。

「外部とのツテを切るときは空自として切ることになります。自分のことならかまいませんが、隊の看板を背負っていると思うとなかなかあっさり切れないものですよ。何だかんだとマスコミの広報力は大きいですし」

決して押しつけがましく説教するようなことはないが、民間慣れしていない片山にもなるほどと自然に飲み込めるような語り口だった。

隊外には人智を超えた時間感覚が存在するのだと知ってから、片山はそれまでカリカリ怒っていた恋人の遅刻を悠然と待てるようになった。デートに五分や十分遅れるくらいのことが何だ。世の中には官公庁との約束だって二時間遅れたうえにすっぽかす強者《つわもの》がいるのだ。

ちなみに仕事で学んだその寛容が、若干長引いていた春に終止符を打ち華燭《かしょく》の典に漕《こ》ぎつける決め手となった。のんびりした性分の恋人は、時間にうるさい片山との生活に不安を感じて結婚に二の足を踏んでいたという。

比嘉は若い頃から広報を志したそうで、その頃すでに百里広報班に比嘉ありと言われるほどの人材だった。気持ちとしては片山は比嘉に師事したようなもので、分からないことは何でも教えを請うたし、仕事上の判断基準は常に「比嘉ならどうするか」だった。そして比嘉を指針にする限り、片山は大きなミスをすることはなかった。

広報の仕事に慣れてくると大きな企画を成功させようと逸るようになり、現場に無理を強いて反発を受けることが増えたが、それも比嘉が巧くフォローしてくれた。

百里で迎えた二年目が終盤に入り、そろそろ異動がかかる気配がしはじめた頃、大きな企画が持ち上がった。

当時、絶大な人気を誇っていた女性三人組のアイドルユニット『フルール』のプロモーション《P》ビデオ《V》撮影である。新曲がこれまた人気のあるＳＦアニメ『チェッキング・シックス』の主題歌になり、ＰＶもアニメの内容に合わせたものを撮ることになった。アニメは異世界の軍隊を舞台にした青春グラフィティで、男所帯の戦闘飛行隊に初の女性パイロットとして入隊したヒロインを巡る恋愛模様が売りらしい。

舞台は架空だが、登場する戦闘機は実在のものを下敷きにデザインされており、ディテールの緻密さがコアなファンを惹きつけて離さないという。

ヒロインの搭乗する機体のモデルはＦ－15で、『フルール』のＰＶもＦ－15をモチーフにしてできれば飛行中の映像を入れたいとのことだった。また、実写のＦ－15とアニメの架空機をＣＧで融合させた映像も作りたいという。Ｆ－15に本人たちが搭乗しないのであれば、実現は比較的容易である。

話を持ってきたのは空幕広報室だったが、基地の上層部はアニメが絡むことで協力を渋った。当時の司令部の性格の問題だろう、アニメのようなサブカル的媒体に協力するのはいかがなものかという意見が優勢だった。

対して広報班側では片山と比嘉を中心に受けるべきだと主張が固まっていた。『フルール』と『チェッキング・シックス』である。芸能とサブカルチャーでそれぞれトップクラスの知名度を誇る両者の共演に注目が集まらないわけがない。

しかも、救難団のように人命救助などのポジティブな紹介をすることが難しい戦闘機を好意的に扱ってくれる企画である。空自最大の目玉である主力戦闘機Ｆ－15は、兵器のイメージが強いためプロデュースが非常に難しい商品なのだ。

広報班長は年配のためアイドルやアニメに関する知識が薄く、企画の価値を語れる主要な人員は片山と比嘉になった。二人で司令部の態度を軟化させるべく駆け回り、ついに『フルール』のＰＶ撮影に協力許可が出た。

今をときめく人気アイドルを迎えて接する機会も多かったのに、片山は『フルール』のことをあまり覚えていない。段取りをこなすことに追われて舞い上がっている暇などなかったのだ。

発表された新曲はオリコンチャートで三週間連続の一位を獲得し、その後二ヶ月近くベスト10にランクインし続けた。

航空自衛隊全面協力ということが売りの一つでもあったので、航空自衛隊にも注目が集まった。広報効果は抜群で、最初渋っていたお偉方に向けてはしてやったりの気分だった。

この『フルール』のＰＶが百里における片山の最後の仕事になった。

「片山二尉の異動に間に合ってよかった」

比嘉はそんな泣かせることを言った。

「大きな経験になりましたね」

「比嘉一曹のおかげだよ」

階級が上なので前に出るのは片山の名前だが、比嘉の助けがなければとても実現しなかった。司令部の説得一つ取っても、どこからどのように根回しするかは比嘉に頼ってばかりだった。

「いつかまた、どこかで一緒に広報やりたいな」

心からの言葉だった。たった二年ですっかり広報が好きになっていたのは比嘉のおかげだ。

きっと次にどこかで再会したときには比嘉も幹部に昇任しているだろう。曹候補士として入隊した者も、三曹以降は四年の勤続で幹部候補生の部内選抜試験の資格を得られる。比嘉なら片山と同じ尉官になるのもすぐだ。

次は下士官の立場から補佐されるのではなく、同じ立場で競いたい。そのときまでに、もっと広報官として経験を積んでおかなくては――そんな思いで百里を離れた。

それから程なく比嘉も百里を離れたと噂に聞いた。次の任地は入間だそうで「入間広報に比嘉あり」と言われることも遠くないのだろうと思った。

幹部は数年ごとに異動がかかる。片山もその例に漏れず全国の基地を転々としたが、百里での広報経験が物を言ったのか、広報に配属されることが増えた。

階級は順調に上がり、一尉になった年に民間の広告代理店での研修が決まった。一年間の研修を終えたら航空幕僚監部広報室に配属される。

広報官を志すようになった片山にとっては願ってもない話である。広告代理店の民間研修の枠は一年に一人しかない。そのたった一人に選ばれたことはひたすらに誇らしかった。

研修期間の一年はあっという間に過ぎた。自衛隊に比べると民間の広告代理店は生き馬の目を抜くような世界で、残念ながらそこで頭角を現すような働きはできなかった。

広報の経験はそれなりにあるつもりだったが、やはり自衛隊と民間はまったく違った。研修の身ながら鮮やかに才覚を発揮して周囲も大絶賛――なんて考えることも恥ずかしいような夢想をしていたわけではないが、年間一人の研修枠に選ばれる程度には隊で評価されていたはずなのに、それがまったく通用しなかった。

ただ周りに使われるしか能がなく、しかし懸命に使いっ走られた。使いっ走られながら自分に蓄積されるものはあるはずだ。使われながら周囲を見ろ、周囲を見ろ、周囲を見ろ、盗め、学べ――そうでなくては自分を研修に出してくれた隊に、仲間に申し訳が立たない。

がむしゃらに走り回った記憶と研修中に得た人脈だけを抱えて隊に戻り、航空幕僚監部広報室に着任した。

そのとき広報室長として片山を迎えたのが鷺坂である。

名前だけは聞いたことがあった。地対空ミサイル部隊である高射群に、何故か広報関係部署に引っ張られた経験の多い変わり種の幹部がいるという話である。数年前も内局広報室に勤務し、当時何かとトラブルが多かった自衛隊の報道対策に尽力したという。

さぞや切れ者なのだろうと緊張しながら着任の挨拶に向かった。室長室で出迎えたのは生え際がやや後退気味の熟年である。不思議とハゲというよりはつるんと血色のよい額のほうが印象に残った。

「お前さんが片山か。話は聞いてるよ、研修ご苦労さん」

鷺坂の第一声は実に気安かった。

「どうだった」

ざっくりまとめた質問に、片山のほうも緊張がほぐれた。

「先方に引き回してもらうばかりでした。隊の経験が全然通用しなくて……蚊帳《かや》の外にされないように食らいついていくだけで精一杯で」

「そりゃ仕方ないわ」と鷺坂は頷いた。

「自衛隊は倒産しないもの。だから時間を金に換算する習慣もない。コストの概念が根っこから違う世界に飛び込んで、一年食らいつけたんなら上出来だ」

何の気なしの口調だったが、聞いた片山のほうは目の前で猫だましを食らったかのようだった。

それは片山が民間と自衛隊の風土の違いにもがきながら一年過ごして、ようやく理解した真理だった。それも漠然と体感したに過ぎず、まだ明確には言語化されていない。

それを鷺坂は「自衛隊は倒産しない」の一言でさらりとまとめてのけたのだ。

「鷺坂室長は民間企業での研修経験がおありなんですか？」

自衛隊の中ではなかなか気づけない論理だ。自衛隊だけではなくどこの官公庁も同じだろうが、予算は国が決めて下ろすもので、本当の意味での資金繰りを隊員が意識する機会はほとんどない。

絶対に民間経験があるはずだと踏んで投げた質問だが、

「いや、何も」

あっさり否定されてへこんだ。自分が一年揉《も》まれてようやく気づいたことに、隊に身を置いたまま気づける人間がいるなんて。

「ただ、俺、ミーハーなんだよね」

それとこれと一体何の関係が、と思った片山に鷺坂はへらへら笑った。

「家にいる間、贔屓《ひいき》の役者や歌手追っかけてずーっとテレビ観てんだよ。そしたらほら、人気のバロメーターとしてしょっちゅう数字の話が出てくんだよね。ギャラが推定いくらだとかCDの売上げ枚数が何万枚だとか。あと新聞ね」

「新聞は何が」

「下に売れてる本の広告とか出るじゃない。でっかい広告打ってる本って大抵『何万部突破！』だの『たちまち重版！』だの煽ってるんだよな。これも人気のバロメーターに数字を使ってる。部数とか速度とかね」

新聞広告を見ながらそんなこと考えたこともなかった。

「そうしたら数字って面白いなぁと思えてきてね。数字で表現されるものって価値とか力なんだよな。金とか時間とか視聴率とか部数とか……考えてみたら我が自衛隊もそうだろ？」

そうだろ？　と言われて片山は残念ながら「そうでしょうか」としか返せなかった。

「スペックは数字で測るだろ。最高時速だの航続距離だの射程距離だの。もっと言っちゃえば、主力戦闘機の保有機数。これ、各国の保有機数の差がそのまま航空兵力の差だろ」

がつんと頭をぶん殴られたような気がした。テレビを観ながら、新聞広告を見ながら、そんなふうに思考を編める人間が――たった今、自分の目の前に。これから戴く上官として。

「世の中って数字が支配してんだなって気づいてから、俺のライフワークなのよ。いろんな物事、数字に換算するのがね」

その感覚は、自衛隊で唯一「渉外」が発生する広報部門にとって何よりの宝だ。鷺坂が何度も広報に引っ張り出されるのも道理だ。

「ただ、なかなか話が合う奴がいなくてさぁ」

「自衛隊の中にはあまりいないと思いますよ。――俺だって研修に出てなかったら……」

これがエキサイティングな話だなんてきっと理解できなかった。

「若い奴はやっぱり頭が柔らかいのな。お前くらいの年代で以前やたら話の合う奴がいたよ」

「どんな奴ですか」

「広報やってんならお前も知ってるかな、入間の比嘉って奴」

思いがけず聞いた名前に、記憶が瞬《また》く間に蘇った。『フルール』のPVを最後に別れた――

「知ってます。昔、百里の広報で一緒でした。よく助けてもらって」

「そうか。あいつももうすぐうちに来るぞ」

これもまた思いがけない話で、片山は思わず身を乗り出した。

「本当ですか」

いつかまた、どこかで一緒に広報やりたいな――百里を去るとき交わした会話を比嘉は覚えているだろうか。次は同じ立場で競いたい。そのためにはもっと経験を、と励みになった。

自分のほうはついに研修に選抜された。広報官として大きなキャリアを手に入れた。――比嘉、お前は。別れたときは一曹だった、あれからお前はどこまで来た。

「今は階級は」

「一曹だ」

そんなバカな、という思いが「何で」と口走らせた。何でお前はそこで立ち止まってる。

「俺が会ったのは随分前です。そのときも一曹でした。幹部選抜を受けてないんですか。試験を受けてたら比嘉が合格しないわけがありません」

「知らないよ、そんなこと。昇任についてはそれぞれ主義ってもんがあるだろうさ。幹部の受験資格があっても受験しないのは自由だし」

「確かにそれはそうですけど」

そうはいっても不満だった。次は競いたいと思って別れ、再会が空幕広報室などお膳立てでもされたかのような舞台なのに。

「先代の広報室長のときからずっと比嘉の異動を要請してたんだけど、入間がなかなか首を縦に振ってくれなくてさ。先代に随分愚痴を言われたよ、根回しは俺がして比嘉をもらうのはお前かってな」

そんな鷺坂の話も、それほど評価されているのにどうして幹部になろうとしないのかと苛立ちが募るばかりだ。

「百里の名コンビ復活となるかな」

――コンビじゃなくて、ライバルになりたかったんです。個人的な思い入れは子供じみているようで口に出せなかった。


片山に遅れること一ヶ月で比嘉が着任した。

「お久しぶりです」

比嘉は髪型が少し変わったくらいで、百里で別れた頃と変わらなかった。接し方も変わらない。幹部に対する下士官の態度だ。

何でだ、とやみくもに腹が立った。俺は経験を増やした、研修も勝ち取った、階級も上がった――何でお前はあのときのままだ。

「煙草付き合え」強引に引っ張り出して、一階下の休憩所に向かった。

「幹部選抜、受けてないのか」

投げた言葉は唐突すぎたようで、比嘉は目をしばたたいた。

「……いつかまた一緒に広報やりたいなって言ったの、覚えてるか」

覚えていなかったらとんだ独り相撲だったが、比嘉は「もちろん」と頷いた。

「私より先に片山二尉……」昔の階級を口にしかけた比嘉が片手で詫びる。「片山一尉が広報室に着任していると聞いて、約束が叶ったなぁと思ってましたよ」

やめろ、その話し方――自分より年下の幹部を、自分より未熟な幹部を立てて扱うその口調で俺に話すな。

「俺は、次に会うときはお前も幹部になってると思ってたんだ。次は同じ立場で競えると思ってたんだ、ベテラン下士官に面倒見られるんじゃなしに。――何でお前、一曹のままなんだ」

選ぼうと思っていた言葉は、結局最も無遠慮に着地した。

比嘉は困ったように笑った。

「幹部選抜を受ける気はないんです」

「何で」

「個人的な主義の問題です」

昇任についてはそれぞれ主義ってもんがある――鷺坂もそう言っていたが、片山には到底納得できなかった。鷺坂が一目置き、空幕広報室への異動を請願されるほどの男が、どうして幹部になることを拒む。

「何でだよ。幹部になったら給料も上がるし権限だって」

下士官よりもずっとやれることは増えるのに。

「給料はね、あまり困ってないんです。うちの奥さん、老舗《しにせ》の造り酒屋の一人娘でね。お酒以外に実家があれこれ手広くやってまして。次期社長の扱いで私よりよっぽど稼いでくれるんですよ。入り婿の話もあったんですが自衛官を続けていいと言ってくれましたんで。家のことを心配する必要がないので、自分が納得の行くように勤めようと思いまして」

だから幹部選抜を受けない？　意味が分からない。嫁さんがやり手であくせく働く必要がないから気楽にやるとしか解釈できない。

「――そんな奴だとは思わなかった」

そんな志が低い奴だなんて。――比嘉と競うために励んだことが馬鹿みたいに思えた。お前が目標だったのに、と吐き捨てることは悔しくて飲み込んだ。

比嘉は「ご期待に添えなくてすみません」とやはり困ったように笑った。へらへらしやがってとますます苛立った。

比嘉の力など借りるかと躍起になったが、現実はなかなかそうは行かなかった。

がむしゃらになればなるほど現場や渉外で摩擦が起こり、外部とは衝突できないのでついつい内部に、現場に割りを食わせる。

片山としては隊の利益のためなんだから少しくらい我慢しろという思いがある。細かい不満をねじ伏せて企画を進めていると、最後に鷺坂に投入されて比嘉が調整役で乗り出してくるというのが毎度のパターンだった。

鷺坂は比嘉を見習えとは言わないが、軋んだ現場に比嘉を投入してくることが片山より比嘉を買っていることを思い知らせる。

次こそ比嘉が出てくる前に片付ける。毎回そう思いながら臨み、毎回比嘉にフォローされる。そんなことを繰り返してぐつぐつ煮詰まる。——どうすれば比嘉を超えられる。どうすれば鷺坂は比嘉より自分を評価してくれる。

片山が民間研修で一年揉まれてようやく理解した社会を巡る数字の論理に、鷺坂と比嘉は隊の中から気づいた。そのことが片山の強固なコンプレックスになった。

あの二人は同じ種類の人間で自分は違う。自分はあの二人に届かない。至らない。焦りばかりが加速して仕事は空回りしてばかりだ。

そのうえ、自分が収めた最も大きな仕事は未だに百里の『フルール』だ。事実上の貢献は比嘉のほうがずっと大きい。

『フルール』PVを超える仕事を、とあちこちに企画書を投げた。ファッション誌のモデル撮影など細々とした仕事は定期的に拾えたが、なかなか大きな企画は決まらない。モデル撮影は企画の独創性を鷺坂に評価されたが、『フルール』には到底及ぶものでなかった。

「『フルール』はもうとっくに解散したし、古い仕事じゃないですか。撮影ロケーションの提供は今までなかった売り込み方ですし、すばらしい成果だと思いますよ」

比嘉にそんなふうに労われたが、反発を煽られるばかりだ。鷺坂と比嘉が同じ評価軸で片山を誉めることが気に食わない。

そもそも片山は比嘉に賞賛されたいのではなく、悔しがらせたいのだ。鷺坂には賞賛されたいが、比嘉には臍《ほぞ》を噛ませたいのだ。私心のない賞賛は却って比嘉が自分を相手にしていない証拠のようにしか思えない。

そして広報室には新人がやってきた。事故で飛べなくなったという悲運のパイロットだ。

空井というその新人は比嘉がサポートすることになり、二尉と一曹という組み合わせはまるで百里の頃の自分と比嘉を引き写したようで皮肉だった。

負けてたまるかとますますしゃかりきになった。そんな折に、片山が若い頃からファンだった『スーパーマリン・スピットファイア』が浜松で野外フェスティバルを開催することを知った。広報室で情報収集用に十紙ほど取っている新聞の一紙に、芸能ニュースとして記事が載っていたのである。三日連続で行われるそのフェスティバルには、『SS』以外にも人気アーティストが多数集い、通算二十万人規模になるという。

航空自衛官にとって浜松といえば航空教育集団を擁する浜松基地のことに他ならない。何とか『SS』の浜松フェスとコラボレーションできないかと考え、T-4の売り込みを思いついた。教育飛行隊のT-4をオープニングのカウントダウンに合わせてフライパスさせる企画である。『SS』リーダーの多田宏平は航空ファンでもあり、空自の航空祭にも何度か足を運んだというエピソードもファンには知られている。多田の耳に入れれば可能性はありそうに思われた。

もし実現すれば確実に『フルール』PVを超える企画になる。逸《はや》る気持ちを抑えて班長の木暮に相談するとOKが出た。木暮は芸能に興味がないので反応が薄かったが、鷺坂が知ると大喜びしてくれた。「実現したらすごいな!」――実現させるとも。

さっそく主催の地元テレビ局に連絡を取ってイベント会社を教えてもらい、企画を持ち込んだ。イベント会社は派手なオープニングイベントを探していたらしく、反応は上々だった。『ＳＳ』の所属事務所に企画が上がり、そしてリーダーの多田も食いついた。

一気に実現が見えてきた。

八月のフェスタまで二ヶ月を切り、内外の関係部署への説明にミーティングに、片山は多忙な毎日を送っていた。

忙しさのあまり浜松フェス以外の仕事では細かなミスが増えたが、それも致命的な失敗はまだ碓氷リュウのアポイントの一件だけである。

ますます気を引き締めてかからねば、と片山は鷺坂の叱責を受けて更に闘志を燃やしていた。

＊

「おい空井！　元パイロットだろ、手伝え！」

「手伝ってほしいならもうちょっと頼み方とかあるでしょう」

ぼやく空井に片山はチッと舌打ちした。着任したばかりの頃は人が好《よ》いのか鈍いのかぼんやりとこちらの言うことを受け止めているばかりだったのに、最近は急に生意気になってきた。

それでも「何ですか」と腰を上げる辺りはまだまだかわいげがある。

「浜松フェスのことだけどな、Ｔ－４の飛行経路とか待機場所とかどうしたらいいと思う？」

「え、そんなの俺が勝手に決められませんよ。浜松基地と相談したらどうですか」

「浜松はまだ回答が来ないんだよ。でも、イベント会社が目安でいいから飛行地域を知りたいって話なんだ。特に待機場所。可能性のありそうなところを挙げてくれよ、あくまで目安で浜松の回答が正式のものだって念押ししておくから」

「そんなの第一航空団に問い合わせたらいいでしょう、目安くらいは教えてくれますよ」

気軽に訊けるようならそもそも空井に訊いたりしていない。口籠もると空井がはは一んと半目になった。

「また何か揉めたでしょう」

図星である。嫌なところで察しがいいのは比嘉の教育の賜物か。

「うるさいな！　あんまりせっつくと向こうだって苛つくだろ！」

企画を通したときにかなり強引な押し切り方をして、その後もイベント会社や主催側の意向を入れて次々条件を投げた。後になって浜松側が規則上の問題で拒否して揉めた条件などもあり、浜松基地は片山に対してやや神経質になっている。

「普通はそれくらい訊けば教えてくれますよ、飛行可能区域なんて限られてるんだから候補地域も知れてるし。訊けないくらいこじれてるってどんだけですか」

くどくど説教されて居心地が悪いことこのうえない。航空関係に関しては元パイロットの空井の得意分野だ。さすがに口先ではごまかされないのが面倒である。

「じゃあお前が訊いてくれよ、パイロットだったんだから手早く相談できるだろ。午後には情報くれって言われてるんだよ」

「まったくもう」

空井はぶつぶつ言いながらもフェス側の事情に配慮したのか、電話を取り上げてくれた。

「もしもし、空幕広報室の空井です。浜松フェスの件でお世話をかけております。ちょっと航空上の問題についてご相談したいのですが……はあ、まだルートが定まってない」

かけた相手は広報班らしいが、どうやらまだ航空団から回答が上がっていないと断られたようだ。片山と同じあしらわれ方である。

「ええと、浜名湖ガーデンパークが会場ということだと待機エリアはやはり海上になりますかね。進入方向によっては浜名湖上……はい、私も元パイロットなんですよ。できれば航空団に繋いでいただけますか？　主催者側が目安でいいから飛行経路と待機エリアの候補が知りたいという話で。……あ、はい、少々お待ちください」

空井が電話を保留にして片山に向き直った。

「経路と待機エリアが知りたい理由は何だとのことです」

「地元説明で回らなきゃいけない地域をざっくり把握しときたいってよ」

あくまでざっくりですよね、と念を押して空井は電話に戻った。片山の説明を電話で繰り返す。

「ええ、それはもう。これが最終回答なんて伝え方は絶対しませんから」

そして電話は航空団に繋がったらしい。

「もしもし、こちら空幕広報室の空井……ああ、ハイご無沙汰してます！　おかげさまで何とかやってます」

どうやら電話に出た相手が旧知のようだ。パイロットの頃の知人だろう。

「そうなんです、浜松フェスの……お手数かけますけど」

そして空井は待機高度だの進入経路だのをあれこれ相談しはじめた。

「なるほど、ステージが海のほうを向いてる。ステージの後背からフライパスするとなると待機エリアは浜名湖上になりますね。市街地避けるとそれくらいしか選択肢ないですよね……いや、見当はつけられますけどもちろん。でも俺もうパイロットじゃないし、いいかげんなこと言ってそちらに迷惑かけるわけにも」

事故でP免になったことはもう軽い口調で話せる程度に乗り越えているらしい。合間にメモを取りながら空井は電話を終えた。

「あくまで暫定《ざんてい》ってことで教えてくれましたけど……」と空井がメモを片山に寄越す。

「でも、先走って公式回答はしないでくれってかなり釘を刺されましたよ」

「気をつける」

ふて腐れながらメモを受け取った片山に、空井が心配そうな顔をした。

「比嘉一曹に調整に入ってもらったほうがよくないですか？　大きな企画なんでしょう、あまり意地を張って企画自体が駄目になったら元も子もないですよ。こじれてから比嘉一曹に頼むより最初から……」

「気をつけるって言ってるだろ！」

抑えられずに声が尖った。いつまでも比嘉の助けがないと何もできないと言われているようで無性に腹が立った。

「お前は帝都の美人とよろしくやってろ！」

ほとんど捨て台詞のように吐き捨てて席を立つ。

「何ですかそれっ！　逆ギレすんならもう手伝いませんからね！」

噛みつく空井の声を背中で弾き、片山は部屋を出た。

＊

「何か雲行きがよくないような気がするんですけど」

不機嫌なままで片山が外出した後、空井は室長室の鷺坂のところに顔を出した。

「浜松のほう、かなりこじれてるようなんです」

片山には釘を刺されたと説明したものの、空井が電話で話した浜松基地の関係者たちは抗議と言っても過言ではない強い口調だった。告げ口のようで気が退《ひ》けるが、鷺坂の耳に入れておいたほうがいいように思われた。

「どうやら浜松が暫定で渡した回答をフェスに安請け合いして揉めたことが何度かあるようで。勝手に先走るなってかなり怒ってました」

「あいつ、仕事が性急で荒いんだよねぇ。直らないなぁ」

溜息をついた鷺坂は、それさえ直ればと続けたそうだった。

「比嘉一曹にまたサポートについてもらうわけにはいかないんですか？」

「現場から要請されたわけでもないのに俺が横から勝手な采配をするわけにはいかないよ」

いつもは現場から調整の要請があってから鷺坂が比嘉を投入するパターンだ。まだ現場からは何も言われていない。だが、何か言われてからでは遅いのではないかと空井には思える。

「何で片山一尉ってあんなに比嘉一曹に頑ななんですか？　素直に手伝ってもらえばいいのに。企画と意地とどっちが大事なんだろ」

「比嘉だから意地を張りたいんだろ」

鷺坂の返事に空井は首を傾げた。

「……そこまで気に食わないんですか」

「逆、逆。むしろ慕ってるからだよ」

えっ、と思わず声が出た。空井には思いもつかないミラクル回答である。

「お前は知らないだろうけど、片山に広報のイロハを教えたのは比嘉なんだよ。もう五、六年も前になるか、ちょうど今のお前と比嘉みたいな感じでいろいろ教わってたらしいんだ。その頃はなかなかいいコンビだったらしいぞ」

「えー、じゃあ何で今あんなンなんですか？」

「片山は思い込みの激しい奴だからなぁ」

「それじゃ分かりませんってば」

せっついた空井に鷺坂は「どうしよっかなぁ～」などと焦《じ》らし、意地悪しないでくださいよとせがむとやっと教えてくれた。

「はっきり本人に確かめたわけじゃないけどさ、どうも片山のほうはもう一度比嘉と一緒に広報をやるのを相当楽しみにしてたらしいんだ」

「それならますます何でって話なんですけど」

「次は同じ幹部の立場で競えると思ってたみたいでな」

すとんと腑《ふ》に落ちた。何故この人が幹部になっていないのだろう、という疑問は空井も感じたことがある。

「比嘉の階級が変わってなかったのがショックだったらしい。比嘉なら試験を受けりゃいつでも幹部になれるだろうけど、いかんせん本人にその気がなくてね。生涯下士官で行くそうだ」

比嘉と競うのが励みであればあったほど、再会したときに比嘉の階級が同じだったことは残念だっただろう。しかも比嘉に昇任する意志がないと聞けば——それが怠慢に思えるかもしれない。思い込みの激しさが為す技だが、それだけ思い入れが強かったということでもある。

ともあれ片山にとっては見損なったと言いたいような事態だったのだろう。

「片山一尉って室長のことが大好きで比嘉一曹に対抗意識を持ってるのかと思ってましたけど、比嘉一曹のことも大好きだったんですね」

「気持ち悪いこと言うなよ、お前」

確かにこれが学生の部活などなら微笑ましい話だが、関係者が全員おっさんとなるとちょっとむさ苦しい。

「でも、比嘉一曹はどうして昇任しないんですか？」

それは空井としても訊いてみたかった。

「俺から聞いたって言うなよ」と釘を刺しつつ鷺坂はばらす気満々だ。

「幹部になったら異動が頻繁だろ？　二、三年に一度は任地が変わる」

「ああ、じゃあ転勤がイヤで？」

「浅いなー、お前」

鷺坂が小馬鹿にしたように鼻を鳴らす。カチンときて空井も突っかかった。

「じゃあ何なんですか」

「頻繁に異動がかかると、自分が仕掛けた企画を途中で手放さなきゃならないことが多々あるんだよ。すぐに結果が出る話ばかりじゃないからな。気長に売り込んでやっと日の目を見るような話もたくさんある」

まだ広報に関わって三ヶ月と経っていない空井には思いが及ばない視点である。

そして、戦闘機にスターを乗せたいという自分の企画に思い至った。――そうか。

俺の企画も次の異動までに実現しなかったら、途中で手放して新しく着任する誰かに引き継ぐことになるのか。

「……確かに、それはちょっと悔しいですね。そうか、だから」

「ま〜だちょっと浅い」

と、鷺坂がまた微妙にむかつく小馬鹿だ。「普通に言ってくださいよ」と苦情を申し入れる。

「思いを残して手放した話をさ、きちんと次の担当者に繋げてくれる奴がいたら救われるだろ？下士官は幹部ほど頻繁に異動がかからないからな。比嘉も入間は長かったよ」

――ああ、確かに。確かに自分は「ちょっと浅い」。

思い入れのある企画を残して去らねばならないとき、比嘉のような下士官が残っていてくれるのなら後を心配せずに旅立てる。

「長期的なプランのためには熟練の下士官が必要だっていうのが昔からの比嘉の意見でね。比嘉なら幹部の立場でもいい仕事をするだろうし、周りも勧めてるんだが頑として首を縦に振らん」

「……尊敬します」

幹部になればもちろん給与も待遇も良くなる。将来的なことを考えればなれるものなら幹部になりたいという隊員は多いだろう。そんな現実の中、下士官であることに意義を見出し、下士官であることに拘《こだわ》る比嘉は、滅私で隊のために尽くしているようにも思われた。

「えー、何で。何で片山一尉は気づかないんだろ」

「ってお前も気づいてなかったろ」

「それはそうなんですけど」

だが、不毛な志のすれ違いを目の当たりにすると無心ではいられない。

「比嘉みたいな下士官がいてくれると助かることは多いんだよな。特に広報ってのは自衛隊の中では特殊な仕事だし。本来なら自衛隊向きじゃない人間のほうが向いてる」

民間との渉外があるという意味において、隊で唯一無二の特異な部署だ。優秀な自衛官であることと優秀な広報官であることは必ずしも両立しない。空井だって入隊した頃は自分がマスコミ関係者とあれこれやり合うことなど想像してもみなかった。万が一（結局現実になったが）F転やP免したらとは考えたことがあるが、想像の中に広告代理店もどきの仕事など入っていない。隊員は本来、民間との折衝からは完全に隔絶されている。

自衛官として必要な能力とはまったく異質な能力を要求されるのが広報官なのだ。

「隊員を採用するときは広報適性なんか考慮してないからな。後で手持ちの人員から広報向きの奴をむりやり探すんだから、広報は常に人材不足なんだよ。まったく未経験の奴をピックアップして放り込むんだから、育てる下士官がいてくれるのは実に助かる」

幹部に定期的な異動が義務づけられているという性質上、自衛隊において人材を育てる役目は下士官である曹が負う。防大出たての三尉より、長く勤めた三曹のほうが自衛隊では偉い。新米幹部は熟練下士官に育てられるのだ。

その下士官の中でも広報という特異な能力に長けた者は限られる。比嘉が下士官として広報に関わっていることは、確かに隊にとっては意味があるのだ。

かつて片山が比嘉に育てられたように、空井も比嘉に育てられている。そのようにして比嘉が補佐してきた広報幹部は一体どれだけいることか。

「片山一尉に何とかそのこと……」

「比嘉は自分からそんなことは言わんだろ」

「だから室長が」

「どうやって口を出すんだ。これこれ片山、お前は比嘉に意地を張ってるが実は比嘉のほうには深い意図があって幹部にならないんだよ、なんて言えるか？　あいつの意地は俺に比嘉より評価されるってことに凝り固まっちゃってるんだぞ」

確かに鷺坂がそんなことを言い聞かせたら、片山はますます意固地になりそうだ。鷺坂が比嘉の肩を持っているとしか思わないだろう。

「でも何かいたたまれませんよ〜〜〜〜〜」

「そんなこと言ったって仕方ないだろう」と鷺坂はあっさり突っ放している。

「冷たいなぁ、もう」

どこかから何とか雪解けしないかと空井は頭を悩ませたが、いい案は思い浮かばなかった。

＊

片山がメールをチェックすると、『ＳＳ』所属事務所である『オデット』からメールが入っていた。

浜松フェスの件かと開くと、フェスの関係者ではなかった。『ＳＳ』マネージャーから連絡先を聞いたと前置きして、別の依頼である。

『オデット』から新たに男性アイドルユニットを売り出すことになり、そのデビュー曲のＰＶを作成するに当たって撮影の協力を頼みたいという話だった。

『オデット』で初めて男性アイドルをプロデュースすることになったという。『セラフィン』という五人組のユニットでメンバーは美男子揃い、歌もダンスもというコンセプトからして、男性アイドルのプロデュースに強い『ＪＪ企画』に対抗するユニットだろう。『ＳＳ』を始めとする『オデット』の看板アーティストたちが随時楽曲を提供するとのことで、かなりのヒットが期待できそうだ。

読み進めて片山は顔をしかめた。先方は片山が『フルール』ＰＶに関わったことを知っており、同じコンセプトを男性ユニットである『セラフィン』に当てはめたいということだった。

『フルール』も『オデット』の所属だったが人気が下火にならないうちに引退しており、今でも復活を望む声がある。それにあやかりたいという事務所の意向である。

「いつまで経っても『フルール』かよ」

片山のほうも『オデット』に浜松フェスの企画を売り込むとき『フルール』のことを切り込むきっかけにしたので文句は言えないのだが、自分の実績を語るときに『フルール』以上の企画がないことは片山にとって屈辱だった。

『フルール』PVは比嘉がいなければ実現しなかった。片山は比嘉の意見に従っていただけだ。だが、個人的な遺恨で持ち込まれた依頼を断るわけにはいかない。かなり大きな話ではある。

片山はメールをプリントアウトして室長室に向かった。

「失礼します」

基本的に開け放してある室長室との間のドアから中を覗くと、鷺坂は書類をめくりながら鼻毛を抜いていた。つまんだ収穫にふっと息をかけて吹き飛ばし、「どした」と振り向く。基本的に自衛官としては斬新な脳味噌以外は普通のおっさんで、だがそこがいいところだ。

「こういう話が来たんですけど」

言いつつ鷺坂にプリントアウトを渡す。しばらく目を通した鷺坂が「いいんじゃないの」と顔を上げた。

「うちが断る理由はないだろ。ＯＫしとけ」

「担当は誰に……」

「誰かに回すのか、これ」

「俺は浜松フェスのほうで忙しいし、手の空いてる奴のほうが」こう言うと自動的に対象は空井である。マスメディアの取材協力担当は片山と空井の二人だ。もう一人三佐がいるが、そちらは航空祭や体験搭乗など隊内の行事関係全般を仕切っている。

「航空機を使うなら空井のほうが顔も広いでしょうし」

「でもまあ、向こうはお前が『フルール』をやったからってことで依頼してるみたいだし。芸能関係の人は験を担ぐし、先方に訊いてみれば？　急ぎなら空井に回せばいいけど」

「分かりました」

席に戻って『オデット』に電話をかけ、『セラフィン』のマネージャーを出してもらう。相手は若い女性だった。

「メール拝見しました。航空自衛隊としてはもちろん協力させていただきたいと思っております。ただ、私は浜松フェスのことで立て込んでおりますので、何なら別の者を担当に立てますが」

「あ、『セラフィン』のほうは進行に余裕があるから大丈夫ですよ。浜松フェスの目鼻がついてからで充分です。こちらとしても馴染んだ方のほうが安心ですし」

「いや、私が『フルール』を担当したのは随分前ですし」

するとマネージャーは電話の向こうで不思議そうな声を出した。

「浜松フェスで関わってる最中じゃないですか」

誠にお説ごもっともで、自分が『フルール』に囚われすぎていることを思い知らされる。

相手が急がないと言っているのにあくまで別の担当者に投げるのも不自然で、「それなら」と片山が担当することになった。

「どれくらいから具体的に動いていただけるんでしょうか」

「そうですね、今月中には浜松フェスのプランが固まると思いますから……来月以降なら撮影の予定が立つと思います。後は『オデット』さんのプランがいつ出るかによりますね」

「プランというと具体的にはどういったものを出せばいいでしょう」

「PVのコンテは見せていただいたほうがいいと思います。それから希望の機種も早めに挙げていただけると」

後は機種が揃っている基地とスケジュールの交渉だ。浜松にならなければいいな、とちらりと思った。自業自得だが、かなり広報班をピリピリさせている。

マネージャーは「分かりました、コンテはできるだけ早く提出させていただきます！」と元気に電話を切った。

＊

T－4の待機エリアと飛行経路も決まり、後は飛行計画を出すばかりとなった頃だ。

片山はイベント会社から突然のその一報を受けた。

「……中止⁉」

はっと気づくと室内の全員が自分を注目していた。顔を上げた片山から皆そろりと視線を外す。それほど大声を出していたとは気づかなかった。

片山は意識して声のトーンを落とした。

「一体どういう……」

何か不手際でもあったか、とめまぐるしく今までの段取りを検算する。いや、何もなかった。

片山が現場の感情を若干害しはしたが、それもあくまで内輪のことだ。

運営側も『ＳＳ』も片山以上に乗り気だったはずだ。なぜ急に。

「本当にこちらとしても残念なんですが……」

イベント会社の担当者は言いづらそうに説明した。

「やはり、観客動員数が桁外れのイベントなので……しかも三日連続ですし。ただでさえ騒音や交通の渋滞などで近隣住民の苦情が予想されるのに、そのうえ飛行機まで飛ばして騒音を増やすのは問題があるということになりまして」

主催の地元テレビ局からストップがかかったということらしい。『ＳＳ』リーダーの多田宏平がとても残念がっていたという話がわずかに心を慰めた。

「分かりました……残念ですが、また何かありましたらぜひ」

説明を聞きながら自分がどんな受け答えをしていたのかさえよく覚えていなかったが、最後にどうにかそう言い添えて電話を切った。

受話器を置いた形のままで腕が固まって動けなかった。

「片山一尉……」

恐る恐る声をかけてきたのは空井である。目を上げると広報班の他のメンバーが気遣わしげな顔でこちらを窺っていた。

向かい側の比嘉と目が合う。とっさに逸らした。

「いやー、まいったまいった！　騒音の心配があるからって主催者側からストップがかかったってよ。浜松基地にも無理言ってたのにカッコつかねーな」

ハハ、と笑ったが自分でもみじめになるほど空々しい。

「浜松側にも連絡入れないとな」

いたたまれなくてすぐに受話器を取り上げた。広報直通の番号はいきなり広報班長に繋がった。事情を説明すると相手も一瞬絶句した。

「ご尽力いただいたのに申し訳ありません」

「……まぁ、仕方ないけどなぁ」

広報班長は拍子抜けしたように答えた。

「ゴリゴリ進めたわりには呆気なくポシャったなぁ。こっちも相当無理したのに」

それは何の気なしの愚痴だったのだろうが、今の片山には盛大な皮肉に聞こえた。

別に現場にだけ無理を強いていたわけじゃない。強く息を吸い込んで口を開こうとしたとき、

「片山一尉！」

吐き捨てる前に鋭く滑り込んだのは比嘉の声である。息を飲み込むようにして声が止まった。

比嘉が無言で小さく首を振る。吸い込んだ息は呻《うめ》き声になって潰れた。

呻きは受話器に入ったが、広報班長は片山が相当ショックを受けているというふうに解釈してくれたらしい。大丈夫か、などと労ってくれる。「泣いてんじゃないだろうな」というのは余計な茶々だ。

「……すみません、ご心配かけて。次に何かあったときはまたご相談させてください」

「あまり気を落とすなよ」

その慰めは却って傷口に塩だ。片山は硬い声で電話を終えた。くそ、と喉の奥で呟きが漏れる。

もう限界だ。

片山は無言で席を立った。室員が皆気にかけない様子を装っていて、その気遣いがありがたいが重かった。

喫煙所で三本ほどを灰にした。煙を吐く合間に何度か溜息をついた。

二十万人規模のイベントでT－4を飛ばしたら、『フルール』以上の実績になるはずだった。結局比嘉に手を引かれてこなした『フルール』を超えられない。

残ったのは『フルール』をなぞるような『セラフィン』PVの企画である。

人の気配がして顔を上げると空井だった。「すみません、トイレ……」トイレは喫煙所の前だ。

「別に俺に断るこっちゃないだろ」

「あー、そうですよねー」

曖昧に笑いながら空井がトイレに消える。あまり居座ると他の連中にも迷惑かもしれないな、と四本目に火を点ける。これを吸い終わったら戻ろうと期限を切って弾みをつける。

ややあって空井がトイレから出てきた。

「長ぇな、ウンコか」

「ちげーよ！」と空井が噛みついてから慌てて「違いますよ」と言い直す。いつもなら生意気なとしばらく突っつくところだが、それも面倒くさい。

空井はしばらくこちらを窺っている気配だったが、片山は気づかない振りで煙を吐いた。空井が諦めたように立ち去ろうとしたとき、

「あのさぁ」

振り返った空井のほうは向かずに独り言のように呟く。

「アイドルのＰＶってやってみないか」

「え？」

「『オデット』が売り出す『セラフィン』ってグループ。大々的に売り出すらしいからけっこうな規模の企画になるぞ」

空井にとって悪い話ではないはずだ。空井はまだ大きな映像系の企画を受け持ったことがない。外部への実績にもなるし経験にもなる。

「比嘉が経験あるから補佐してもらえばいいしさ」

「……経験あるのは片山一尉も一緒じゃないですか」

思いがけない切り返しに片山は顔を上げた。空井は怒った子供のような顔で片山を見ていた。

「片山一尉だから来た話でしょう。『フルール』の経験があるから」

「誰から聞いたんだよ、比嘉か」

睨むと空井から「違います！」と叩きつけるように否定が来た。

「室長から……昔、百里で二人がすごくいいコンビだったたって」

鷺坂がどう話したのか詳しく聞きたい気持ちがこみ上げたが、プライドがそれをねじ伏せた。こんな小生意気な後輩に聞かせてほしいなんてすがれるか。

「せっかく比嘉一曹がいるんだから一緒にやればいいじゃないですか。片山一尉だって比嘉一曹とまた広報やりたかったんでしょう？　そんな意地ばっかり張って……」

「うるさい！」

怒鳴りつけると空井は一瞬声を飲んだが、片山以上の剣幕で声を荒げた。

「分かってるんですか!?　俺たち、どんなに運が良くてもおんなじところに三年はいられないんですよ！」

勢いよりも言っている内容に虚を衝かれた。片山は広報室に来て二年目だ。早ければ来年にも異動がかかる。根無し草のように全国をころころ転がされるのは幹部であれば当然の処遇だ。

「もう一度組みたかった相手とまた組めるなんて、どんだけ運のいいことだと思ってるんですか。そんな幸運が三度もあると思ってるんですか？」

「うるさいな」

突っぱねる声には力がなくなった。比嘉は下士官だから片山より先に異動がかかることはないだろう。だが、自分は。――広報室で残された時間は後どれだけだ。

空井の言うとおりだ、今度異動がかかったら比嘉と一緒に広報に携わることはもうないだろう。そもそも自衛隊における広報はごく曖昧な職域で、次も必ず広報職に就けるなんて保証は何一つないのだ。それは民間研修を受けていてさえそうだ。任地が同じでもどちらかが広報から外れていることも充分に考えられる。

「比嘉一曹が幹部にならない理由って知ってますか？　異動の少ない下士官の立場から広報企画をケアしたいからですよ。幹部は企画が動いてる途中でも手放して異動しなきゃならないから。物の分かった下士官が自分の後任を助けてくれたら、俺たちどんだけ救われます？　それに教育だって……」

空井はますますエンジンがかかっているようだが、もうそれを突っぱねる言葉は出なかった。

「経験の豊かな下士官がいないと幹部は育たないじゃないですか。広報なんてなおさらですよ、そもそも経験者が少ないんだから。俺は比嘉一曹に育ててもらっています、片山一尉が昔育ててもらったみたいに。そんで俺の後にもきっと育ててくれるんですよ。まったく畑違いの部署から来た、広報のこの字も分からずに戸惑ってる奴らを」

かつての自分もそうだった——広報のこの字も分からずに戸惑ってる奴らだった。それを比嘉が育ててくれた。十年以上の広報歴など下士官でもなければ比嘉の年齢でなかなか叶うものではない。その経験で比嘉は片山を、空井を、他の大勢の幹部たちをサポートしていくのだろう。

幹部では逆に手の回らないことを比嘉が買って出ようとしていることに初めて気づいた。

「……お前、そのご立派なご意見は自力でたどり着いたのか」

片山が切り返すと、熱弁を振るっていた空井は目に見えて狼狽《ろうばい》した。あわあわしている空井に「誰の話だよ」と訊くと、無闇に男前な表情になって「誰から聞いたか言うなよと言われたのでそれは言えません！」と表情と落差のある間抜けな宣言をした。言わなくても誰から言われたかなんてバレバレだ。

百里の名コンビ復活となるかな。——片山の側にも期待してくれていたのなら。

「あの……それじゃ俺、お先に」

へどもどしながら立ち去ろうとした空井を「待てよ」と引き止める。はいっと答える声が見事に裏返った空井に、

「比嘉がいたら呼んできてくれるか」

「……はい！」

空井はシッポがついていたらちぎれるほど振り回しそうな勢いで廊下を走っていった。

＊

比嘉にはただ『セラフィン』ＰＶの企画を話し、手伝ってほしいと言っただけだった。だが、比嘉はこっちが恥ずかしくなるほど開けっぴろげな笑顔で「喜んで」と答えた。

コンテと相手の要望が届くのを待ってさっそく検討に入る。実際に飛んでいる飛行機の映像も使いたいとのことだったので、アドバイザー役で空井も巻き込んだ。

「この最後の部分はＦ－15じゃ難しいと思います」

空井が指摘したのはラストのカットだ。浜辺で海を眺めている『セラフィン』メンバーの頭上をメンバー人数に合わせた五機のＦ－15がロールしながらフライパスするというイメージだ。

「何だよ、Ｆ－15じゃロールできないのか？」

片山が訊くと空井はキッと眦《まなじり》を釣り上げた。「バカにしないでください」とこんなときばかりはパイロットの顔に戻る。

「戦闘機は戦闘機動が身上ですよ、ロールだろうがループだろうがお茶の子さいさいですよ！　専門的な訓練のカリキュラムさえ作ってもらえたら三・五世代機だけど曲技チームだって夢じゃありません！　超低空でナイフエッジをかますパイロットだって空自にはいたんですよ！」

むきになるとめんどくさい奴だな、と思ったが口に出すと長引きそうなので片山は減らず口を慎んだ。

「むしろコストの問題ですよね」

横から執り成したのは比嘉である。空井が我が意を得たりとばかりにこくこく頷く。

「F－15はやっぱり空自の虎の子ですし、何しろ主力戦闘機ですから。デビュー前のアイドルのために五機飛ばせ、なんて要求は通らないでしょう。それもPVですから映像とは言っても広報効果はテレビや映画より落ちます」

「ああ、そっか」

確かに許可が下りやすい映画でも数を動かすのは難しい。二機編隊でも大盤振舞だろう。

「T－4のほうが可能性あるんじゃないかな。少なくとも警戒待機や戦闘訓練がありませんから……練習機ですから運用の融通は利きます」

コンテを見ながらの空井の意見に、ぱっと閃いた。

「撮影場所を浜松にしたら『SS』の夏フェスのプランが微修正だけで使えるんじゃねえか!?」

浜松フェスも海側へフライパスするプランだった。機数は増えるが不可能ではない。

「行けますね」と比嘉も頷いた。

「浜名湖が遠州灘に流れ込む近辺で何とか撮影ポイントを探せるんじゃないですか？　それなら待機地もほとんど変更しなくて済むし」

「よっしゃ！」

そうと決まれば善は急げである。片山はさっそく電話を取り上げた。かけた先は浜松の広報だ。

電話に出た班長は「フェスは潰れたんじゃないのか」と怪訝な声だ。

「それが、ちょっと別件の話が持ち上がりまして」

片山は手早く状況を説明した。

「そんな次第で、F－15の代わりに浜松のT－4を売り込んでみようかと思いまして。もし話が決まったら協力していただけるでしょうか」

「そりゃあ決まればもちろん……だが、行けるのか？」

大きな話が潰れたばかりなので広報班長の声は半信半疑だ。

「必ず取ります！　……という心意気で行ってきます」

電話の向こうからは「期待しないで待ってるよ」と苦笑が返ってきた。

電話を切ってから、窺っていた二人に親指を立てる。二人の表情が電気のスイッチでも入ったように明るくなった。

「ありがとな、空井。お前のおかげで浜松のプランが無駄にならずに済みそうだ」

素直な言葉だったが、聞いた空井は居心地悪そうに身じろぎした。

「素直な片山一尉って何か調子狂っちゃうなぁ……」

「だったら憎まれ口でも叩こうか」

顎を煽ると空井は「いいえ、けっこうです！」と泡を食って席を立った。比嘉も打ち合わせ用のノートを畳んでいる。

立ち上がった比嘉に「あのさ」と呟きかけて、やっぱりやめとこうと口籠もると、比嘉のほうから「何ですか？」と問いかけてきた。

再会してから一年以上も意地を張っていたので、折れるのが気まずい。

結局「何でもない」と流して終わった。

＊

事務所はF－15がT－4になることに若干の難色を示したが、F－15を五機運用するプランが難しいということに加え、浜松フェスの企画を一方的に取り消した引け目もあってか最終的にはT－4五機の運用で承諾した。

こちらから提案したプランも背中を押したらしい。比嘉が案を出したもので、T－4が練習機であるということを逆手に取って『セラフィン』の五人がパイロットを目指すストーリー仕立てのPVにすればどうかというものだ。

元のコンテからもストーリー仕立てにしたいという漠然とした意志は見えたが、『フルール』のときのPVに引きずられたのかタイアップしていたアニメ作品『チェッキング・シックス』の影響が否めなかった。

そこへ持ってきて比嘉の提案したストーリーは『セラフィン』のフレッシュさを打ち出せる点で魅力的だったらしい。ドラマ風に仕立てたPVが流行の兆しを見せていることも採用の決め手になった。

加えてPV用に『セラフィン』専用機として五機を確保し、キャノピーや機体にグループ名とメンバーの名前をそれぞれステッカーで貼り入れ、やはりステッカーのネーム入りヘルメットをそれぞれ用意する、という小技も先方の――特に『セラフィン』メンバーたちの心を摑んだようだ。赤い専用機の時代から「自分専用」には男の子を燃えさせるものがあるらしい。

メンバーの中には絵が上手い者がいるらしく、五人にワンポイントのロゴを作ったのでそれもヘルメットに塗装してほしいという希望が出て、ステッカーや塗装を担当する整備員を悩ませたのは余談である。所詮はアイドルの手慰みだろうと高を括っていたら、どうしてなかなかこれがプロはだしの手の混んだグラフィックで、再現するのが難しかったらしい。

比嘉の巧みな調整のおかげで、煩雑《はんざつ》な仕事が重なったにも拘わらず現場でのストレスはあまりなく、航空学校的なものを基地内で模したPVのセット撮影は和やかに進んだ。

メンバーのスケジュールが揃わないため数日に分けての撮影になったが、デビュー前のためかやたらと一生懸命なメンバーたちに、現場の隊員たちもすっかり「俺たちがデビューを手伝ってやる兄ちゃんたち」という身内意識が生まれたようだ。

リカも空井から聞きつけたらしく、取材の名目で何度か乗り込んできた。

「何かおもしろいエピソードはないですか」と空井に迫り、空井は四苦八苦で『セラフィン』の着こなしについて話したらしい。

PVで『セラフィン』が着る衣装として、航空自衛隊のパイロットと同じツナギが採用されたのだが、「あのむさいツナギがこんなにカッコよく着こなせるなんて」と現場の隊員が驚愕の声を上げたのである。

「空井さんが現役のときと比べてどうだったんですか？」

「そんなの比べさせないでくださいよ、意地悪だなぁ」

「でも、空井さんもけっこうお似合いだったんじゃないかって気がしますけど」——などと横で漏れ聞いている片山に言わせれば「勝手にやってろ」という感じである。

リカは空井の案内で隊員から実際のコメントをいくつか取ったらしい。

そして片山も合間にコメントを求められた。

「片山さんがアイドル歌手のPVに協力したのはこれが二回目だそうですが」

下調べは万全らしい。最初はいけ好かないねえちゃんだったリカだが、最近はすっかりトゲが取れた。空井が担当で大丈夫なのかと鷺坂に交替を申し出たことがあるが、かわいらしくなったのは逆に体当たりで接した空井のせいかもしれない。

「そうですね。『フルール』のPVを比嘉一曹と一緒に」

「同じコンビでまたPVを手掛けることについて何かご感想は」

目の端に比嘉がいるのが見えた。気づかない振りをしてリカの向けたカメラに答える。

「『フルール』のときは私はまだ広報については新米で、比嘉一曹に助けてもらうばかりでした。それからずっと、もっと経験を積んでからもう一度比嘉一曹と仕事をしたいと思っていたので、それが叶ったことにひとしおの感慨がありますね。今まで『フルール』は私にとって一番の実績でしたが……」

続けようとした言葉はあまりにも開けっぴろげなような気がして躊躇した。——だが。

「……この仕事は広報をやる限り私の一生の支えになると思います」

面と向かってはとても言えない。比嘉のいるところで尋ねてくれたリカに感謝だ。空井、お前の彼女なかなかやるぞ——などと言ったら空井はまた真に受けて真っ赤になって怒るのだろうが。

「片山一尉、ちょっとすみません」

インタビューが終わると比嘉が声をかけた。聞いていたはずだが比嘉はおくびにも出さない。

「段取りのことで広報班長が相談したいそうです」

「分かった」

片山もおくびにも出さずに答えて比嘉のほうに向かった。

そしていよいよ大詰めのT－4五機編隊の撮影である。

当日は雲一つない快晴となった。どうやら『セラフィン』は芸能人としてかなりの運を持っている。

平日午前中の浜辺で『セラフィン』の五人が待機し、それぞれにカメラが張り付く。ロングでメンバー全員を撮るカメラとT－4を撮るカメラも複数が待機した。

空幕広報室からは関わった三人が、そしてリカもこんなおいしい画を逃がしてなるかとばかりに駆けつけている。今日は飛行機相手なので取材カメラマンを連れ、気合い充分だ。

一一〇〇《ヒトヒトマルマル》に直上を通過予定。――定刻まで三分。――一分。

「来た」

気づいたのはさすがというべきか、空井が一番早かった。

浜名湖側の空の奥に、針で突いたような黒い点が生まれた。みるみる膨らむ。

――そして音が。

「すげえ」かすれた声で呟いたのはスタッフだ。「時間ぴったり」

定刻まで十秒。九。八。七。六。五。……

「秒単位もズレねえぞ、これ」

三。二。一。――そして、

きっかり〇《ゼロ》で五機編隊のT－4はロールに入りながら撮影ポイントの直上を通過した。そのまま海上へ飛び去り、また点になって消える。

「……ああ、戻りますね」

空井が沖へ目を眇《すが》めて呟いた。見えるのかと片山はぎょっとして空井のほうを向いた。空井の視線をなぞって沖を睨むが、片山にはとんと分からない。――そうか、こいつは壊れた膝以外はパイロットの要件を満たしてるんだな。

目も反射神経も衰えたわけではない。膝が壊れただけで他には何の瑕疵《かし》もない。――その状態で降りねばならなかった空井は、もしかすると周囲の想像以上に打ちのめされたのかもしれない。今でもその心は複雑に砕けているのかもしれない。

少しは優しくしてやるか、などと思ったが、三分経つとすっかり忘れた。

＊

『SS』の浜松フェスがそろそろ始まるという頃に、『セラフィン』のPV見本が届いた。さっそく応接室のデッキで鑑賞会に入る。関わった三人のほかに鷺坂と木暮も加わった。

「ほほう、こいつは跳ねそうだね」

サビにたどり着く前に鷺坂の予言が出た。「またまた」と比嘉が笑い「MAYAは当てましたもんね」と空井も頷く。

予言が当たったらまた部下の耳にタコが何匹もできるまで勝ち誇るに決まっているのでそれは若干面倒くさいが、『セラフィン』に限っては当たってくれないと困る。

「なかなか面白いじゃないか」と堅物の木暮も高評価だ。アップテンポの曲に乗せて、青年たちの希望や挫折を無理なく場面で見せている。

そしてエンディングのリフレインでT－4の編隊が『セラフィン』の頭上をフライパスする。カメラはアングル別に複数を用意してあったが、結局『セラフィン』の足元から真上にT－4を収めるカットを採用したようだ。一番の見せ場では見切れて三機の腹しか見えないが、飛び去るT－4を見送るシーンで豆粒大だが五機が確認できた。

「あれ!?」

片山は思わず大声を上げた。

「クレジット入ってなくねえか!?」

画面の右下に「協力／航空自衛隊」というクレジットを入れてもらうはずだったのに、それがない。「まさか」と比嘉も巻き戻す。

五人でテレビに肉薄し、コマ送りで再生。「……これ」脱力した呟きは誰が発したのやら。

予定の場所に、半透明に透かす形でうっすらとクレジットが入っていた。

「見えねえよ、こんなの！」叫んだのは空井である。片山は物も言わずに応接室を飛び出した。

もちろん苦情を入れるためである。

「片山一尉、穏便に！」

追いすがった比嘉の声に、

「相手の出方次第だ！」と片山は怒鳴り返した。

結果として電話の向こうで『セラフィン』のマネージャーは平謝りだった。——ので嚙みつくわけにもいかず、片山としては逆にストレスが溜まったが。

ＰＶを撮った監督がどうしても画を邪魔するクレジットを目立たせるのはイヤだと言い張り、透かし処理になったという。有名な映像監督に頼んだのが徒になった形である（特に航空自衛隊にとって）。

「くっそー！」

片山は怒り狂い、空井も「ひどいですよこんなの」とむくれていたが、鷺坂は「まあ、こんなこともあらぁな」と若手を宥《なだ》める余裕ぶりだった。

そして比嘉も余裕組だった。

「こうなってしまったものは仕方ありませんし。こっちもクレジットを透かしで入れるのは駄目だとまでは言いませんでしたからね」

「お前は平気なのかよ！」

完全に八つ当たりで突っかかった片山を比嘉は苦笑でいなした。

「怒って何とかなるなら怒りますけどね。無駄に疲れるってことができない性分なんですよ」

「無駄って言うな！」

片山は煙突のように煙草の煙を噴き上げた。愚痴は喫煙所に限る。あまり吸わない空井も一緒に来て「ひどい、ホントひどい」とぶつぶつ言っている。

「でもまぁ、映像を見れば空自の協力だと一目瞭然ですし。機体が救難ヘリや輸送ヘリみたいに陸や海も持ってる物だとまずかったですけどね。それにPVの映像は限定版のシングルに特典で入れるそうですし、そちらのパッケージにはクレジットを入れてくれるって話じゃないですか」

それにしたって所詮はよかった探しである。くそ、と片山は煙草を灰皿でねじり消した。

「広報室にいる間に絶対これよりいい企画を物にしてやる！」

「そこまで意地にならなくても。言うほど悪い結果じゃなかったと思いますよ」

「いいや、画竜点睛《がりようてんせい》を欠く！　俺はお前と組んでる間に『フルール』よりもパーフェクトな企画を収めなきゃ気が済まないんだよ！」

何を言い放ったか自覚しないまま片山は喫煙所のソファから立ち上がった。そして「先に戻るぞ」と一声残して広報室へ戻る。

自分が何を言ったか気づいていたら、走って逃げたかもしれない。

＊

「確かにこれじゃ静止画で探さないとクレジットが分かりませんね」

応接室で『セラフィン』ＰＶを鑑賞したリカは、テレビに向かって身を乗り出した。

「ひどいと思いません？」

空井はぷりぷりしながらリモコンを操作してＤＶＤを停止した。

「こういうことってよくあることなんですか？」

「以前、ＮＨＫの番組でＦ－15のコクピットでパイロットがインタビューを受けるという設定で協力したのに、放映時にクレジットしてくれてなかったことがあるそうです」

協力に対してクレジットを入れることは暗黙の了解――というか常識に近いことだったので、それまではわざわざ念を押すようなことはなかったが、その後クレジットを入れてくれるように事前に確認するようになったという。

だがまさか「見えにくいように入れる」という荒技に出られるとは誰も思っていなかった。

「せっかくあの二人が和解した記念の企画だったのに」

「ちょっと画竜点睛を欠きましたね」

「片山一尉も同じことを言ってました。二人で組んでる間にもっといい企画をやるって息巻いてますよ」

そして空井はふと我が身を振り返った。

俺たち、どんなに運が良くてもおんなじところに三年はいられないんですよ――片山に切った啖呵《たんか》である。自分もそれだけ経てばもうここにはいない。

俺はここにいる間にこれだという仕事を遺せるのかな。そんなことを考えて気が遠くなった。

ついこの間、広報室にやってきたと思ったらもう夏が来る。一つの場所で明確に限られた幹部の時間に対して、経験が蓄積されるのはもどかしいほどの亀の歩みだ。

「どうしましたか？」

ぼうっとリカを眺めていた空井は、小首を傾げられてはっと我に返った。

「すみません、ちょっとぼんやりしちゃって」

稲葉さんが取材してくれている間に、俺は自分の企画を物にできるのかな。――稲葉さんから見た広報室の中に、俺は窓口という立場以外で存在できるのかな。

俄に感じた焦りは、口に出すと重くなってたちまちぺしゃんこに潰されそうな気がした。

――その後、大型新人としてデビューを飾った『セラフィン』は、歌番組や雑誌インタビューなどでＰＶ撮影のエピソードとして航空自衛隊のことをよく話してくれた。

特に「僕たち専用の飛行機」や「僕たち専用のヘルメット」などはよく談話に登場し、結果的にクレジットをごまかされた分は取り返した、というのはまた別の話である。

4.

要の人々

＊

『帝都イブニング』の他のロケを手伝った帰り、リカはふと思い立って防衛省に立ち寄った。

ロケは先輩ディレクターである阿久津のものである。生活情報コーナーを持っている阿久津は街頭ロケが多く、単独取材を手掛けている最中のリカに街頭の経験を積ませる狙いでかよく招集がかかる。話題の商店の特集やトレンド情報の紹介など、警視庁付きの記者だった頃は経験したことのない生活密着型のロケが多く、勉強になっている。

今日は四ツ谷の洋食店の紹介で、昼食時を狙ったロケを終えるとまだ午後の浅い時間だった。そして市ヶ谷は四ツ谷から一駅だ。そういうときにちょっと寄ってみようと思い立つくらいには、防衛省はリカにとって通い慣れた場所になっている。

当初は自衛隊についての知識がまったくなく（今だって大してないが）、ごく初歩的な知識を取材ノートに書き留めているのを阿久津に見咎められて「自衛隊こどもニュースでも作るのか」とからかわれたが、それも企画の一つとして提出してデスクからそこそこの感触をもらっている。

自分もそうだが、周囲の人々も思いのほか曖昧な知識で自衛隊について喋っていることに気づき、警察や消防、救急などの公共組織にも同じことが言えるのではないかと「今さら人には訊けない社会科」というイメージでシリーズ企画を提案したのだ。

「自衛隊の空軍」式の勘違いをしている人はリカのほかにも意外といたし、巡査部長を「部長」だから幹部だと思っている人もいる。人間、自分の興味のない分野には驚くほど無関心だ。

ちょっと踏み込んで知ろうとすればすぐ分かるが、そのちょっとを踏み込む時間が惜しいのが現代人の心情である。デスクからは親子で学べる造りにすれば新しい教養コーナーになるのではないかとサジェスチョンされ、これは自衛隊の取材とは別に企画として温めることになった。

まだそのことは空井には話しておらず、近いうちに報告したいと思っていた。自衛隊の回にはまた各幕の広報室の世話になるだろうから、今のうちに話を通しておくのも有益だ。陸幕と海幕にはまだあまり馴染みがないので、空幕広報室から繋いでもらうのも悪くない。

リカはＪＲ四ツ谷駅へ向かいながら携帯で空幕広報室へ電話をかけた。

「はい、航空幕僚監部広報室です」

あっと思わずしかめ面になった。電話に出たのは室長の鷺坂だった。初対面で手玉に取られて以来、稲葉という苗字から稲ぴょんなどとこっぱずかしい渾名はつけられるわ、懇親会で痛恨の泥酔状態を写真に撮られるわ、完全に鷺坂はリカにとって天敵になっている。

「お世話になっております、帝都テレビの稲葉ですが」

「おお、稲ぴょん」

「だからそれやめてください」

苦情を申し入れるが、鷺坂はまたまた、などと笑って取り合わない。

「もうすっかり通称になってるよ、空井だって稲ぴょんがいなかったら稲ぴょんって呼んでるんだから」

後で空井を問い詰めなくてはと決意しつつ、当面鷺坂の冷やかしは黙殺する。

「出先で時間が空いたので、今からお伺いしてもよろしいでしょうか」

「はいはい、もちろん。空井はちょっとバタバタしてるけど、受付で私宛てに面会許可を取ってくれたらいいから」

「では三十分くらいで着くと思います」

長々と話していたらまたどこで揚げ足を取られるか分からないので、リカはそそくさと電話を切った。


たまには差し入れでも、と途中の洋菓子店で持ち帰りの焼き菓子を見繕っていたら、防衛省に着くのは一時間ほど後になった。

言われたとおり鷺坂宛てに面会許可証を取り、空幕広報室へ向かう。すっかり通い慣れたA棟庁舎の十九階へ直行し、「こんにちは」と部屋を覗くと——室内は今まで見たこともないほどにがらんとしていた。常駐している事務官の男性が二人いるだけである。あくまで事務部門担当である彼らとはほとんど言葉を交わしたことがない。

「あの、他の室員の方は……」

尋ねたリカに、年配と若いのと二人いる事務官のうち、年配のほうが頭を掻きながら答えた。

「ちょっと出払っておりますが……記者会見のアレでちょっと」

記者時代の勘がピンと反応した。定例記者会見は曜日が違うし時間も違う。それに仕切るのは報道班の一部であるはずだ。広報班まで丸ごと出払うなんてことはあり得ない。何人かは出張か外出だろうが、それにしても全員出払っているのは異常だ。

「何かあったんですか」

リカの問いかけに事務官が口籠もる。何かある。そう思ったとき、部屋に誰か駆け込んできた。

「柚木さん」

「あら、来てたのアンタ」

柚木は気忙しく答えてデスクから何やらファイルを引ったくり、すぐさま部屋を飛び出した。とっさに追いすがる。

「どうしたんですか」

柚木はエレベーターホールへ向かう足を止めないまま言葉を探す風情になったが、結局手早い説明を思いつかなかったらしい。

「ちょっと立て込んでるのよ、後にして」

「邪魔はしません」

「ならいいけど、カメラ出さないでよ」

釘を刺されたとき、柚木が呼んだ下行きのエレベーターが来た。乗り込んで柚木が選んだ階は定例記者会見をやる十階ではない。

エレベーターが下る間、柚木はイライラと踵《かかと》を細かく刻んでいる。やはり何かあったのだ、とリカは固唾を飲んだ。険しい表情をした柚木には、邪魔しないと宣言した手前なにも訊けない。

エレベーターの扉が開くなり、柚木は歩くという表現がギリギリ許される早足でゴンドラから飛び出した。出遅れたリカは数歩走ってやっと追いすがった。

向かった先に人の出入りの多い一画があり、どうやら広めの会議室だ。ドアの外で待っていたのは槙である。

「遅い、何やってるんですか！」駆けつけた柚木を咎めつつ、一緒に来たリカに目を止めて表情を険しくする。

「何で連れて来ちゃったんですか！」

「ついて来ちゃったんだもの、部屋で待っててりゃいいのに」

声を潜めた口論に、リカは思わず口を挟んだ。

「邪魔はしません」柚木に言ったことを繰り返し、「立ち会わせてください」と頼み込む。槙は柚木と同格の三佐なので別に槙が許可を出す筋合いではないのだろうが、柚木よりは槙のほうがこういうとき頼りになりそうな気がする。

槙は困ったように顔をしかめていたが、すぐに結論を下した。

「撮影はなし、携帯も禁止です。向こうの報道関係出入り口から覗くだけにしてください」

「分かりました！」

こちらの入り口よりはるかに激しく人の出入りがある入り口のほうへリカは小走りに駆けた。

室内を窺うと、案の定――記者時代に何度も見た、緊急記者会見時の定番のレイアウトである。発表者席が前方に設えてあり、その前にはずらりと記者席が並ぶ。最後方にはカメラがずらりと砲列を為している。その砲列の隅には見慣れた広報室の顔ぶれもあった。緊張した面持ちで空井もいる。

一体何が。席に座っている記者たちには既に資料が配られている。見たい、と痛切に思った。鷺坂にアポを取ったのはついさっきだ。一時間と経たない間に一体何があった。どうにか空井が気づいて出てきてくれないかと思ったが、外には気づく気配もない。

大きな事件ならもうネットに速報が上がっているかもしれないが、携帯使用は禁じられたのでヘッドラインの確認もできない。

どうしよう、一旦場所を離れて携帯をチェックしてくるべきか——迷ったとき、驟雨《しゅうう》のようなフラッシュの音が響いた。はっと顔を上げると、控え室に続いているらしい前方ドアから会見陣が登場した。

先導は鷺坂だ。続いて航空幕僚長、更にもう一人幹部が続いている。一行は発表者席に進み、揃って深く頭を下げた。また激しいフラッシュ。

フラッシュが収まってから鷺坂が口を開いた。

「それではこれより入間基地の輸送ヘリ墜落事故について緊急記者会見を始めます」

告げられた事故の内容は思いのほか重大だった。そうでなければリカが電話してたった一時間でこれほど大規模な記者会見が開かれるわけがない。

鷺坂はどうやら司会役らしいが、今までに見たこともない厳しい顔をしている。先程の気楽な電話がウソのようだ。

通常の流れでいえば着席してすぐに主会見者——この場合は空幕長の説明だ。空幕長がマイクに向かって口を開く。リカは慌てて手帳を出した。

「本日十四時十二分、航空自衛隊入間基地に着陸しようとしていた輸送ヘリが制御不能に陥り、基地北部の稲荷山に墜落、炎上しました。その後、十四時二十分、航空燃料の引火による爆発で山火事が発生。十四時三十二分、入間基地消防隊と地元消防本部により消火活動を開始、現在も引き続き消火活動を行っております」

ここ数年、市街地でこれほど大規模な墜落事故は起こっていない。夕刊のトップ、明日の朝刊も一面の扱いになるだろう。ニュース番組も然《しか》りだ、『帝都イブニング』でもトップニュースになる。帝都の報道記者は来ているだろうか、防衛記者は当然だがほかに応援は——リカは室内に懸命に目を凝らした。記者席を後ろから覗いているので判別できない。TVカメラのカメラマンも目でチェックしたが、リカの場所から窺える範囲に知った顔はいない。

手が足りなければ自分も『帝都イブニング』ディレクターとして情報を提供しなくてはとリカは懸命に筆記を続けた。撮影を禁じられたのが惜しいが、取材用のハンディカメラでは後方からまともな映像は撮れないだろう。リカの位置からではTVカメラの合間からどうにか発表者席が覗けるだけだ。

「この墜落により操縦士と副操縦士が死亡しましたが、近隣住民に死傷者は出ておりません」と、隣から鷺坂が口を挟んだ。陪席《ばいせき》で補佐も兼ねているらしい。

「乗組員についての情報を訂正させていただきます。操縦士、副操縦士ともに重体で病院に搬送されましたが、操縦士はまもなく死亡。副操縦士は未だ治療中であります」

どっちが正しいんだ、と怒鳴るような野次が飛んだが、鷺坂が「空幕長の情報が誤りです」とあっさり断言し、空幕長も「発表に言い間違いがありました、申し訳ありません」と詫びた。

何やってんだ、となおも非難が飛ぶ。大事故の記者会見は荒れる。こういうちょっとしたミスから本筋を離れて侃々諤々《かんかんがくがく》の修羅場に発展することも珍しくない。言い間違えるなんて真剣味が足りない、とまったく発展性のない非難も飛ぶ。場を荒れさせて会見者を動揺させ、失言を拾うのが狙いだろう。

会見陣は野次が収まるまで辛抱強く詫びの言葉を繰り返して凌いだ。どうにか一触即発の空気が収まり、リカはほっと息をついた。

だが、正念場はここからだ。事実関係の説明が終われば次は質疑応答だ。報道が牙を剥くのはこのステージからである。

「質問は……」

鷺坂が最後まで言い切らないうちに「墜落の原因は何なんですか！」とまるで断罪するような口調の質問が飛ぶ。

「ただいま調査中です」

答えたのは空幕長である。それじゃ答えになってないぞとまた野次が飛ぶ。

「調査の結果が出るのはいつですか！」

「まだはっきりとはお答えできませんが……」

空幕長が質問者から視線を切り、鷺坂に顔を向ける。すると鷺坂が引き継いだ。

「墜落現場が山火事のため、機体の回収と事故現場の調査ができません。火災が収束したらすぐ具体的な調査に入ります」

「それじゃ調査は始まってもいないんじゃないか！」

その追及に答えたのも鷺坂である。

「目撃証言や管制塔の情報は収集しておりますが、墜落原因の究明には現場検証と機体の調査が不可欠です。調査要件が整い次第、正式に発表いたします」

「なら分かっていることだけでも発表したらどうなんですか!?」

次に答えたのは空幕長だ。

「国民の皆様に誤ったご報告をするわけにはいきませんので何とぞご理解ください。できるだけ早く新しい情報を提供できるように尽力いたします」

公共組織としての大義名分を掲げるのは巧いかわし方である。誤情報でいいから提供しろとはさすがに言えない。

この方向での追及は収束したが、すかさず別の記者から質問が上がった。

「近隣の住宅地に墜落したヘリの破片が飛んで住宅に被害を与えたという話がありますが」

会見陣の表情がわずかに強ばった。どうやら想定していなかった質問のようだ。記者が独自の情報をぶつけて発表者を揺さぶるのはよくある手法である。

空幕長が鷺坂を窺い、鷺坂が首を横に振る。そして空幕長から答えた。

「そうした情報は航空自衛隊としてはまだ伺っておりません。早急に事実関係を確認し、お答えさせていただきます」

すかさず更問が飛ぶ。

「もし事実だったら被害を受けた住民にはどのように謝罪するつもりですか⁉」

今度は鷺坂が答える。

「事実関係を確認し、所定の手続きに則って対応いたします」

「その対応を訊きたいんですよ！」

「担当の部署に確認しないとお答えできません」

大丈夫だ、踏み外してはいない——リカは質疑応答を筆記しながら息を詰めた。

取材対象者を体温のある人間として認識するようになったリカにとって、広報室のメンバーが事故報道の矢面に立つ状況は単なる特ダネに立ち会ったというだけでは済まなかった。ついつい彼らの失言を心配してしまい、固唾を飲んでしまう。無用な陥穽《かんせい》に落ちないように祈ってしまうのは報道関係者として失格だろうか。

相手を人間として認識するということはこれほど心が揺れることだったのか——いつも飄々《ひょうひょう》と掴みどころのない鷺坂の険しい表情に、それを見守る室員たちの緊張した面持ちに、とても無心ではいられない。

真実は知りたい、問題があったのならそれはつまびらかにしたい。だが無用に貶《おとし》めたくはない。

それは偏ったスタンスなのだろうかと責め立てる記者たちを眺めて不安になる。

自分もつい半年ほど前までは彼らと同じ側にいた。相手の失言を、失策を待って虎視《こし》眈々《たんたん》と。自分がミスを誘導してでもニュースのトップを飾りたいとさえ思っていなかったか。世間の耳目を集めればそれで勝ちだと、後はどうなろうと知ったことではないと——

なんて浅ましかったのだろうと愕然とした。

自分がスクープを取りたい、他社に負けない画が欲しいというだけでまるで取材相手を陥れるようなことまででした。何が報道の使命だ。倫理を棚上げにして正義など語れるわけがない。

場を荒れさせようとことさらに挑発的な質問が飛び、亡くなった操縦士を鞭打つような発言も出たが、空幕側は一つ一つゆっくりと受け止め、返していく。

記者たちの勢いが衰えてきたところで天海が「あと一、二問で終了します」とリミットを切る。ここまで来たら乗り切ったと言ってもいい。

「事故の報告を受けたときはどこにいましたか。また、どのような感想を持たれましたか」

事故についての感想は迂闊な答え方をすると揚げ足を取られる恐れがある。何しろ心情の問題なので聞き手の解釈という建前で歪めようと思えばどうにでも歪められる。

答えたのは空幕長だ。

「報告は執務室で聞きました」

課業後などでうっかり飲み会などが入っていると「事故発生時に宴会」などと書き立てられることもある。今回は勤務時間中の発生なのでその懸念はない。

「近隣への被害の有無と乗務員の無事が心配でした。また、機体の炎上が報告されましたので、二次災害の防止と初期対応の徹底を指示しました。また、原因の究明と再発の防止にも務めねばならないと決意しました」

無理に揚げ足を取れば記者団の人間性のほうが危ぶまれる回答である。先にラストを区切ってあったことも手伝って、その後は質問が絶えた。

「それではこれで終わります」

また一同が立ち上がり、空幕長が最後に口を開いた。

「このたびは、輸送ヘリの墜落と延焼で皆様に多大なご迷惑をお掛けしたことを、心よりお詫び申し上げます」

そして一同が一斉に礼をした。ほとんど直角に腰を折ったような深いお辞儀は陳謝の角度だ。紙をぴしりと折ったように小揺るぎもしない。

空井が帝都テレビに訪ねてきたとき、お辞儀がきれいだと思ったことがあるなと思い出した。

フラッシュがまた降り注ぎ、その音が完全にやむまで会見陣の頭は上がらなかった。

やがて頭を戻し、一列に並んで退室する。通常の記者会見ならぶら下がりに突入だが、出口が部屋の奥なのでそこまで追いすがる記者はいない。

記者が席を立ち、リカは騒がしく動きはじめた室内へ飛び込んだ。配布資料を見せてもらおうと帝都の記者を捜すが、混雑の中で見当たらない。悪い予感が脳裡を駆け巡り、代わりに部屋の隅に立っていた空井たちに駆け寄った。

「空井さん！」

声をかけると空井がぎょっとしたように振り返った。

「稲葉さん!?　どうしてこちらへ」

「帝都の記者は来てましたか？　防衛記者も見当たらないようですが」

まさか特オチなどということは。防衛記者が不在で応援の記者も間に合わなかったとすれば、リカが聞き書きした情報だけが帝都のニュースソースになる。

「いえ、あの、帝都さんは今回は……」

最悪の事態に目の前が眩んだ。せめてカメラマンはいたのか。映像がないニュース番組など。

「すみません、デスクに電話してきます！」

「待って！」

踵《きびす》を返そうとしたリカの手首を空井が摑まえた。待って、だなんて。一体何を言っているのかと苛立った。いくら馴染みになったからといってそんな頼みは聞けない。

「待てません、うちに特オチしろって言うんですか！」

空井の手を振り払おうとしたとき、

「はい、お疲れさまでしたー！」

緊張感のない号令にリカはぎょっとして部屋の前方を振り返った。退室したはずの会見者たちが再び室内に戻っている。お疲れの声かけは鷺坂だった。

そして室内に控えていた報道班長の天海二佐が声を張る。豊かなバリトンだ。

「カメラマン役の人は映像の提出をお願いします！　参考映像の準備が出来次第ミーティングに入りますので、サジェスチョン役の方と関係者は三十分後にこちらに集まってください！」

「……何これ、ドッキリ!?　どういうこと!?」

リカが空井に食ってかかると、空井は決まり悪そうに笑いながらリカの手首を離した。

「ドッキリではないいんですけど、結果的に稲葉さんにとってはそうなったというか……」

「おやおや、稲ぴょん。久々に勇み足かい？」

前方から鷺坂のからかい声がかかり、カッと頭に血が昇った。――多分、頬にも。

「バカッ！　心配するんじゃなかった！」

気がつくと空井の横っ面を張っていた。音はぺちんとへなちょこだったが、思わぬリカの爆発に周囲がどよめく。

「す、すみません勘違いさせちゃって」空井はへどもど謝り、「ていうかこれ俺のせいなの!?稲葉さん連れて来たの誰ですか！」と周囲に責任の分担を求めた。

「びっくりさせちゃったんだから黙って殴られとけよ、男が上がるよ」

鷺坂の勝手な采配に周囲がどっと笑う。空幕長まで破顔である。

リカはいたたまれなくなって俯いた。そして手に提げていた紙袋に気がつく。

「差し入れのつもりでしたけど、叩いてしまったのでお見舞いでどうぞっ」

空井に紙袋を突き出すが、先に反応したのは鷺坂だ。

「おっ、それこないだ帝都の『街角おいしい探検隊』でやってた洋菓子の店だね！　マドレーヌが有名なんだっけ？」

紙袋のロゴを目敏くチェックしたらしい。『街角おいしい探検隊』は週末の深夜枠で若い女性をターゲットにしたグルメ情報番組だ。さすがのミーハーチェックである。

「マドレーヌもいくつか入ってますけど……」

「じゃあ空井はお見舞いでマドレーヌをもらうといいよ、今人気でなかなか買えないらしいぞ。幕長にもおひとつ。誰かお茶淹れて」

休憩時間はどうやらお茶の時間に化けたらしい。

＊

「実はメディアトレーニングの予算がつきましてね」

パウンドケーキをかじりながら無駄に良い声で説明してくれたのは報道班長の天海だ。

メディアトレーニングとは不祥事や事故を想定したマスコミ対応のトレーニングで、主に企業で行われる。架空の記者会見やインタビューで実際に発表を行うであろう取締役や役員の応対を訓練するのが目的だ。

「せっかくなので大規模な記者会見を訓練しようということになりまして。大は小を兼ねる、と言いますでしょう」

その結果として輸送ヘリ墜落・山火事オプション付きという大規模な事故設定になったらしい。記者やカメラマンはメディアトレーニングを請け負った会社のスタッフだという。

「でもまあ、稲ぴょんがここまで見事に引っかかってくれたということは、なかなか真に迫ったシミュレーションができたということだな」

身勝手な我田引水をした鷺坂に、マドレーヌをかじっていた空幕長が「稲ぴょんって何だい」と尋ねた。

「こちら『帝都イブニング』の稲葉ディレクターと仰いまして。稲葉だから因幡の白兎とかけて稲ぴょんという通称が定着しております。ほら、ウサギはぴょんだから」

両手でウサギの耳を作って見せた鷺坂に、リカは「定着してません！」と噛みついた。

「そもそもアポイントの電話を入れた段階で教えてくれたらよかったじゃないですか」

「だって三十分くらいで着くって言ってたじゃない。それならメディアトレーニングが始まる前だから着いてから空井にアテンドさせたらいいと思ってさ。なのに来ないんだもん」

差し入れなんか買うんじゃなかった、とリカが呟いてそっぽを向くと、ピンタの見舞いとして優先的に評判のマドレーヌを回された空井が「おいしいですよ、これ」と気遣うようにコメントした。

うむ、実に、と頷いて同意したのは空幕長だ。

「どれ、もう一つ」

「いけません、幕長分の割り当てはもう終わっております。以降はこちらで」

鷺坂が差し出したのはどこから調達してきたのか市販の安い箱菓子である。空幕長は残念そうに箱菓子を一つ取り、鷺坂も一つ取りながらリカに向き直った。

「大体、稲ぴょんの電話からたった一時間でこんな大規模な記者会見はセッティングできないよ。もうちょっと推理力を働かさないと」

「そんなこと言われても」

数十人もの取材者が集う本格的な記者会見が目の前で始まれば、それをシミュレーションだと思う人間のほうが稀《まれ》だろう。

「柚木さんだって途中で説明してくれたらいいのに」

リカが矛先を変えて愚痴ると、柚木は「だって」と悪びれもせずふんぞり返った。

「あたしはあたしで急いでたのよ、忘れ物を直前で取りに行ったところだったんだから。さっさと戻らないとまた槙が目ぇ剝いて怒るしさ」

「怒るに決まってるでしょう、報道班スタッフが会見資料や進行表を丸ごとを忘れてくるなんて。広報班ならまだしも、報道班が資料なしでメディアトレーニングに立ち会って一体何を訓練するつもりですか」

「反省してるってば、だから稲葉に説明する暇も惜しんで飛んで戻ったんじゃねェの」

「反省してるなら尻を掻きながら答えんでください！　幕長の前ですよ！」

すると柚木は真顔で空幕長に向き直った。

「申し訳ありません、乾燥肌なものでパンツのゴムが当たる部分がかゆくてつい」

「要らん説明で恥を上塗らないでください！」

日頃ならそろそろ槙が先輩の柚木に対する敬語をかなぐり捨てるところだが、空幕長が同席のために最後の一線をなかなか越えられないらしい。誰がいようといっかなマイペースを崩さない柚木に分があるようだ。

「ところで、メディアトレーニングってまだそれほど一般化してないと思うんですが、そういう先進的な取り組みにも積極的なんですね」

尋ねたリカに頷いたのは天海だ。

「危機管理においてマスコミ対応は今後ますます重要になってきますからね。ただ、何分予算がかかるものでなかなか実現できなくて……」

緊急記者会見などを想定するのが定番のトレーニングだがセッティングには最低でも数十万はかかる。メディアへの露出が多い大企業などでは採用されはじめたが、一般的な講習になるのはまだ先だろう。

「報道班でこれほど派手な予算の使い方をしたのはこれが初めてかもしれません」

やや気兼ねしている様子の天海に、「いやいや」と手を振ったのは鷺坂だ。

「報道班は広報室の要だからね。多少の予算をかけてもマスコミ対応に備えるのは当たり前だ」

意外な言葉にリカは思わず尋ねた。「報道班が要なんですか？」

「自衛隊のいいところを売り込む『攻め』の部分を担当するのが広報班なら、報道班は危機管理的なマスコミ対応を担当する『守り』の部門。攻守が一体となって初めて広報室が機能するわけだけど、守備がしっかりしてないと攻めには打って出られないだろう？」

部外者のリカは広報室だから広報班が主なのだろうと漠然と思っていたが、そう言われてみると道理だ。自衛隊が叩かれているときに自衛隊を売り込んでも無意味である。むしろ不謹慎だと非難されるだけだろう。

「だから報道班が要なんだよ、報道班に締まりがなかったら広報室は何もできない」

無用な報道被害を受けないように報道班が航空自衛隊を『守り』、そのうえで初めて広報班が動けるのだと鷺坂は語った。「頼りにしています」と空幕長も頷き、天海以下報道班が面映ゆげな表情になった。

「ってこたぁ広報班の成果はあたしたちのおかげさまさまってことですね！」

柚木だけは尊大に誇ったが照れ隠しであることは分かりやすく、誰も揚げ足を取らなかった。

「映像の準備ができましたが」

メディアトレーニングのスタッフが声をかけにきて、ぼちぼち休憩時間が畳まれる。湯飲みを集めはじめたのは槙である。

「俺がやりますよ」空井が慌てて代わろうとしたが、「どうせトイレに行くから」と槙はトレイを持って会議室を出て行った。


リカも見学することになったメディアトレーニング講評は、カメラマンが撮っていた記者会見の映像を観ながら行われた。

防衛省で臨時記者会見が行われるのは社会的な影響が大きい事件に限られ、影響が隊内で完結する事故や隊員の死傷程度ではそのレベルに当たらない。

航空自衛隊で実際に臨時記者会見が行われた例は少なく、現在の空幕長も経験はない。組織としての経験値がないだけにメディアトレーニングの必要性が強く語られており、ようやく実現に至ったという。

メディアトレーナーは空幕長が冒頭で情報を言い間違えたことを指摘した。

「資料を棒読みしないように申し上げましたが、資料をまったく見てはいけないということではありません。資料は情報の確認のために手元に持参するものです、記憶が不確かなときはきちんと確認してください。要点だけ確認しながら、できるだけ顔を上げて喋るようにすれば棒読みの感じはなくなりますから」

分かりました、と空幕長が生真面目に頷く。

「鷺坂さんがすぐに訂正に入ったのは良かったです。しかし曖昧な情報を一度口にしてしまうと場が荒れますから、基本的には訂正が必要ないように努めてください」

的確なフォローを見せた鷺坂にも駄目出しが出た。住宅街に被害が出たという情報を記者からぶつけられたときの対応だ。

「被害を受けた住民に対する手当てを訊かれたときの返答が紋切りに聞こえます。確認しないと回答できない、と否定形で押し切ってしまうと反発を招きますので」

「なるほど」鷺坂が頷きながらメモを取る。

「担当部署に確認したうえで改めてご回答いたします、という感じでは」

「そうですね、そのほうが良いでしょう」

広報室のメンバーも真剣な顔で聞き書きしているが、報道班はことに熱心だ。

他、表情や視線、動作に至るまで細かいチェックが入って講評は二時間近くに及び、請負会社が引き上げたのは防衛省の定時も近い頃合いになった。

＊

稲葉さんをびっくりさせたお詫びに飲みに行こう、と言い出したのはもちろん鷺坂である。お詫びなどとはいっても接待禁止の自衛隊なので会費制だ。奢《おご》ってもらえるわけでもないのに何がお詫びかとリカにとっては腑に落ちないが、「そう固いこと言わずに」と押し切られた。広報室からの参加はフルメンバーに近く、空井が直前で大人数の予約を取るのに四苦八苦したというのは余談である。

「幕僚長さんってあまり威圧的な感じがしない方ですね」

メディアトレーニングの感想を喋っていた中でリカが漏らした感想に、空井が吹き出した。

「何がおかしいんですか」

唇を尖らせたリカに空井が慌てて弁明する。

「すみません、僕らは幕長にさん付けはしないので聞き慣れなくて」

「でも課長さんとか部長さんって呼ぶじゃないですか、幕僚長にもつけるのかと思って」

「幕僚長さんじゃ舌を噛んじゃいそうだよね、呼び捨てで気が退けるなら幕長さんでいいんじゃないの」

助け船を出したのは鷺坂である。

「じゃあ幕長さんで。……航空自衛隊のトップなんですよね？」

確認すると周囲が一斉に頷いた。

「それなのに随分気さくな方だなって。もうちょっと近寄りがたい雰囲気があるのかと思ってたんですけど」

印象に残っているのは休憩中の姿である。マドレーヌをお代わりしようとして鷺坂に「幕長の割り当てはおしまい」といなされていた姿は、制服さえ着ていなければ単なる気のいいオジサンだった。

「皆さんも気軽に話している感じですごく不思議な光景でした」

リカにとっては帝都テレビの社長を摑まえて軽口を叩くようなもので、あまつさえ安い箱菓子を突き出すなど考えられない。

「広報室にいたらどうしたって幕長との接点は増えるから馴染むしね。今の幕長は親しみやすいお人柄でもあるし……後は空自の体質もあるかもな」

「体質って？」

リカが尋ねると鷺坂は答えた。

「記者会見で幕長が発表を間違えたときの三幕の対応の違いっていう笑い話があってね」

陸幕は随員がそっとメモを差し出して間違いを指摘し、陸幕長が素知らぬ顔で訂正する。

海幕は「幕長が仰ることに間違いはありません！」とあくまで幕長発言を押し通す。

「そして我が空幕は『幕長、それ間違ってます』と記者の前でずけずけ指摘しちゃう。三幕の中で幕僚長に最も敬意を払わないのが空幕だっていうのが定説」

「そういえば隊の性質を表す標語も『勇猛果敢・支離滅裂』でしたね」

陸は『用意周到・動脈硬化』で、海は『伝統墨守・唯我独尊』だった。笑い話にもその性格が反映されているらしい。

「わたしだったら帝都のトップとああいう交流はできないので驚きました」

「大会社のお偉方たァ違うのよ、我が開かれた自衛隊は」

ふふんと自慢した柚木を槙がじろりと睨む。

「だからって幕長の前で不作法でいいっていうわけじゃないですけどね」

幕長の前で尻を掻くなんて、と槙は鼻で笑った。

「何よ、幕長は尻がかゆくても掻いちゃいけないなんて言わなかったじゃない」

「突っ込めるわけないでしょうが常識として！」

声を荒げた槙に周囲が思わず声をひそめる。柚木の立ち居振る舞いに槙が噛みつくことは多々あるが、今日の口調にはいつもより険がある。柚木は気づかずいつもの調子であしらっているが、槙のほうは一触即発の空気だ。

「尻がかゆいのは仕方ない、それは認めますよ。でももうちょっと慎みがあってもいいでしょう。いつもいつもひけらかすみたいにオッサンじみたことばっかり」

おい、槙は何杯目だと鷺坂が小声で窺い、周りがまた小声でこそこそ報告した結果を集計すると序盤からかなりのペースで飲んでいることが判明した。

「まずいな。稲ぴょん、ちょっと柚木をトイレにでも誘ってくれない？」

少し引き離してクールダウンさせようという鷺坂の采配に、リカも腰を上げた。

「柚木さん、一緒にお手洗い……」

「女子高生の連れションじゃあるめぇし」

柚木が肩に触れたリカの手を振り払った。あいた、と周囲が顔をしかめる。こちらも迎え撃つ程度には酔っている。

「何か文句があるみたいだからきっちり話つけようじゃねえの」

柚木三佐、と比嘉がたしなめた。

「稲葉さんとの懇親会ですよ」

「ケンカ売ってんのは槙だってぇの」

槙のほうは天海が止めているが、槙も「止めないでください」と天海を振り払った。

「見てて痛々しいんですよ、わざとらしくて！　女っぽくないように振る舞ってるのが見え見えなんですよ、いくらオッサンくさく振る舞ったところであんたはオッサンになれるわけじゃないでしょうが！」

周囲がぎょっとしたのは槙の噛みつき方ではない。聞いた柚木がまるで泣きそうな顔になったからだ。だがすぐに槙を睨みつける。

「……あんたは弾かれたことがないから、」

「あのっ！」

とっさにリカは挙手して声を上げていた。

「わたし、少し分かります。柚木さんの気持ち」

全員に注目されてリカは思わず肩を縮めた。出しゃばったかもしれないと思いながら続ける。

「働いてる女性って自分の性別がときどき重荷になるんです。男女平等なんて言っても世の中はまだまだ男性上位だし、がむしゃらに頑張っても『女のくせに』って言われるし、ちょっとでも足を引っ張ったら『だから女は』って言われるし」

新米記者だった頃、新人らしからぬ特攻ぶりを見せるリカは『女だてらに』とよく誉められた。『男顔負け』とも。

「よく考えてみると誉めてないんですよね。もともと女を戦力として数えてないのが前提の表現なんですよ。慣用句に目くじら立てるつもりはないし、個人的にはそう言われるのはキライじゃなかったけど」

「そうっ！　そうなのよ！」

柚木がリカの肩をがしっと抱いた。やはり酔っている。

「あんた意外といい奴ね！」

意外とは余計だろ、と片山が小声で突っ込んだ。確かに誉めていない。

「あたし元は高射だったんだけどさぁ、実戦部隊に女が入るとひっどいもんよ。女の幹部の言うことなんて誰も聞きやしないんだから。あたしが指示出してんのにわざわざ古参の下士官に確認したりさぁ。ひどいときなんか下士官経由して指示出さないと無視されたり」

「えっ、ひどい」

「あたしも当時はあんたみたいなかわいこちゃんだったからね。舐められたもんよ」

女と侮られてそのような仕打ちを受けたのなら、今の柚木がことさらに女らしくなく振る舞う気持ちも分からなくはない。

と、槙が急に席を立った。

「先に帰ります」

言うなり外へ出ていく。呆気に取られて仲間が見送り、リカは思わず腰を浮かせた。

「すみません、何だかわたし余計なこと……」

女性のリカが一方的に柚木の肩を持ったことで気分を害したのかもしれない。

「あたしの肩を持つ奴がいたから拗《す》ねてんのよ」

言いつつ柚木が立ち上がった。

「ちょっと機嫌取ってくるわ。稲葉は気にしなくていいからね」

――と言われても。手早く帰り支度をして槙の後を追った柚木を見送り、リカはすがるように空井を見た。

「ホントに気にすることないよ、稲ぴょん。酔ってるよあいつら」

鷺坂の執り成しに空井も「そうですよ」と頷いた。

「あのままじゃ飲み屋で摑み合いのケンカでも始めかねませんでしたよ、二人とも」

「槙三佐も受け流すってことをしないよな」と片山がぼやく。

「目くじら立てたって残念な美人が今さら何とかなるわけでもあるまいし」

「ま、残念になる前を知ってるのは槙だけだからなぁ。見ていられないものがあるんだろ」

何の気なしの鷺坂の発言に、全員が「ええっ！」と食いついた。

「残念じゃなかった時代があったんですか!?」

率直すぎる質問は空井だったが、それは他の全員の疑問を代弁している。

「俺だって実際に見たことがあるわけじゃないけどさ。ただ、同じミサイル屋だから柚木の以前のこともちょっとは知ってるよ」

「報道班の皆さんはご存じだったんですか？」

リカが訊くと、天海は首を横に振った。

「私はヘリパイですから広報室に来るまでまったく接点がなくて。最初はあんまりがらっぱちで驚きましたが、元からの個性だろうからそっとしておこうと……」

天海のコメントは穏便だったが、「生まれたときからオッサンが憑《つ》いてるもんだとばかり」と同僚たちは遠慮がない。

「最初の部隊で下士官と折り合いが悪かったらしいんだな。柚木も気が強いもんだからガッチリやり合っちゃったみたいでさ。そうなると、部下はやっぱり新米幹部よりベテラン下士官につくだろう。すっかり孤立しちゃったらしい。そうなると女性であることが的にしかならないよな。それこそさっき稲ぴょんが言ったみたいなことだったらしいよ」

「女のくせに。だから女は。成果を出せても出せなくても自分が女性であることを瑕疵にされる状態はどれほど理不尽で悔しいだろう。その息苦しさが本当に理解できるのはこの場にリカしかいない。

「だからって女を捨てちゃうのは逆に敗北じゃないかと思うけどね」

さらりと言った鷺坂に、リカはぎくりと身じろぎした。仕事をしていて女性であるということが邪魔になると、自分が男だったらよかったと思うことがある。だが、そう思うことは自分自身の性別を貶めているのと同じだ。

「槙の言うのが正論だと思うよ、いくらオッサンくさく振る舞ったってオッサンが持ってるものが手に入るわけじゃない」

「オッサンの持ってるものって何ですか」

怪訝な顔をした片山に、鷺坂は「分かんないのか？」と逆に驚いた様子だ。

「メタボもハゲも若者だったら弱点だけど、オッサンだったらよくある要素の一つだろ。職場の上司が無神経で図々しくてイヤミったらしくても、それがオッサンなら『オッサンだから仕方がない』って見過ごされるじゃない」

「でも、そんなオッサンになったら嫌われるでしょう。特に女性なんかボロカス言いますよね、そういうオッサン」

異議を唱えた空井に「青いなぁ」と鷺坂が鼻で笑う。

「嫌われたからって生きにくくなるわけじゃないんだなぁ、オッサンは。そこが女性と決定的に違うとこ。世の中まだまだ女性には点が辛いし厳しいよ。特に働く女の人にはね」

ははぁ、と男性陣も納得の様子だ。

「自衛隊は男所帯だけど、それでも女性のほうが優秀な分野はたくさんあるよ。女性ならではの個性もあるわけだし。だから個人的には槙の肩を持ちたいけど、そうすると柚木はまた意固地になるだろうしなぁ」

「柚木さんが無理をしていると思っておいでですか？」

部外者のリカには分からない。柚木に踏み込んで取材をしたことはないし、初めて会ったときから柚木はああだった。

「もしかするともうオッサンが板についちゃってるかもしれないけど、本質は濃《こま》やかだと思うよ。クリッピングのときにさ、俺が好きなタレントの記事とか切り抜いといてくれるんだよね。仕事以外でそういうちょっとしたサービスができるのはこまめじゃない？」

それだけ周囲をよく気にかけているということでもある。今、槙を追いかけたこともきっと。

「それに、女を捨てなきゃ務まらないと見切られちゃったんじゃ、組織としてちょっと情けないよね。上官としては悔しいものがあるよ」

その言葉に、もし自分の上司だったら心酔したかもしれないなと思った。——ただし稲ぴょん呼ばわりがなければの話である。

＊

今の広報室のメンバーの中で、防大の在学期間が重なっているのは槙と柚木だけだ。柚木は槙の二期先輩に当たり、校友会と呼ばれる部活動も同じ剣道部だった。

学生の頃はまったく残念などではなかった。男勝りな性格ではあったが決してがさつではなく、女性ならではのきめ細やかな目配りで部にとってなくてはならない存在だった。槙が入学した年に三年だったが、部外との渉外などで既に存在感を示していた。

努力型で自主練も人一倍多かった。部活が休みの日、槙が自主練をしようと道場に向かうと、大抵柚木が先にいた。初めてかち合ったときはまだ入部したばかりで気が退けて、帰ろうとしたのだが柚木に見つかって引き止められた。

「何で帰ンの？　おいでよ、別にあたしの道場じゃないんだし」

最初は目の端に入る白袴を意識しながら離れて竹刀《しない》を振っていたが、柚木のほうから地稽古を誘われた。

向かい合って面を着けながら、立ち居振る舞いの綺麗な人だなと思った。入部した頃から美人な先輩として一年男子の中でも評判だったが、動作が綺麗なことにはそのとき初めて気づいた。頭に巻く手ぬぐいの捌《さば》き方が鮮やかで、見とれていたら面を着けるのが柚木より遅れた。

三回打ち合い、柚木が一本取った。正直なところ槙のほうが強く、先に二本を連取して三本目は少し遠慮が出た。

相互の礼をし、また面を外す。ああ、やっぱり動作が綺麗だなぁと見とれていると、外した面の下からきりりと厳しい眼差しが現れた。

「三本目、わざとでしょ」

気づかれないように手加減できると思ったのは自惚《うぬぼ》れすぎたらしい。言い逃れなどできるわけもなく、「すみません」と頭を下げた。

「これが訓練でも女に手加減する気？」

言葉だけで引っぱたかれたようだった。――ここは防大だ。この学校へ来た者はみんな幹部になりに来るのだ。男も女も関係ない。

「すみませんっ！」

思わず床に手を突いていた。「そういうの要らない」と柚木はにべもない。

「次からしないで。そんだけよ」

次の機会を許されたことに一拍遅れて気がついた。——まるで天に昇るような心地になった。

女子部員からの信望が厚かった柚木は、四年生になると当然のように女子主将に選出された。柚木の学年は実力伯仲していたが、「自主練好き」だった柚木が一歩を抜きん出た形である。

「あんたと稽古してたおかげもあるかな」

部活のない日に道場で顔を合わせることがもう当たり前のようになっていた。

「勝てないなりにいい稽古になってんのかもね」

槙のほうは子供の頃から剣道を習っており、中学・高校と強豪校に通っている。防大でも二年の身で既に何度かレギュラー入りを果たした。

「二年後はあんたが主将だろうね」

よほどイレギュラーな事態がなければそうなるだろう。

「その頃には柚木先輩はいませんね」

ぽつりと呟くと、柚木はニッとからかうように笑った。

「寂しい？」

「はい」

自分から訊いたくせに、槙が答えると柚木は顔を赤くした。

「照れるじゃないの、憎まれ口でも叩きなさいよ」

「寂しいです」

まっすぐ柚木を見つめると、柚木はたじろいだように目を泳がせた。そして、

「あんまりからかうんじゃないわよ、小僧！」

笑いながら肩をどやされた。——もし同期だったら小僧呼ばわりで流されることはなかったのだろうか。せめて一期しか違わなかったら。

その頃は年下の立場で二学年の差は大きかった。

「はい、休憩終わり！　やろうか」

恒例の地稽古である。柚木はそのとき手ぬぐいの始末が上手く行かずに一度巻き直していた。少しは動揺したのかと思うとざまあ見ろだった。


柚木は引退してからもときどき道場に顔を出した。槙と二人になったときは手合わせするが、他に誰かいたら個人練習で終わる。それは現役の頃から何となく暗黙の了解になっていた。

卒業時期が近づいて、寮では四年生が卒業ダンスパーティーを控えて慌ただしくなった。社交ダンスの講習会が開かれたり、パートナーを探して男子学生が東奔西走したり（絶対数が少ない女子学生は売り手市場なので安泰である）、防大ならではの風物詩だ。

そんな折にまた柚木がふらりと道場に現れた。その日は他にも数人いたが、最後に残ったのは槙と柚木の二人になった。槙のほうは最後になるまで粘っていた。柚木の側はどうだったのか。

いつもどおりに三本やって、やっぱり槙が三本取った。

「あ〜〜〜、最後まで勝てんかった」

最後という言葉に疼いた。それは今日が最後だという柚木の宣言だった。

まるで名残を惜しむように二人でゆっくり道場の掃除をした。

「卒ダンの相手は決まったんですか」

「いやー、相手がいなくてさ。不参加になりそう」

「柚木先輩ならいくらでもいるでしょう、相手なんか」

「誰でもいいならね」

さらりと言われてまた疼く。誘いたい相手がいないということだろうか、思う相手を誘うことができないということだろうか。

もし同期だったら、と今まで何度思ったかしれない仮定の条件。もし叶わないとしてもこちらから誘えた。卒ダンはあくまで卒業生のものだ、二学年も下の後輩が出る幕はない。どうせ同じ土俵には乗れないのだから、せめて柚木に誘いたい相手がいなければいいといじましく思った。

「それに社交ダンスなんて柄じゃないしさ」

「講習やってるじゃないですか」

「無理無理無理、中学のときに習ったフォークダンスでいっぱいいっぱいだったんだから。ほら、ラランランランラララ……ってやつ」

「ああ、オクラホマミキサー。うちの学校もそれでした」

「覚えてる？」

柚木が両手を差し出したので、行きがかり上その手を取った。

「ええと、ラランランラン……」

「あんた音痴」

「うるさいな、じゃあそっちが歌ってくださいよ」

はいはい、と柚木がメロディーを口ずさむ。だが最初に踏み出した足がお互い蹴飛ばし合って敢えなく止まった。白袴と紺袴でクロスカウンター状態だ。

「相討ちしてどうするんですか、左からですよ」

「そうだっけ」

メロディーは正しいが柚木の振りはでたらめで、一巡踊れるようになるまで何度かやり直した。

「思い出した思い出した」

柚木の口ずさむメロディーに合わせて何度か踊る。くるりと回るたびに白い袴の裾がスカートのように翻る。

やがて柚木の鼻歌が止まった。同時に手をそっと離される。急に空いた手が寂しくなった。

「あたしの卒ダンはこれでいいや」

にこりと笑った柚木がまるで、――白いドレスを着ているように見えた。なら自分の紺袴は。男子学生が卒ダンで着るのは防大の紺の詰め襟だ。

「稽古、最後まで手加減しないでくれてありがとね」

言いつつ柚木が途中で放ってあった掃除を再開し、槙も従った。道具を片付け、着替える。最後に施錠をし、柚木が「元気でね」と手を振る。――そんな最後の際まで言い出せない。

「柚木先輩！」

呼び止めたのは柚木が背中を向けてからだった。

「俺が卒業するとき、卒ダンに誘っていいですか」

振り向いた柚木は照れくさそうに笑っていた。

「二年経ってもお互い相手がいなかったらね」

それから劇的に変わったことは何もない。卒業した柚木は北部航空方面隊で高射隊に配属され、時折メールや電話でやり取りをした。防大は決して楽ができる学校ではなく、初めて実務に就く新米幹部も多忙だ。ささやかな連絡が精一杯だった。

やがて柚木からの連絡が途絶えがちになった。柚木ははっきりと言わなかったが、職場で苦労しているらしい。だが、それが分かったところで学生の立場から送れる言葉など知れていた。

ここでも二学年の差が邪魔をする。

それでも心の中で気の長い約束にすがった。卒業すれば。同じ立場にさえなれば。

卒業間近になって、ダンスに誘うメールを打った。もう電話には出てもらえなくなっていた。返事は来なかった。だから槙は、柚木が卒業したときと同じようにダンスパーティーには出ていない。

そうしてそれ以来、柚木からの連絡は途絶えた。


卒業した槙は管制隊に配属され、高射の柚木とルートが交わることはなかった。

それが再び交わったのが空幕広報室だ。もう思い出にしていたつもりだったが、柚木がいると知ったときは気持ちが揺さぶられた。

二学年の差が邪魔をして結局どうにもなれなかった。二年後の約束は果たされないまま、更に十年以上が重なった。

向こうもまだ一人だろうか。

――結果としてお互い一人だったが、柚木は槙の知らない柚木になっていた。

まるで美人の皮を被ったオッサンだ。

一体何があった。あんたはこんなキャラじゃなかった。単に顔がかわいいだけじゃなく立ち居振る舞いが美しくていつも凜《りん》としていた。面を着ける仕草はいつも見とれるほど鮮やかだった。

「無理してるよなぁ」

残念な美人と既に周りに諦められていた柚木のことをそう評したのは鷺坂だ。槙と二人のときにこぼした。

高射隊でもすっかり残念な箱に入ってしまっているという柚木のことを、本当はそうじゃないと見抜いてくれたのは鷺坂だけだった。

そうなんです。本当は全然残念じゃないはずなんです、彼女は。

鷺坂は槙の知らない話をしてくれた。それが恐らくダンスパーティーの返事が来なかった頃の真相だ。

古参の下士官と折り合いが悪くなったという。初めて女性幹部を迎える隊で、部下たちは彼らなりに柚木を気遣ったらしいが、気遣いの方向が完全に間違っていた。いわゆる「女の子扱い」をしたのである。

槙が地稽古で手心を加えたとき、柚木は面を外してぴしゃりと叱った。それから一度も手加減しなかった槙に、卒業間近になってありがとうと言った。――そういう柚木が間違った気遣いをどうあしらったかは説明されなくても分かる。舐められてはいけないと肩にはきっと余計な力が入り、事態は悪いほうへ悪いほうへと転がった。

「上手くやれないと思われたくなかったんだろうな、誰にも相談しなかったらしい。ストレス性のハゲがいくつもできて、隠しきれなくなってやっと周囲に分かったそうだよ」

鷺坂が目の前にいなかったら――もしかしたら、悔しくて泣いたかもしれない。

どうして彼女がそんなことに。見かけ以上にその姿勢が美しく、自分の性別に決して甘えようとしなかった彼女がどうして。

悩みがあるなら話してほしいと何度も言った。だが自分も任官してからようやく分かる。職場で孤立してみじめだなんて、どうして話すことができるだろう。それも、二年も先の淡い約束を交わしたような相手に。

約束どおりダンスに誘われたところで、短く刈るしかなかった髪のことなど説明できるものか。

「お前が防大で柚木と親しかったって聞いてさ」

鷺坂が槙にこんな話をするということは、槙と柚木の旧交に漠然と期待されているものがあるのだろう。

しかし一度自分の殻に閉じ籠もった柚木は強情だった。何気なく諭そうとしても槙には決して昔の傷を開こうとせず、頑なにオッサンの皮を被る。あの頃の自分とはもう違うのだと誇示する。ことさらに槙の前では行儀悪く振る舞い、幻滅させるかのように尻を掻く。

そうやって突っ張られるほど苛立った。槙の目には無理をしていることが見え透いて痛ましいほどだ。

――ほら、あたしってがさつな女でしょう、オッサンくさくてとても女とは思えないでしょう、だからオッサンみたいに無造作に扱って。

淡い思い出がある分、柚木にとって槙は余計にがさつを見せつけねばならない相手らしい。

バカバカしい。

気づけよ、同じ隊で懐の深い上官がきちんと心配してくれてることに。訳の分からない防具を着けなくてもいいようにあんたはちゃんと隊で気にかけられてるのに。

何より――


「槙！」

呼ばれて我に返ると、柚木が上着の裾を引いていた。店から走って追いかけてきたらしく息が上がっている。

並んでから柚木は説教口調になった。

「さっきのは何よ、あんた！　いくら稲葉がうちに馴染んできたっていってもあくまでお客よ、あんな帰り方したら気にするじゃないの！」

リカと日頃は角突き合わせているのに、こうしたときの気配りは細かい。――そんなところは学生の頃と変わらないくせに、と余計にわざとらしいオッサンの皮が忌々《いまいま》しい。

「あたしがオッサンくさいのなんか今さらでしょ。いちいち客の前で突っかかるなんてちょっと飲み過ぎなんじゃないの、今日」

したり顔の説教にカチンと来た。酒量を過ごしたのには理由があった。

メディアトレーニングの講評が始まる前だ。湯飲みを片付けてトイレに立ち寄ると請負会社の若いスタッフが中で立ち話をしていた。

けっこう美人がいるんだな、自衛隊にも。ちょっと年行ってそうだけど。

ドア越しに漏れ聞こえたそのコメントで柚木のことを話していると分かった。

でもあれはあり得ないだろ、人前で平気で尻掻いてたぜ。中身完全にオッサンじゃん。

男所帯だとああなっちゃうのかな。美人なのに惜しいねえ。

いくら美人でもあれを女としてカウントするのはムリ！

わざと音を立ててドアを開けると、スタッフがぎくりとこちらを振り向いた。じろりと睨むと泡を食って出て行く。

——あんたが訳の分からない防具を着けて意固地になるから、通りすがりのよその奴らに無用にバカにされる。

どうせ柚木はその軽んじた言葉もこたえないのだろう。だが、槙は柚木が軽んじられることに無心ではいられないのだ。

「そんなにオッサンになりたいんだったら、いっそ性転換手術でも受けたらどうですか」

「何よ、まだやる気？」

「いくら尻を掻いてもがに股で歩いても、俺にはあんたは男に見えません、柚木先輩」

先輩と呼ぶと柚木の表情が明らかに慄いた。

「あんたがどんだけがさつに振る舞っても、俺は絶対にあんたを女としてカウントするんです。無駄な努力で残念でした」

「……酔ってんでしょ、あんた」

「酔ってませんよ、先輩が思ってるほどは」

嫌がらせのように先輩と呼んでやると、柚木は泣きそうな顔になった。柚木のほうも人のことを言えるほど素面《しらふ》ではない。

「この際だからいいこと教えてあげますよ。口ではどう言ったって誰もあんたのことをオッサンなんて思ってない。柚木三佐は美人で濃やかで、がさつなところさえ何とかなったら本当に素敵な女性なのになぁと思ってます。だからみんな、あんたのことを残念な美人って言うんです」

「やめてよっ！」

鋭い声に周囲が振り向き、その注目に脅えたように柚木が道端に寄って立ち止まった。野次馬が流れていくのを待つように縮こまる。

「さっき稲葉が言ってたとおりよ。女なんてね、『女のくせに』か『だから女は』なのよ」

あんたは知らないだろうけど、と柚木は前置きして槙を睨んだ。

「あたしはそれしか言われなかったのよ」

――古傷になど逃げ込ませてやるか。

「鷺坂室長はどうなんですか。広報室のみんなは」

突きつけると柚木が怯んだ。

「みんなあんたがオッサンだから仲間として扱ってるわけじゃありません。あんたがオッサンの皮を被ってようが被ってなかろうが、同じように扱うんです。だから先輩の努力は明後日もいいところで、滑稽なんですよ」

パチンと頬の上に平手が弾けた。空井を引っぱたいた昼間のリカよりへなちょこだ。柚木の手が引っ込むより先に手首を摑まえる。

「今まであんたがどんな奴らと接してきたのかは知りません。だけど、俺をそんな奴らと一緒にするな！」

結局、一番悔しかったのはそれだった。

がさつな振る舞いは柚木の防具だ。がさつに振る舞われるということは、柚木を傷つけた奴らと同列に扱われているということだ。

だって、と柚木がしゃくり上げた。

ずっと大事にしたかったのに結局泣かせて終《しま》いだ。気の長い約束が生きていた頃、卒業すればと思っていた。先に卒業した柚木と同じ立場にさえなればと。――同じ立場になったから何だ。上手くやれるとでも思っていたのか。

帰りましょうと手を引くと、柚木は黙ってついてきた。

電車を二本乗り換えて官舎に帰りつくまでどちらも何も言わず、手だけをずっとつないでいた。

＊

槙と手をつないだのは卒業前に道場でフォークダンスを踊って以来だった。

当時はかわいらしい恋する乙女だったのに変わり果てたものだなと我と我が身を振り返る。

官舎に帰るまで槙は一言も口をきかなかったが、敷地に入るとつないでいた手を離して言った。

「今までいろいろ口うるさくてすみませんでした」

今まで、という前置きにぎくりと胸が冷えた。

「今後は余計な差し出口は控えます」
冷えた胸が引き絞られる。まるで、――突き放されたみたいな、
槙が一礼して自分の棟へ歩き去る。背中に拒否されているようで結局何も言えなかった。
俺をそんな奴らと一緒にするな。――一緒にしたつもりじゃなかった、ごめん。そう叫んだら
あの背中は振り向くのか。
もし振り向かなかったら立ち直れないような気がした。

翌日から槙は柚木に余計なことを一言も言わなくなった。

「喧嘩でもしてるんですか、二人とも」

数日してから恐る恐る柚木に訊いてきたのは空井である。

「何よ、関係ないでしょ」

「関係ありますよ、同僚なんだから。同じ部屋に冷戦状態の二人がいたら気まずいですよ」

どうやら探りを入れる役目を周囲から押しつけられたらしい。もっとも空井の切り出し方では
探りどころか直球だ。

「別に喧嘩なんかしてないわよ、槙が突っかかってこなくなっただけの話じゃない。むしろ口論
が減って静かになったくらいのもんでしょうが」

「口論のほうが健康的でいいですよ、ぎくしゃくされるより！　柚木三佐だって調子狂ってるん
でしょ、ここんとこ冴えない感じですもん」

押しは弱いくせに空井の言葉はたまに豪快にぞんざいだ。よもや先輩に面と向かって冴えない

と言い放つとは思いも寄らなかった。

いつもなら冴えないとは何だと迎え撃つところだが、どうにも調子が上がらない。

柚木三佐だって調子狂ってるんでしょ、ぺーぺーのくせに空井は痛いところを衝いた。

槙が広報室に来る前から柚木の残念な評価は確立されていて、槙がかまおうがかまわなかろうが日頃の振る舞いが左右される必要などないはずだった。口やかましい槙をうるさく思うことも多々あったし、憎まれ口を叩いたことも数知れない。

だが、いざ槙が突っかかってこなくなると、もうことさら意識することもなくなっていた自分のがさつな振る舞いが空回りしているようで落ち着かない。

今までは不作法に振る舞うことが楽だったのに。隊にもその振る舞いで馴染んでいると信じていたのに。

「怒らせちゃったんなら一緒に謝ってあげますから」

空井は心配のつもりだろうが、さすがにいい気になりすぎである。

「若造がナマ言ってんじゃねェ！」

柚木は空井の頭を思い切りどやしつけたが、若干八つ当たりも混じっていたかもしれない。

柚木が喫煙所を通りがかると、鷺坂が一服中だった。

「よ。調子悪そうって聞いてるよ」

「別に悪かありませんよ」

「そんならいいけどさ」言いつつ鷺坂は柚木に煙が流れないように顔を逸らして煙を吐いた。

「うるさいお目付が静かになったからもうちょっとのびのびするのかと思ったけどね」

うるさいお目付がいる状態が意外と居心地がよかった、ということは小言が聞かれなくなってから気がついた。

「まぁ、お目付がいない状態にも慣れといたほうがいいかもしれないな。お前も来年度にはいつ異動がかかってもおかしくないし」

ああそうか、そういえばそろそろそんな時期だったなと思い出した。広報室で早くも二度目の秋を迎える。来年は三年目だ。広報室を離れたら槙と机を並べる機会ももうないだろう。高射と管制は部隊としての連携は密接なので同じ基地になれば多少は顔を合わせる機会もあるだろうが、今のように顔を突き合わせることはなくなる。

「どした、冴えない顔して」

空井に冴えないと言い放たれたのはほんの数時間前である。鷺坂相手では生意気なと空威張りすることもできない。

「冴えないですか」

「柚木は分かりやすいからなぁ。冴えないからみんな心配してんじゃないの?」

分かりやすい、という評で急に居心地が悪くなった。手を引かれて官舎に帰った日の飲み会で、槙は柚木のことを見ていて痛々しいと言った。わざとらしいと。

周りにもそう見えているだろうか。

「痛々しいですか、あたしは」

「んー?」

鷺坂は怪訝な顔をしたが、ああ槙のあれかと頷いた。

「今の柚木しか知らなかったら違和感を持つ余地もないんじゃないの、別に」

以前を知っていれば話は違う、という返事だ。ということは鷺坂にも痛々しく見えている。

「でもまぁ、俺は自由にやんなさいって最初に言っちゃったからね。今さら前言を翻すつもりもないよ」

それを言われたのはもう十年近く前だ。任官して初めて配属された部隊でしたたかに失敗し、鷺坂の部隊に引き取られたときのことである。鷺坂は当時の柚木の有り様を知っている数少ない一人だ。

ハゲが五つも六つも出来て髪が薄くなっていた柚木に、鷺坂は何も訊かなかった。

前のようにはしないからここでは自由にやりなさい。最初に一言そう言われただけだ。

同じ轍《てつ》を踏んでたまるかと懸命に立ち回った。前の部隊では最初にお嬢さん扱いされたことですべての歯車が狂っていった。今度は間違ってもお嬢さんなどと思われないように。

柚木がその隊を離れる頃には、柚木に少しでも女性的な何かを期待した奴はそれはそれは深くがっかりするようになっていた。

そういう柚木を鷺坂がどんなふうに眺めていたのか、当時は顧みる余裕がなかった。ここでは自由にやれ、それは上手くやれるように自由に工夫しろということだと思っていた。そして上手に工夫できたと思っていた。

つい数日前、槙に揺さぶられるまで。もしかすると鷺坂のほうは、もっと違う意味を含ませていたのかもしれない。

それはそうとさ、と鷺坂は話題を変えた。

「高射群の機動訓練、今度あるだろ？　福岡で」

近年、某国の挑発的なミサイル発射実験が頻発していることを受け、高射隊がミサイル迎撃を想定した機動展開訓練を行うようになり、時流に乗ってマスコミ取材も入るようになっている。国内で発射訓練はできないので毎年アメリカのエルパソまで出かけて撃ってくるが、機動展開は国内で訓練しなくては練度が上がらない。アメリカと日本では交通法規も交通事情も違いすぎる。

西部航空方面隊の機動展開訓練はこれが初めてで、春日・芦屋・築城・高良台《こうらだい》の四基地が合同で行う大規模なものとなる。

「キー局のテレビ取材が入ることになったから広報室からも立ち会いの要員を出すんだけど」

その話は報道班長の天海からも聞いている。高射出身の柚木が芦屋基地に応援に行く予定だ。

「槙が補佐で随行を希望してる。もし補佐が必要ならの話だけどね」

柚木は首を傾げた。補佐をつけるかどうかも決まっていないのに名乗りを挙げるなど、よほど福岡に行きたい用事でも重なっているのか。

「当時の曹長が芦屋の射撃小隊にいるそうだよ。今は准尉《じゅんい》だけど」

鷺坂は名前を出さなかったが、誰のことを言っているのかはすぐに分かった。任官した最初の部隊で柚木と対立した中心人物だ。

俄に呼吸が浅くなった。――まだ全然乗り越えられてなどいない自分に直面させられる。髪を洗う指先が丸く毛の抜けた地肌を捉えた感触がまるで昨日のことのように思い出された。恐いと思ってしまった自分が忌々しくて悔しい。

そしてはたと気づく。

「何で槙が……」

鷺坂の話の順番は、槙が事情を知っていることを匂わせている。すると鷺坂はニッと笑った。

「ごめんね、オッサンは口が軽くてさ」

頬が炙《あぶ》られたように熱くなった。——何も知らないくせにと突っぱねていたのに槙はいつから知っていたのか。

知っていて、自分が芦屋に行くとは言い出さない。補佐がいるならと希望するその立ち回りは、自主練で柚木に咎められてから一度も手加減しなかったあの頃の槙のままだ。

「で、補佐いる？」

にやにや訊かれて柚木は鷺坂を睨みつけた。

「小僧の介護がいるほど落ちぶれちゃいませんよ！」

相手が鷺坂でなければ見くびるなと啖呵を切るところである。勢いに任せて柚木は広報室へと戻った。

槙は自分の席にいた。その視界に入るように机に手を突く。

「何ですか」

怪訝な顔で見上げた槙に、柚木は顎を軽く煽った。

「機動訓練はあたし一人で充分よ。あんたは留守番して放送でも見てなさい」

周囲がすわ激突かと緊張するが、槙はまじまじと柚木を見つめてから苦笑しただけだった。

「分かりました、留守番しておきます」

拍子抜けしたように辺りの空気が弛緩《しかん》する。

柚木はフンと鼻息荒く天海の席へ向かった。

「班長！　機動訓練の報道対応、あたしが行きますから！」

どうして柚木がこれほどむきになっているのか知る由もない天海は気圧《けお》されたように頷いた。

＊

訓練前の高射隊の様子を取材したいという要望がマスコミから出たため、高射隊を二つ持っている芦屋基地が代表して受け入れた。その都合上、柚木が応援に入るのも芦屋基地である。

芦屋基地の最寄駅であるJR遠賀《おんが》川《がわ》駅まで、博多駅からは在来線で一時間弱かかる。この程度であれば郊外の官舎から防衛省に通ういつもの柚木の通勤時間とさほど変わらない。

機動展開訓練は深夜から未明にかけて行われるため、報道陣が基地や訓練場所に集まる時間は遅い。対応する柚木も芦屋基地に乗り込んだのは夕方近くになってからだ。

遠賀川駅で電車を降り、改札に向かう柚木の足取りは重かった。前日はあまり眠れなかった。

JRを降りてから基地まではバスで三十分程かかるので、駅に迎えが来ることになっている。もし迎えが当時の下士官だったらと思うとどうしようもなく気が重い。一体どういう顔をすればいいのか、といってもそんなものはお互いに知らん顔をするしかないわけだが、相手は腹の中で何を考えるだろうかとつい想像してしまい、なかなか無心にはなれない。

柚木の側ははっきりとしこりだ。相手も似たり寄ったりだろう。

駅前で待っていたのは知らない顔だった。ほっとするのは悔しいがほっとした。

基地司令に挨拶して、いよいよ高射隊に顔を出す。芦屋には二つの高射隊があり、一つの隊は総括班と射撃・整備・管理の三個小隊で編成されているが、訓練で実際に機動展開するのは射撃小隊になる。装備の不具合が発生したときのために整備小隊も同行し、指揮車やアンテナ車の類は春日基地の指揮所運用隊から出て現地で落ち合う段取りだ。

庁舎では高射隊長と射撃小隊の小隊長が各二名ずつ待っていた。報道陣には取材段取りを通達し、質問の類には広報担当者が手分けして対応する手筈《てはず》にしてあるが、空いた時間やぶら下がりなどで直接質問を受ける可能性がある部署には報道対応の打ち合わせをしておく必要がある。

小隊長の一人が女性幹部だった。柚木が任官して最初に務めたのも射撃小隊である。

想定問答集を元に報道対応のレクチャーを終え、出発前の部隊を取材しておきたいという報道関係者を実際に隊に案内することになった。

「報道の受け入れはどちらの隊が？」

「はい、こちらで」と手を挙げたのは女性幹部である。機動展開というハードな訓練が露出するので、女性の小隊長を立てることで雰囲気を緩和する方針という。そういう意味では空幕広報室からの応援も柚木になったことはちょうど良かった。

報道陣を隊へ案内しながら女性幹部がいくつか質問に答えるが、落ち着いた応対だった。もし手間取ったら柚木がフォローする段取りだったが、柚木の出る幕はほとんどなかった。

表に出るとすっかり日が落ちている。既に各種車輛が整備格納庫から引き出されており、隊員が慌ただしく出発前の準備をしている。

報道のカメラがその光景に飛びつき、柚木や基地の広報係が撮影禁止や立ち入り禁止の説明に声を枯らした。聞こえているのかいないのか、立ち入り禁止区域にしれっとカメラを持ち込もうとする報道を慇懃《いんぎん》に叩き出す。訓練に参加する隊員に無用なストレスはかけられない。

だが、画的に好ましいためか小隊長からはなかなかカメラが離れず、質問も絶えない。

「ちょっと長引いてますね」

広報係が懸念するように呟いた。小隊長を作業に戻らせなくては、と柚木に進言している。

「よし、そろそろ質問時間を区切りますかね」

柚木が報道陣のほうへ踏み出したとき、

「小隊長」

呼びかけて小気味よく敬礼した年配の准尉を見て、柚木は思わず息を飲んだ。十数年ぶりに顔を合わせる、当時柚木と悶着した准尉だった。もう五十代になったはずで、その分老けたが一目で分かった。

そして向こうも一目で分かったらしい。ぎくりと一瞬目が泳いだが、柚木のことは完全に黙殺することに決めたらしい。小隊長に目線を据えて口を開いた。

「ミーティングの準備ができております」

「了解」

答えた小隊長には気負いも硬さもなかった。部下の報告を聞いて答えた、ただそれだけの何の含みもないやり取りだった。

「お早くお願いします」

急かしたのは上官へではなく、報道陣に対する婉曲な牽制だと分かった。もしかすると呼びに来たのも上官が業務に戻りやすいように気を利かせたのかもしれない。

柚木も乗じて声を張り上げた。

「小隊長への質問、あと五分程度で一旦区切らせていただきます！　その後のご質問は広報にてお受けしますのでお願いします！」

報道を多少牽制しようと声を太くしたら、「お願いします」が「お願いしゃっす」とやや柄が悪くなった。広報としてはあまり好ましくなかったか。

区切った時間で件《くだん》の准尉は小隊長を案内して去り、柚木は報道陣を取りまとめて報道控え室へ向かった。

直接の言葉は交わさずじまいだった。だが、いろいろ分かった。

あの小隊長は、当時の柚木のように無用な女性扱いで苦労してはいない。あの准尉は小隊長を上官としてきちんと立てて敬意を払っている。

どうして当時それができなかったんだ、と若干面白くなかったが、それは恐らく柚木のことがあったからこその今なのだろう。

「あたしはテストケースかい」

思わず苦笑が漏れた。手助けが必要だったら頼むからそれ以外は余計な気遣いをするなと当時何度言ったかしれない。聞けるようになったのは柚木が去ってどれくらい経ってからだったのか。

もしかするとあたしも聞き入れにくい言い方をしていたのかもしれないな、と思った。お互いあのときは折れるに折れられないところまで追い詰められていた。

潰れかけたことは柚木にとってトラウマだったが、向こうは潰しかけたことがトラウマだったのかもしれない。きっと柚木とあの准尉は巡り合わせが悪かった。

ずっとわだかまっていたものがするりと溶けていく。

ああ——ここに、

ここに今、あんたがいたらよかったのに。留守番してろと啖呵を切って置いてきた後輩の顔が思い浮かんだ。

するりと溶けて解き放たれた瞬間をあんたに見ててほしかったかもよ。

「——しゃ！」

柚木は気合いを入れるように両側からほっぺたを叩いた。

いろんなものが水に流れた。後は仕事をこなすだけである。

二十二時三十分に出発する高射隊に先駆ける形で、柚木は芦屋基地を後にした。

訓練場所は玄界灘に面した海の中道海浜公園である。国道四九五号で福岡市内に入る芦屋基地からの高射隊と同じルートで海浜公園に向かう。

現地では既に報道陣が場所取り合戦に入っていた。その混乱を整理しつつ、四基地からやってくる隊を待ち受ける。

到着予定の深夜〇時まで三十分を切った頃合いで、移動中の高良台の隊から連絡が入った。

「接触事故!?」

仮設した広報本部のテントで報告を聞いた柚木は柳眉《りゅうび》を逆立てた。

「内容と規模は!?」

尋ねた柚木の剣幕に比べ、報告した隊員は煮え切らない表情だ。

「いえ、大した事故ではないそうです。この近くで一度道を間違え、戻ろうと隊列を切り返したところで発射機と電源車が接触したとのことで。整備がその場で点検しましたが、ぶつけた部分がちょっとへこんだくらいで重大な損傷はありません」

言ってみれば隊内の自損事故だ。柚木はほっと胸をなで下ろした。もし一般車両を巻き込んでいたら話が大事になるところだった。

「ただ、その点検でちょっと時間を食って、到着が四十分ほど遅れるそうです」

「分かった、発表しなくちゃね。記者を集めて」

記者会見の要領なら先日のメディアトレーニングで勉強したばかりだ。まさか自分が発表者の立場になるとは思わなかったが、それは仕方がない。この場の責任者は柚木だ。

マスコミには広報本部に集まってもらい、すぐさま発表に入った。他の基地からの隊は順調に移動しており、もたもたしていたら発表の途中でどれかの隊が到着することにもなりかねない。

「まずは予定が遅れますことをお詫び申し上げます」と一礼。

「二十三時三十分ごろ、高良台から出発した高射隊の車輛同士で軽微な接触事故が発生し、点検で移動が一時中断しました。このため、高射隊の到着が四十分ほど遅れ、訓練のスケジュールにも随時遅れが発生します。接触した車輛は発射機と電源車で、どちらも損傷はありません」

配付資料を作る暇は当然なかったので、記者がメモを取りやすいように発表原稿をゆっくりと読み上げる。

――あいつ聞いてねェな。

声が後ろまで通るようにと急ごしらえで用意した発表台だが、記者たちの姿はよく見渡せる。報道陣が集まった中程にまったくやる気のなさそうな記者がかったるそうに立っていた。周囲の記者に声をかけているのはどうやら聞き逃した内容を尋ねているらしい。メモ取りを邪魔された記者が煩わしそうにあしらっている。

柚木が「何かご質問は」と受け付けると、さっそく手が上がった。

「接触の現場は？」

「博多港付近です。道を間違えて港湾地区に入り込み、正しい道へ戻ろうと隊列を切り返し中に前後で軽く接触しました」

「訓練時間が足りなくなることはないんでしょうか」

「こうした不測自体を織り込んで訓練時間には余裕を取ってありますので大丈夫です」

そうこうしているうちに、春日を出発した指揮所運用隊がまもなく到着すると耳打ちが入った。

「まもなく春日からの隊が到着しますので、ひとまず……」

「発射機がぶつかったそうじゃないですか！」

急に声を張り上げたのは「聞いてねェな」の記者である。隣の記者からワンテンポ遅れて事情を聞いたらしい。

「発射機ってミサイルを撃つやつですよね!?」

まったく話が分かってない奴がまぎれ込んでいやがった、と柚木は苛立ちで頬を引きつらせた。発射機の何たるかも分かっていないということは、事前に配った説明資料すら読んでいない。

「はい。実際に日本に向けてミサイルが発射されたとすれば、地対空ミサイルを発射する迎撃用の機材です」

周囲の記者も一様に苦々しい表情だ。まもなく隊が到着すると柚木が言いかけたので、撮影のためにさっさと解散したいのだろう。

「そんな危険な機材が接触したのにそのまま訓練して支障はないんですか⁉」

「はァ⁉」

自制が働く暇もなく、件の記者に顎を煽っていた。やべぇ。とは思ったもののここで引いたら調子づかせる。ままよと柚木は開き直った。話を早く畳みたいのは周りの記者も同じはずだ。

「支障がないからもうすぐ隊が到着するんですが何か？」

「でも、もし見えない部分に故障があったら……たとえばミサイルの信管が切れてたり」

周りから失笑が漏れたが、柚木としては笑うどころではない。さっさと切り上げないと、もし到着の映像を報道が押さえ損ねたりしたら苦情を食らうのは広報だ。

「ミサイルは撃ちたくても国内じゃ撃てないんですが？　だから高射隊は毎年アメリカに渡ってエルパソくんだりまで発射訓練に出かけるんですが？　撃たないんだから仮に信管が外れてようが弾頭が外れてようがまっっったく問題ありませんが、何か？」

周囲の記者がどっと笑い、当人は気圧されてしおしお引っ込んだ。

「以上で説明を終了します！」

柚木の宣言と同時にカメラマンたちが我先に駆け出した。柚木は広報係を振り返った。

「春日の隊に速度調整するよう連絡！　撮影の準備が整うまで現場に入ンな！」

広報係が泡を食って無線に駆け出した。

「着いちゃいそうだったらどうしましょう!?」

訊かれて柚木は「徐行させとけ！」と怒鳴った。

＊

空幕広報室には各番組で自衛隊の話題をモニターするため十数台ものテレビが設置してある。自衛隊関連の話題が出たらビデオにクリッピングするシステムが組まれており、これを管理するのは報道班である。

新聞のクリッピング係が出勤するのが七時過ぎ、それから一時間もすればほぼ全員が広報室に集まっている。

ちょうど朝の情報番組がニュースからワイドショー的内容に切り替わるその時間帯に、

『はァ!?』

聞き慣れた声がモニター用のテレビから聞こえ、槙は思わず顔を上げた。そして目を疑う。福岡の訓練を報道する予定が事前に分かったので音声を生かしてあった局のテレビで、記者に向かって目を剥いている柚木が映っている。

「え、柚木三佐、何で!?」

空井が声を上げ、周囲もテレビを振り向いた。テロップは「福岡／自衛隊訓練でトラブル？」と出ている。

『支障がないからもうすぐ隊が到着するんですが何か？』

　柚木の啖呵が炸裂したところでキャスターのアナウンスが入った。

『本日未明、航空自衛隊は福岡市内で地上配備型迎撃ミサイル《PAC3》の機動展開訓練を行いましたが、その際に自衛隊の車輌同士が軽く接触しました。接触の影響で機材の損傷を心配する声があり、一時は訓練の続行が危ぶまれましたが、訓練内容にミサイルの発射が含まれていないため、続行に支障はないという判断が下されました』

　そして音声が録画映像のほうに戻る。ミサイルの信管が切れていたらどうするんだという埒もない質問に周囲の記者が失笑し、柚木がまた目を剝いて答える。

『撃たないんだから仮に信管が外れてようが弾頭が外れてようがまっったく問題ありませんが、何か？』

　周りの記者が爆笑した映像で事情説明の光景が終わり、車輌の接触部位や事故について隊員のインタビューが挟まる。

　そして訓練中の映像が流れ、訓練の趣旨を簡単に紹介するアナウンスでニュースが終わった。広報室は水を打ったように静まり返っていたが、やがて——槙はこらえきれずに吹き出した。釣られて周囲も爆笑する。

「え、笑いごと!?　報道班的に笑いごとなんですかこれ!?」

　経験の浅い空井一人が空気を読めずにおろおろしているが、天海が「笑いごとじゃあないけど、笑うしかないなぁ」と苦笑しながら答えた。

　と、室長室から鷺坂が出てきた。

「何だよ、何か楽しいことでもあったのか？」

「室長、惜しかった！」とあちこちから声が飛ぶ。

「柚木三佐が全国ネットデビューです」

片山の説明に鷺坂が唇を尖らせる。

「ずるいぞ、そっちだけ。こっちテレビないんだぞ」

「すぐにお見せします。おい、誰かクリッピング」天海の指示に槙は「自分が」と手を挙げた。

編集機材を操作しながらまた笑いが漏れる。――あんたって人はまったく。

おかしな防具を着けなくても素で充分強いじゃないか。

柚木はその日の午後に帰ってきた。

「いやー、まいったまいった。訳の分かってない素人が混じってまして！」

からから笑う柚木に天海が「そうは言ってもなぁ」と建前上渋い顔をする。

「あの啖呵は危ういぞ、お前。周囲が笑っちゃったから丸く収まったものの」

「だってもうすぐ部隊が到着しちゃうっていうのにあの記者が意味不明な引っ張り方するから。周りの記者は到着シーンを逃したらどうしてくれるってピリピリしてるし、さっさと解散しないと逆に揉めそうだったんですよ」

大体、と柚木が顔をしかめる。

「国内で発射訓練ができないことも分かってないような分からんちんに取り合ってられないじゃないですか」

「分からんちんって……お前、年はいくつだよ。古いよ」

しかし天海もそこで笑ってしまったので小言は短く終了した。

席に戻ってきた柚木が、槙に向かって「どうよ」と胸を張る。

「俺に誉めてほしいんだったら誉めますよ」

からかうように憎まれ口を叩くと、柚木は「じゃあ誉めてよ」と返した。

「恐かったけどけっこう頑張ったんだからさ」

槙は思わず真顔で柚木を見つめた。柚木は目が合う寸前でぷいと逸らした。

恐かったけど。——口調は軽いが、それは広報室で再会してから柚木が槙に初めてこぼす弱音だった。もしかすると学生の頃だって一度もなかったかもしれない。

「また叱っていいからさ」

これで柚木が最大限甘えていると気づけるのはきっと槙だけだ。

「かっこよかったですよ、柚木先輩」

先輩の呼び方に籠めた意味は伝わったらしく、柚木ははにかんだように小さく笑った。

＊

「結局、柚木さんの発言は問題にはならなかったんですか？」

「そうですね。結局ああいう刺激的な発言っていうのは取り上げるマスコミが騒ぐか騒がないかで問題になるかどうかが決まるので」

リカの質問に答えたのは比嘉である。空井は回答できるほど経験がないので一緒に聞き役だ。

「今回は柚木三佐のコメントを取り上げた番組が何も突っ込まなかったので……周りの報道陣が笑った場面まで放映されたのもよかったかもしれませんね。でもまあ、危うい発言であることは確かですから、周りはけっこう肝を冷やしましたよ」

そこへ席を外していた柚木が戻ってきた。

「お、稲葉来てたの？　まめよね、あんた」

ご機嫌な柚木が席に着くより先に槙が雷を落とした。

「運用《運》支援・情報《情》部長の決裁をもらってくるだけで何十分かかってるんですか！　もうとっくに終業時間を過ぎてますよ！　部長が帰っちゃう前にぱっともらってくるって言ったのはどこの誰ですか！」

「いや、だってさぁ……」

「あまつさえ何で息が酒臭いんですか!?」

確かに柚木の顔はほろ酔い加減で上気している。

「向こう、終業後に運情部で何かの打ち上げやるって話でさ。部長が終業まで残って付き合えって言うから……上官の言うこと無碍《むげ》にできないじゃん」

ご機嫌なわけである。広報班側で話していた三人は苦笑したが、槙は完全にスイッチが入った。

「あっちは打ち上げかもしれませんが、あなたは仕事で行ったんでしょうが！　そういうときはせっかくですがって断るんです！　上官だからって関係ありません！」

リカが二人の様子を眺めて空井に小さく尋ねた。

「もういつもどおりな感じですか？」

先日二人がぎくしゃくしたのを気にしていたらしい。空井は「ええ、もうすっかり」と頷いた。

でも、とリカが首を傾げる。

槙の説教にあれこれ言い返していた柚木がやがてうなだれ、黙って聞きはじめた。

そして、

「……ゴメンナサイ。今度から気をつける」

ややふて腐れた口調ではあったが謝り、槙も「分かったんならかまいせん」と畳んだ。

「ちょっと雰囲気が変わったような気が……」

呟いたリカに空井は「そうですか？　別に変わらないと思いますけど」とあっさり片付けた。

リカの見立てが合っていたことが判明したのはそれからしばらく経った年末である。

迎えた年末年始、槙と柚木は海外旅行の申請書をそれぞれ出していたが、行き先と行程が二人とも同じだった。

5.

神風、のち、逆風

＊

「絶対！　絶対戦闘機ですよ！　だって空自だもん！　F－15が空自の最大の商品だっていつもみんな言ってるじゃないですか！　だったらF－15をメインにしましょうよ、フォーメーションテイクオフとかから始まってかっこよく！」

　空井は力説したが、片山も負けてはいない。

「最大の商品ではあるけど一番売り込みにくいのも戦闘機なんだよ！　やっぱり今は救難だって、人命救助でプラスイメージもあるし一般的にウケがいい。ベストセラー商品は救難だ、こういうときこそそれを押し出さなくてどうするんだよ！」

「こういうときだからこそ空自の本質的な任務である防空をアピールすべきでしょ!?」

「いや、受け入れやすいものを押すべきだ！　救難ヘリだって充分画《え》になる！」

　双方一歩も退かずに睨み合い、そして同時にリカを振り向いた。

「稲葉さんだったらどっちですか!?」

「イメージ的に救難だろ!?」

　二人に迫られたリカは気圧されたのかじりっと後ろに体を退いた。

　リカを迎えているのでミーティングの場所は応接室の空きブースである。最初に比嘉が出した紙コップのコーヒーはもうすっかり冷めていた。

「稲葉さん！」

サラウンドで再び迫った空井と片山を脇から制したのは比嘉である。

「二人とも落ち着いて。稲葉さんも困ってるじゃないですか」

「じゃあ比嘉はどうなんだよ、話に入れよお前も！」

片山に逆ギレされて比嘉はうーんと首を傾げた。

「二人とも装備ありきで話が進んじゃってるのが違和感ありますねぇ。もうちょっと他に考えるべき要素があると思いますけど」

「言ったな、おい」と片山の気圧が下がる。

「じゃあ聞かせてもらおうじゃねえか、そのご高説を。他に考えるべき要素って何だよ」

比嘉のほうは煽られても乗る素振りを見せない。

「こういうときだからこそ見せるべきは『人』じゃないですか？　航空自衛隊で働く『人』の姿を全面に押し出したいですね、私は」

「あ、それは確かにそうですね」

リカが同調し、片山が痛いところを衝かれた顔になった。

「片山一尉も空井二尉も頭に血が昇ってるみたいだから休憩にしましょうか。お茶を淹れ直してきますよ」

比嘉が冷めたコーヒーを片付けて席を立ち、ミーティングは水入りとなった。

「自衛隊でCMなんか作ってたんですね」

感心した様子のリカに「そうなんですよ」と比嘉が頷く。

「毎年三幕で一本ずつ三十秒のCMを作ってまして」

自衛隊広報の一環としての活動だ。CMによって一般的な認知度を上げることと、自衛隊への理解を深めてもらうことが目的である。

年明け一発目の仕事として来年度分の新CMを作ることになり、テレビ業界からの意見を期待してリカをミーティングに招いている。

「どういうところで流してるんですか？　テレビではあまり見かけたことがないんですけど」

「一応民放でも放映してはいるんですけど、ローカル局の安い時間枠じゃないと無理ですからね。他には街頭ビジョンや電車の車内モニターなんかでも流してます」

「毎年こういうふうにコンテを練る段階から皆さんで？」

「実は広報室でコンテを作るのはこれが初めてなんです。だから稲葉さんにアドバイスをお願いした次第で……今までは広告代理店に全部任せてたんですが、せっかく民間で広報研修を受けた片山一尉もいることですしね。自分たちでできる部分が増えるのはいいことですから」

比嘉の説明が一段落したところで、空井は口を開いた。

「さっきの『人』を見せるって話ですけど……スクランブル発進の場面はどうですか？」

最初はブルーインパルスを見せることを希望していたが、それは既に去年のCMで使っていたので却下され、空井が次にこだわったのはF－15である。F－15を見せたいというコンセプトに『人』を絡めるとしたら――

「最初はアラート待機中のパイロットの光景で、そこにスクランブル警報が鳴って……F－15にダッシュするパイロットの後ろ姿を映して、最後は飛び立ったF－15。どうでしょう？」

空井は恐る恐る先輩二人を窺った。即興で考えた案だが、自分なりに自信はあった。

かっこいいかも、と好感触を見せてくれたのはリカだ。だが比嘉も片山も考え込んでいる。

「かっこいいけど……」「確かにかっこいいけどなぁ」

その点では一致だが、歯切れが悪い。

「えー、何なんですか、かっこいいのに何が問題なんですか？　パイロットの覚悟とか真剣さも見せられるじゃないですか」

「かっこよすぎるんだよなぁ」

片山の言葉に空井は「そんな」と不平を鳴らした。

「かっこよすぎるって難癖じゃないですか、ほとんど！」

「そうじゃねーんだよ」

言いつつ片山が顔をしかめて頭を掻く。口を添えたのは比嘉だ。

「スクランブル発進は露骨に有事を意識させる出動ですから……例えばドキュメンタリー番組でかっこよく紹介してくれるのはＯＫなんですが、自前で打つＣＭで自らかっこよく演出しちゃうと戦争賛美だという批判があるかもしれません」

「スクランブル発進じゃ訓練イメージだって言い訳も使えないしな。飛行機って『飛んでいく』イメージが強いから、よそを攻撃する連想につながって細かいこと言われやすいんだよ。お前もパイロットだったんだから分かるだろ、その辺」

「あー、そうか……」

空井はがっくり肩を落とした。名案だと思っていただけに落胆は激しい。

「そんなところまで気にしなくちゃいけないんですね」

リカは目を丸くしている。

「宣材写真としてはそういうものもありますけどね」と比嘉が説明した。

「かっこよさは確かに抜群なんですよ。広報ビデオとかならアリかもしれません。ただ、やはりテレビにも流れる可能性があるＣＭは影響が大きいですから。コンテから作るのが初めてということで匙加減が分からない部分もありますし、回避したほうが安全かなと」

別に口に出して相談したわけではないのに比嘉と片山が同じ結論にたどり着いたのは経験値の問題だろう。やっぱりまだまだ敵わない。

「でもスクランブル発進のアイデアはいい。すごくいい」

大袈裟なほどの片山の絶賛に、空井は居心地悪く身じろぎした。フォローされているとしたら少々露骨で決まりが悪い。

「捨てるのは惜しいから俺の案のほうで採用してやろう！」

「そういう魂胆ですか！」

「まあ待て待て、こういうふうにだな……」

片山が置いてあった裏紙にさらさらと何やらコンテを描きはじめた。

「そんなんサラッと描けちゃうからってずるい！」

「こう、こう、こう……そんでこうやって」

空井の抗議などどこ吹く風で片山は軽快にコンテを埋めていく。しかもけっこう巧い。

「どうよ、これで」

裏紙を二枚使って描き上げたコンテを片山は他の三人に向けて見せた。

「絵、お上手なんですね」

素直に感心した様子のリカに片山が鼻を高くする。

「小学生の頃は漫画家になりたかったんだよなぁ。俺に描けない仮面ライダーはいなかったね」

「今でも絵は嗜《たしな》んでおられるんですか？」

「今はポケモンがパーフェクト。子供にせがまれるからさ」

「くっそー、文章の書類はいっつも穴だらけのくせに」空井がぼやくと気持ちよく自慢していた片山が「何だと」と目を剝いた。慌ててコンテに見入る振りをする。

最初は青年たちがダーツバーでダーツに興じる場面だ。そこに救難スクランブルが鳴り、一人の青年を残して全員が表へ駆け出す。外には救難ヘリが待機しており、駆け出した全員が次々に乗り込む。飛び立ったヘリを一人残った民間人の青年が呆気に取られて見送る、というオチだ。

ラフな線でざっと描かれているのにニュアンスが分かるということは相当絵心があるのだろう。構図も決まっている。

「巧いなぁ、くそ……」

鼻歌混じりにこんなものを描かれると憎まれ口を叩く気力もなくなる。

「航空物の映画で昔こういうキャラいたなぁ、絵が巧い空軍隊員。パイロットだったけど」

空井の呟きに片山は気分を良くしたらしい。そのキャラクターの役どころを訊かれ、「作戦の途中で操縦ミスか何かで事故して死にます」と正直に答えたら「験の悪いキャラを嵌めるな」と怒られた。

「でも亡くなった後に仲間の似顔絵を描いてたスケッチブックが出て来たりして、ちょっと感動のエピソードだったんですよ。仲間が団結するきっかけにもなったし」

「俺の死を礎《いしずえ》にする気か、お前の似顔絵なんかこうだ！」と片山が裏紙に描いた空井の似顔絵は鼻提灯《ちょうちん》の間抜け顔にされたが、妙に特徴を摑んでいる。もっとかっこよく描いてくださいよ、と文句を言うと脳天にチューリップだの旗だの描き足されて逆効果だった。

そしてコンテの話である。

「こう、暗めにしてスモーク焚《た》いてさ。バンってドア開けてパーッと光がサーチライトみたいに入ってきて、光の中に駆け出していく救難隊員たちって感じにしたらイメージ良くない？」

ご満悦で語る片山に、比嘉も「いいと思いますよ、これは」と頷いた。

「ストーリー性もあるし、救難スクランブルなら戦闘のイメージは避けられますからね」

そして比嘉がリカを振り向いた。

「稲葉さんから見てどうですか、これ」

かっこいいです、と答えたリカが決まり悪そうに肩を縮めた。

「すみません、専門的な意見が出せなくて……」

「かまいませんよ、一般の方の視点を頂けるだけでも助かります」

結局CMは片山のコンテに決まり、役者には救難団の隊員を起用するということまでさっさと話がまとまった。

「面白かったです、CM会議。独特の配慮があるんですね、やっぱり」

先輩二人が席を立ってからそう感想を述べたリカは、会議中も要所要所でカメラを回している。これもいずれ特集の素材になるらしいが、空井としては少々複雑だ。

「何か僕、稲葉さんが取材してるときっていいとこないなぁ」

「あら、そんなことありませんよ」

リカが目をしばたたく。

「だって今も片山一尉にアイデア持ってかれちゃっただけだし」

「空井さんのアイデアがあって片山さんの救難案が生きたんじゃないですか。スタッフで活発な意見交換をして一つのものが生み出されていくのは刺激的なドキュメンタリーですよ」

そんなふうに言われると、アイデアを取られたと思っていた自分の了見が狭いようで情けない。僻んだことを言うんじゃなかったな、と余計にへこんだ。

「そういえば、稲葉さんは企画が採用されたんですよね」

話題を変えたのは情けない気持ちから逃げたかったのかもしれない。

「そうなんです、おかげさまで」

半ばごまかしただけの空井にリカは素直に嬉しそうな笑顔で、それも何だかいたたまれない。

空井は居心地悪く身じろぎした。

『帝都イブニング』で始まったその企画は『お母さんとぼくの社会科』というタイトルで、警察や自衛隊、消防、救急などの豆知識を学習するという週一回のミニコーナーである。お母さんと子供という体裁でパーソナリティーを立て、子供向け教育番組風に仕立てるなど取っつきやすさの工夫が凝らされており、空井も初回を観たがなかなか面白かった。

「ニュース番組なのに急に『お母さんといっしょに』が始まったみたいで意表を衝かれました。あれ、稲葉さんのアイデアですか？」

訊くとリカは小さく首をすくめた。

「あれは先輩ディレクターのアドバイスなんです。わたしは学校の授業みたいな感じをイメージしてたんですけど、平たくするならいっそここまでやれって……。タイトルもそのディレクターの案になりました。わたしが考えたのは『今さら人にはきけない社会科』だったんですけど」

「それも悪くないような気がしますけど」

「でも、ちょっとネガティブなイメージがあるから。それにお母さんと子供の学習コーナー風にするなら合ってないし。自分の案で残ったのは基本のコンセプトだけって感じです」

リカもまだ先輩に引き回されている段階らしい。負けていられないな、とやる気が湧いた。

「初回は警察ネタでしたね」

「取っつきやすさを重視したらやっぱりおまわりさんからだろうってことになって。記者時代はずっと警視庁付きでしたから得意な分野でもありますし、しばらく警察周辺ですね」

空井としては自衛隊ネタにならなかったのがちょっと残念だったが、新しいコーナーの初回を張れるほど自衛隊が一般的な組織でないことは承知している。

「でも、このコーナーの生みの親は空井さんみたいなものですよ」

思いも寄らないリカの告白に、空井は「えっ」と声を裏返らせた。

「僕、そんなステキなサジェスチョンしましたっけ？」

「ほら、わたしが初めて広報室に来た頃」

狷介な娘がやってきたと室員が戦々恐々としていた頃だ。もうあれから一年近くが経つ。

「自衛隊の空軍とか言ってた頃ですね」

「そうそう。それで、空井さんがいろいろ自衛隊用語を教えてくれて……」

戦闘機なんか人殺しの機械じゃないか、という暴言が出たのもそのときである。リカの表情が気まずくなって、同じ場面を思い出していることが分かった。その節は、ともごもご呟くリカに思わず吹き出し、どういたしましてと返す。

「教えてもらったことをメモに取ったんですけど、それをその先輩ディレクターに見つかって、自衛隊こどもニュースでも作るのかってからかわれたんです。でも意外と一般の人ってそういう知識は知らないかもって思いついて。警察なんかもわたしは仕事で接してたから常識と思ってるけど、知らない人は知らないことってたくさんあるなと思って考えついた企画だったんです」

「いや、でもそれはその先輩のツッコミがグッジョブっていうか……」

「意外と知らないってことを気づかせてくれたのは空井さんですよ」

調子に乗るな、稲葉さんはこっちを立ててくれてるんだと自分を叱りつつ、顔はどうしようもなく緩む。

「……ありがとうございます、嬉しいです」

あのとき、まずリカに対する広報官になろうと思った。リカの企画をその成果だと思っていいのなら、それは身に余る光栄である。

「次の放映はいつですか?」

「来週の月曜日です。日替わりのコーナーなので」

他の曜日はクッキングや健康などのミニコーナーをやっているという。視聴率が取れたら独立コーナーになることもあるらしいが、「地味な企画だから難しいかも」とリカは弱気だ。

「それに長期取材のほうもちゃんと特集として完成させたいですし」

「そういえば長いですよね、うちの取材も。構想はまとまってきてるんですか？」

「ええ、何とか。また近いうちにご相談させていただきたいんですけど」

「分かりました」

不慣れな自分の様子があまり使われなかったらいいな、と内心で祈ったのは内緒だ。

「ＣＭ撮影のときはまた取材させていただいてかまいませんか？」

「もちろんですよ。お待ちしてます」

そして空井は帰っていくリカを見送った。

＊

救難隊は全国に十隊あるが、ＣＭ撮影は愛知県、小牧《こまき》基地の救難教育隊で行うことになった。ＣＭの訴えたい層が特に青年層であるため、教育隊の若い隊員を起用したほうがＣＭの意図に合致するという判断である。また、実際の出動がない教育隊のほうが時間的な都合をつけやすいという事情もあった。

教育隊とはいえ装備は救難隊と同じものを保有して厳しい訓練をこなしている。緊急の場合は空中輸送などの任務にも当たるほどである。

若手の中からテレビ映えのする隊員を五、六人起用し、見送る民間人青年の役は他部署の若い隊員を頼んだ。救難教育隊の隊員は訓練が足りているためか体格ができている者が多く、一般の青年役としてはややたくましすぎたのである。

ＣＭの作成には映像制作会社が入り、内容については片山が主に打ち合わせをし、空井と比嘉は現場の調整を担当した。調整下手な片山を制作に専念させたことが功を奏し、スケジュールはスムーズに決まった。

「なかなか男前を揃えたじゃないか」

ＣＭに出演する隊員の写真を見ながらそう評したのは鷺坂である。

「いやいや、自衛官って制服着てたら三割増し器量が上がるから私服になったら分かんないですよ。ジーンズの裾、作業服のズボンと同じ長さに切ってつんつるてんの奴とかいますし」

辛口の意見は柚木だ。そして槙に意地悪な視線を向ける。

「あんたも学生の頃、私服ひどかったもんね〜。槙は剣道着を私服にしたらいいのにって女子で言ってたのよ」

「ほっといてください。私服のズボンは作業服と同じ丈に切らなきゃ駄目とか、防衛大の学生が遵守《じゅんしゅ》しなくちゃならないドレスコードを寮の先輩に教えられたんですよ」

「え、防衛大ってそんな規則があるんですか？」

尋ねた空井に「んなわけないでしょ」と柚木が笑う。空井は航空学生からの入隊なので防衛大の風習には明るくない。

「三年のときに実は嘘だと告白された。騙したまま卒業するのは寝覚めが悪かったらしい」

そこまで騙されたままだったのか、とむしろそちらのほうが驚きである。

「慌てて私服デビューに走ったからしばらく迷走してたわよね」

「やなことばっかり覚えてますよね、ホント。俺が音痴だったとか」

「あたしギャップ萌えの人だから。隙のなさそうな奴のダサイとことかキュンと来るのよね」

何だよのろけかよ、と内心やさぐれたのは空井だけのようだ。広報室の独身者は柚木と槙の他には空井しかいない。

「でもまあ、槙は特殊例だろ？　最近の若い子はオシャレじゃないか、なかなか」

鷺坂が眺めていた写真を一枚抜いた。

「この子なんか『宙《ソラ》』のリーダーにちょっと似てるよな。上品な顔立ちだからトラッドな感じが似合いそうだけど、本番はどういう格好で来るのかな？」

さすがのミーハーチェックを入れる鷺坂は、自分の服装も年齢の割には若々しい。後退気味のデコだけが惜しいと部下からはもっぱらの評判だ。

「衣装は制作会社のほうで用意するらしいので心配ないと思いますよ。先日、出演者の服と靴のサイズを訊かれましたから」

比嘉の返事に「だったら安心だ」と鷺坂も頷いた。

「撮影は来週だっけ？」

「ええ。今は片山一尉が制作会社と演出を詰めてるところです」

航空自衛隊が初めて制作から関わるＣＭなので、広報班としては気合いの入れどころである。

片山は今日も打ち合わせに出ている。

「期待してるから頑張ってちょうだい」

そう労った鷺坂は鼻歌混じりに室長室へ戻った。槙は音痴だという柚木の証言があり、本人も頑として人前で歌わないが、鷺坂はカラオケもかなり巧い。もっとも、選曲がイマドキ流行りの歌ばかりという辺りが一般的なオッサンとは一線を画するところである。

アイドル曲のラップパートまでこなすオッサンは多分けっこう珍しい。


気象予報を睨みながら決めた撮影日は快晴だった。光の中に駆け出していく救難隊員、という片山のイメージを実現するには明るい日差しが不可欠だったのである。

リカもカメラマン連れで取材に訪れ、あれこれと指示を出している。ちょっとしたところではいつものハンディカメラも登場だ。

撮影は整備格納庫に舞台となるダーツバーのセットを作って行われた。制作会社側が用意した衣装も隊員たちによく映えた。

隊員がダーツをボードの中央に見事に投げるというシーンがあり、そのプレイヤー役は鷺坂が『宙』のリーダーに似ていると評した隊員になったが、意外なところで問題が発生した。

「はい、もう一回」

十二回目のリテイクに隊員は心が折れる寸前のようだ。

「すみません、ダーツをやったことがないので……」

放ったダーツはボードにギリギリ当たったのが三本という体たらくである。

「『東京ドリームパーク』ならその辺の壁一面に名前が書かれちゃうな」

片山が言ったのは、芸能人が各種のミニゲームに挑戦して最後にダーツで賞品を狙う人気番組だ。的を外して壁や床にダーツが刺さるとそこを取り分として名前を書かれる演出が有名である。片山としては軽口で緊張をほぐすつもりだったようだが、隊員はすっかり萎《しお》れて効果がない。

「別撮りにしましょうか。投げるシーンをアップで撮って、ダーツが当たる引きのシーンは別に撮って繋ぎましょう」

制作プロデューサーの切り替えで肩の荷が下りたらしい、隊員が気の毒なほどほっとした顔になる。しかし、それはそれとしてダーツをいい位置に当てる映像は必要だ。

「誰かダーツに自信がある人」

プロデューサーの募集に名乗りを挙げた者はいなかった。

「おい空井、元戦闘機パイロットだろ。こういうの巧くないのかよ」

片山の無茶振りで渋々空井が投げるが、外しはしないまでもあまりいい位置には当たらない。

「下手くそ！　ミサイルも外してたのかよ」

「ダーツにアクティブレーダー付けてくれたら当てますよ！」

「動かない的にレーダー誘導が要るのか、びっくりだな！」

「何億円のダーツセットになるんでしょうね、それ」と比嘉は笑っているが、そもそも手投げのダーツと誘導弾を同列に扱われること自体が空井にとっては不本意である。戦闘機はハイテクの固まりだ。

制作会社のスタッフも何人かが挑戦するが、どうもぱっとしない。

「よかったらわたしがやりましょうか」

遠慮がちに手を挙げたのはリカである。

「会社でダーツバーが流行ったことがあって、一時期けっこうやってました」

言いつつリカが放ったダーツは一本目から中心付近に命中し、プロデューサーが慌ててカメラを回させた。いくつか選べるほどＯＫテイクが溜まる。

「稲葉さん、すごい！」

空井が拍手すると、ダーツを投げ終えたリカが照れ笑いしながらＶサインした。かわいいな、などと思ったのを慌てて振り払う。

「でもドキュメンタリーに参加しちゃうのは取材者として失格かも」

「いえ、助かりました！」

リカがセットから退場し、また撮影風景を撮りはじめる。

「かわいくなったなぁ、あのねーちゃん」

片山がリカの様子を遠目に眺めながら呟いた。

「ああ、ねえ。当時は俺たちの前で笑うことなんかあるのかなって思ったくらいですけど」

「かわいくなったところでどうよ、お前」

片山がにやにや笑いながら窺う。

「けっこう仲良くしてるじゃねーか」

「そっ……そんなんじゃありませんよっ！」嚙みつきながら顔が少し熱くなった。

「仕事ですから私情は挟みません！」

「つまんない男だなぁ、お前。出会いがあっても晩婚コースまっしぐらってタイプだな」

自衛官は結婚が早いか遅いかの両極端になる場合が多い。そういう片山は二十代の半ばで学生の頃から付き合っていた今の夫人と結婚したというので早いほうだ。

「ほっといてくださいよ」

むくれた空井をよそに撮影は順調に進行し、すべてのパートを終了した。ヘリが飛び立つ場面は光線の具合が一番いいタイミングで撮っているので、最終テイクはスクランブルのベルが鳴るパートになった。

出演した隊員たちは早朝から丸一日を潰すことになったが、滅多にない経験なのでそれなりに楽しんでくれたらしい。リカのインタビューにも上機嫌で答えていた。

「このCMをすべて役者を使って撮影していたらかなりの予算がかかります。皆さんが挑戦してくれたおかげで作成費用を大幅に節約することができました、ありがとうございます！」

片山の挨拶は鷺坂の影響が丸見えで、空井や比嘉は笑いをこらえるのに苦労した。

「完成したCMは街頭ビジョンやトレインチャンネルを始め、テレビでも放映されます。皆さんの名演は航空自衛隊のイメージアップに必ずや貢献することでしょう。本日は本当にお疲れさまでした！」

片山が締めの言葉を述べて、撮影現場はつつがなく解散となった。

＊

完成したCMの出来は非常によく、広報班は自信を持って上層部に提出した。

後は省内の試写で審査に通れば無事に放映に漕ぎつける。その結果を待っていたある日、CM作成に関わった三人は室長室に呼び出された。

そこで鷺坂から告げられた結果は——放映不可、である。

「どういうことですか!?」

代表して鷺坂に迫ったのは片山だが、空井も一緒に食ってかかりたいくらいだった。いつもは物分かりのいい比嘉も納得の行かない表情をしている。

「飲み物がアウトだってさ」

ダーツバーで隊員が飲んでいた飲み物である。ガラスのコップに注《つ》いだウーロン茶だ。

「あれがウィスキーに見えるって話になってね。救難隊員が飲酒して出動するように見えるからよくないそうだ」

盲点を衝かれてさしもの片山も一瞬怯んだ。

「でっ……でも、ウィスキーグラスじゃありませんよ！　何の変哲もないただのコップです！　ウィスキーだったらカットグラスで出すでしょう!?」

それは苦しい、と空井は横で聞きながら思ったが、やはり鷺坂も瞬殺《しゅんさつ》した。

「だって舞台がバーじゃないか。それであの色合いの飲み物じゃ、当然アルコールが連想されるよ。こればっかりは仕方がない」

宥《なだ》めるような鷺坂の言葉に、ついに片山も沈黙した。

「飲み物で引っかかったついでにバー風の舞台設定にも慎重意見が出ちゃったしな。作り直して再提出だ。事務官さんに言って予算を組み直してもらえ」

完全にノックアウトされて三人は広報室へと戻った。いつもならヘマをしたらからかいに来る柚木が近寄ってこないのは、ショックが生半可なものではないだろうと気遣われているらしい。超の付くマイペース人間に気遣われたと思うと余計に落ち込む。

「くそっ……」片山が悔しそうに歯軋りする。

「やっぱり缶コーラでも飲ませとけばよかった」

「いっそ瓶で三ツ矢サイダーですよ」と空井も相槌を打った。

片山が切ったコンテの段階では缶ジュースだったので悔しさもひとしおだ。

「でも、実在の商品を出すのは問題があるかもしれないってプロデューサーの判断でしたしね」

諦めを探すような比嘉のコメントだが、直後に「いっそ紙コップのコーヒーでもよかったかもしれませんね、コーヒーショップ風のフタがついてたら誰もお酒と思わないだろうし」と代案を思いついてしまい、自分で意気消沈した。

「酒と間違われるかもしれないってそっちのほうが問題だろ！　気づけよプロデューサー、お前プロだろ！」

片山が吠えるが後の祭りである。こちらも詰めが甘かったのは確かだ。

「ともあれ、今回はこっちでコンテをほとんど作れてたから予算を削減できたのは幸いでしたね。お金のかからない撮影を考えたら出費はかなり抑えられると思いますよ」

「よかった探しが上手ですね、比嘉一曹って」

「こうなった以上は早く切り替えないと。むしろ、小牧に説明するほうが気が重いですよ。隊員がせっかく協力してくれたのに……」

ああそうか、それがあったか——と空井も更に暗い気持ちになった。リカのインタビューにも嬉しそうに答えていた若い隊員たちのことを思うと、ＣＭがお蔵入りになったことを告げるのはいかにも辛い作業だ。

「俺、直接行って詫びてくるわ。作ったＣＭだけでも観たいだろうし、ＤＶＤ持って行くよ」

言いつつ片山が電話を取り上げた。さっそく小牧基地にアポを入れるらしい。

「新しいＣＭ案を考えなきゃいけませんね」

「心折られましたよ、俺」

空井は人目も憚らず弱音を吐いた。

＊

そろそろＣＭが完成したかな、と思っていた頃に空井から電話があってリカの声は弾んだ。

「ＣＭのほう、どうですか？　出来上がったらぜひ拝見したいです」

「いや、それがその……」と空井は電話の向こうで歯切れが悪い。

「完成はしたんですけど……見ていただくことはできるんですが」

これは何かあったな、とピンと来た。それ以上は訊かず、その日のうちに防衛省を訪ねて行くと、案の定である。

「放映中止、ですか……」

リカは没になったＣＭの再生が終わった応接室のテレビを眺めた。

「せっかくいい出来なのに残念ですね」

あながちお世辞でもない。現場の隊員を起用したことを知っているせいもあるかもしれないが、スクランブルの警報が鳴った瞬間にくつろいでいた雰囲気が一気に緊張するところなどなかなか臨場感に溢れていた。ドアを開け放って店内に光が入り、駆け出して行くところもまるで映画の予告編のように印象的だ。音響も決まっている。

「稲葉さんにもせっかく取材してもらったのにすみません……」

空井はすっかりうなだれている。こちらの胸まで痛くなりそうなほどしょげた様子に、リカは懸命にフォローの言葉を探した。

「いえ、わたしのほうは別に……むしろこういうトラブルもドキュメンタリー的には面白い要素というか」

空井が更に沈み込み、どうやら完全にフォローは滑った。

「……すみません、気にしないでくださいということが言いたかったんですけど」

「お気持ちは受け取っておきます」

空井は力なく笑い、リカはごめんなさいとますます縮こまった。

「あのぅ、もし良かったら相談に乗ってほしいんですけど」

遠慮しいしいの空井の頼みに、リカは「はい」と身を乗り出した。ただでさえ落ち込んでいるところを追い打ってしまったので挽回できるものなら挽回したい。

「新たにCMを撮り直さなくてはいけなくなったんですけど、もうあまり予算を使えないんです。あまりお金のかからないCMの作り方についてアドバイスをいただけないかと思って」

喜んで、と答えたいところだが、リカには映像の経験があまりない。しかし、分かりませんと断りたくはない場面だ。

「先日の打ち合わせでも比嘉一曹が言ってたように、コンセプトは航空自衛隊に勤める『人』を見せたい感じで……」

「コンセプトが『人』だとしたら……」

それならリカも正に広報室の取材で『人』を追っている最中である。鞄から顔を覗かせている取材用のカメラがふと目の端に引っかかり、考えがまとまる前に呟いていた。

「ドキュメンタリー……とか」

え、と訊き直した空井に、考え考え口を開く。

「『人』を見せるとしたら、わたしならドキュメンタリーかなって」他に方法を知らないということもあるが、そこは口を拭っておく。

「ドキュメンタリーなら密着するのに時間はかかるけど、特殊な映像処理は必要ないのでお金はかからないかも。ほら、これ」と鞄からいつものカメラを出す。

「帝都でも長期の密着取材はこれ一つ持って対象に張り付いてるのが基本なんです。カメラマンを手配するのは画になるイベントが発生するときくらいで」

「ああ、以前もそんなこと仰ってましたね」

リカが取材カメラマンを連れてくるのは、ハンディカメラだけでは押さえるのが難しい映像が発生しそうなときだけである。先日のＣＭ撮影もヘリを飛ばすという話だったのでカメラマンが同行した。

「でも、基本的にはお金をかけられないのでこれなんです」

言いつつリカは構えたカメラを振った。

「だから長期の野外ロケとかじゃない限り、ドキュメンタリー仕立てはドラマ仕立てよりお金がかからないはずなんですけど……セットも必要ありませんし」

なるほど、と空井が頷いて腰を上げた。

「ちょっと待っててください、片山一尉と比嘉一曹を呼んできます！」

駆け出していく空井は少し元気づいたようで、リカはほっとしてその後ろ姿を見送った。


「稲葉さん、ナイス！」

片山が手を打ち、比嘉も「いいですね、それ」と頷いた。

手放しで誉められて、提案したリカのほうが若干腰が退けた。

「でも、三十秒でドキュメンタリー仕立てっていうのはちょっと無理があるかも」

「いや、テロップやナレーションを巧く使えば大丈夫だと思います」

そして比嘉が片山に「どうですか」と判断を振った。片山は広告代理店の研修経験がある。

「行けると思う、三十秒ってけっこうストーリー入るぜ」

ただ、と逆説。

「CMのためにそれっぽい話を作るのは嫌だよな。ちゃんと裏付けのある話を元にしたい」

「そうですね、そうでないとわざわざドキュメンタリー風にする意味が薄れてしまいますし」

「撮影のことを考えるとできれば関東周辺だよな。若い隊員で誰かモデルになるような奴……」

活発に意見を交わしはじめた先輩二人に、空井も負けずに食らいついた。

「入隊の理由はどうですか？　それなら大袈裟じゃなくても個人個人にそれなりに小さいドラマがあると思うんですけど」

リカも聞いていておっと思ったが、片山も「それだ」と空井を指差した。

「切り口次第でいくらでも物語になるぞ。お前けっこうストーリー的なセンスあるよな」

そうですか、と照れた空井に比嘉も頷いた。

「CM作成の意図にも合致しますよ」

特に若い層へアピールしたいという自衛隊CMは、自衛隊を身近に感じてもらうほかにも入隊希望者の増加を促したい狙いがある。だとすれば入隊理由は自衛隊という進路に気づいてもらうという意味でいい切り口だ。

「実際に自衛隊に入ってまもない若い隊員の入隊理由なら、自衛隊を身近に感じてもらうこともできるかもしれません」

「視聴者に共感してもらえるようなバックボーン持った奴って誰かいるかな？　見映えもいい奴じゃないと」

「両立する人材を捜さないといけませんね」

話し合いが活発になってきたところで、リカの携帯がマナーモードで鳴った。メールだ。確認して腰を上げる。

「すみません、そろそろ社に戻らないといけないので失礼します」

あっと空井が腰を浮かせるが、「いいから」と押しとどめる。

「それより相談の続きをどうぞ。また取材させてもらいますから」

リカはさっと荷物を取って応接室を出た。だが、エレベーターホールで空井に追い着かれる。

「ありがとうございました！」

相変わらずの綺麗なお辞儀で礼を述べた空井は、最初のしおれた様子とは打って変わって溌剌《はつらつ》としている。

「稲葉さんのおかげで目処が立ちそうです。みんなけっこう本気でへこんでたので」

「いえ、そんな大したことじゃ……」

「大したことですよ！」

力説する空井に笑いがこみ上げた。——この人はわたしにしてくれたことを何だと思ってるんだろう、とおかしくなる。

自衛隊の取材担当になったのに自衛隊を毛嫌いしていたリカを解きほぐしたのは空井だ。特集で広報室を取り上げる案も、パイロットから転向して慣れない広報業務に体当たりで取り組んでいた空井と接していなかったら思いついていなかった。

何でも訊いてください。——稲葉さんに理解してもらうことが僕の仕事なんです。

戦闘機をどうせ人殺しの機械だと突っぱねて衝突した後のことだ。空井はリカにそう迫った。それまではどこか頼りなかったのに、まるで人が変わったように意欲的になった。

ブルーに乗れてたはずだったのにと号泣した空井は、リカと同じで第一志望をリタイヤした者同士だったのに、先に立ち直って歩き出した姿に圧倒された。

きっと取材の方向性はそのとき決まっている。

『お母さんとぼくの社会科』の借りもありますから。こちらからも少しは返さないと寝覚めが悪いです」

「貸しだなんて思ってませんよ、そもそも何もしてませんし」

「一方的な利益供与は受けません」

少しおどけて突っぱねると、空井が吹き出した。「何かカリカリしてた頃、ありましたねぇ。室長にも散々からかわれて」そこはあまり思い出してほしくない。

「CMの作成が一段落したら、広報室の特集のことでまた相談させてください」

「ああ、前にも仰ってましたね。すみません、CMのほうが長引いちゃったもんだから」

空井が決まり悪そうに頭を掻く。

「何なら室長や班長と相談してくれてもかまいませんよ」

「いえ、空井さんに相談に乗っていただきたいので」

強い指名に空井は少し戸惑ったようだが、はにかんだように笑いながら頷いた。

＊

ＣＭの主人公として関東近県の基地広報に若い隊員の推薦を募ったところ、思いのほか多数の推薦が集まり、急遽書類選考のような真似をすることになった。

鷺坂も加わったその選考で、全員の支持を集めたのは入間基地に勤務している新人女性整備士である。藤川秋恵《ふじかわあきえ》という二十二歳の士長だ。

「いいじゃないか、カメラ写りもいいし。ちょっと女優のナナコに似てるよな」

ミーハー丸出しでそう評したのは鷺坂である。

「テレビ映えがするから入間の広報も取材の案内役でよく使ってますよ。私も何度か立ち会ったことがあります」

比嘉の説明に片山が「まだちょっと乳臭いけどそこがいい。潜在能力を感じさせるよな〜」とオッサン丸出しの感想を述べた。

そしてまじまじ見つめていた空井に気づいて「何だよ」と顎を煽る。空井はヘッと唇の端っこで笑った。

「自分が三十過ぎたらちゃんと言動を慎もうと思って」

「何が言いたいんだ、コラ」

「いやもう、ただのスケベジジイだし今の発言」

何だと、と片山がいきり立ってぎゃあぎゃあ口論に突入するのは最早いつものことである。

しかし、と鷺坂が二人の騒ぎを完全に無視して首を傾げた。

「志望動機はドキュメンタリーとして印象的なんだけど、本人はCMで動機を語られるのはOKなのかい？」

幼い頃に病気で亡くなった父親が輸送機パイロットとして入間基地に勤務しており、藤川士長は父親と同じ航空自衛官の道を志して入隊したという。

現在は亡父の乗機であったC－1輸送機の整備も手掛けており、ドキュメンタリーにするなら出来すぎなほどの着地点だ。

「本人は了解済みだそうです。お父さんのことを取り上げてもらえるのは嬉しいとのことで」

「うちの娘、俺が死んだらそんなこと言ってくれるかなぁ」

片山が少し遠い目になり、比嘉が「うちは絶対言ってくれますよ」と自慢した。この辺は空井には入り込めない話題だ。娘に好かれてるかどうかってそんなに気になるものかなぁ、とあまり共感が湧かない。

「ともあれ、そういうことなら全力でいいものを作るのが協力に応える何よりの道だろうな」

鷺坂の言葉で藤川士長の抜擢《ばってき》が決定した。


片山がＣＭコンテを切るために藤川士長のプロフィールの聞き取りに行くことになり、空井も同行を命じられた。

「お前、意外といいアイデア出すからな。手伝わせてやる」

手伝ってほしいなら手伝ってほしいと素直に言えばどうか、というのは言ってもカエルの面に水なので空井も文句を言わずに従った。

公務ということで課業中に時間を取ってもらい、聞き取りの場所は整備小隊の休憩室だ。

「実家も入間市内なんですね」

メモを取りながら尋ねた片山に藤川士長が「公団ですけど」と頷いた。

「父が亡くなったので官舎は出なくちゃいけなかったんですけど、父が最後に勤務した入間から母が離れたがらなくて。父のお墓も市内なので、外泊で実家に帰りがてらよくお参りしてます」

「例えば、お墓参りの様子を撮影させてもらったりすることは可能ですか？」

「大丈夫です」

他にも差し支えのない範囲でプライベートな話を聞く。

「自衛隊員としての目標はありますか？」

これは空井からの質問である。

「今のところは整備の技術を上げることですけど……」

そう答えてから藤川士長は少し考え込んだ。やがて「……お父さんが」と言いさして「父が」と慌てて言い直す。ぽろりと漏れた油断に聞き取る側は思わず和んだ。

「父が亡くなったときの階級が一尉だったので、そこまで昇進したいです」

頑張ってください、と聞き取りを畳んで引き上げ、駐車場に向かう途中で片山が壊れた。

「うおお、泣ける〜〜〜！」

突然隣で吠えられ、空井はぎょっとして片山を振り向いた。

「何なんですか、急に！」

すると、片山は冗談ごとでなく涙目になっている。

「一尉のときに親父さんが亡くなったって言ってたじゃん。俺と同じ階級だよ。亡くなった年齢も俺よりちょっと上なだけだったじゃん。今のうちの娘とそんな変わらないくらいの年頃に親父さんと死に別れたんだよなぁ。きついわこれ」

片山の長女は小学二年生だった筈だ。藤川士長は小学校の四年生で父親を亡くしている。

「もし俺が子供たちを遺して今死ななきゃならないとしたらって思うとさ。ダメだ、マジ泣ける。親父さんはさぞかし無念だっただろうなぁ、成長した娘の姿を見られないなんて」

同じ親として亡父にシンクロしすぎたらしい。

「俺はもうダメだ、帰りはお前が運転しろ」

実際に会う前は潜在能力がどうのこうのとオッサン丸出しだったくせに、と呆れつつ、父親としての良心がヨコシマな気持ちを押し流したのだろうと空井は好意的に解釈してやることにした。

親心に火が点いた片山の気合いは凄まじく、ディスカッションを重ねながら描き上げたコンテは没になった前作に優るとも劣らない出来だった。

そして一般視点のチェックがほしいということでコンテをリカに見てもらうことになり、リカが防衛省に立ち寄ってくれたのはコンテが完成した翌日である。

「どうでしょう、稲葉さん」

空井はコンテ用紙をめくるリカの表情を窺った。

「……とてもいいと思います」

しゃ！　と片山が無言でガッツポーズをした。

冒頭は「お父さんへ。わたしはお父さんと同じ航空自衛官になりました」という藤川士長本人のナレーションで始まり、藤川士長の階級と年齢、所属部隊をテロップで紹介する。

そして整備士として働く姿をクローズアップし、途中で上官に叱られる場面が入る。

「今日は久しぶりの外出です」と市街を歩く私服姿を追い、追っているうちに藤川士長が霊園へ。

そして墓前で手を合わせる姿にナレーションが重なる。

「まだ失敗も多いけど、ついにお父さんが乗っていた飛行機を整備できるようになったんだよ」

拝み終わった藤川士長が立ち上がり、空を見上げる。下から煽って背景が全面空になるように藤川士長を画面に収め、「これからも見守っていてね、お父さん」とナレーション。そして最後のテロップが空に出る。『守りたい、この空を。――航空自衛隊』

「何かご指摘はありませんか」

比嘉の質問にリカはううんと悩みつつ、またコンテを最初からめくった。

「途中の叱られる場面で女性士長が涙するとなってますけど、素人さんに泣く演技は難しいので肩を落としているとかにしたほうがいいと思います。できれば顔も映さない方向で。下手に演技した表情を見せると興醒めになるかも」

なるほど、と比嘉がメモを取り、片山がコンテに赤を入れた。

「もしよかったら、この女性を取材させてもらえませんか？」

リカの頼みに空井は首を傾げた。

「それはすぐに問い合わせてみますけど……一体どういう？」

「働く若い女性を取り上げる十五分程のコーナーを『帝都イブニング』で立ち上げたんですけど、そちらに。全十回を予定してるんですが、職業のバリエーションを付けるのが難しくて」

それは願ってもない話である。

「本人のOKが取れたらそれはぜひ」と答えた空井に、「ちょっと待った」と片山が割り込んだ。

「もし取材が実現したら、CMのことも取り上げてよ」

ドキュメンタリー仕立てのCMに実際のドキュメントが重なれば効果は倍増である。とっさの押しの強さはさすがだ。

「分かりました、それではご本人の許可が出たら」

リカはそう約束して帰っていき、空井はさっそく入間基地に連絡を入れた。

＊

結果として、ＣＭの撮影には帝都テレビの取材も入ることになった。自衛隊ＣＭに出演するという要素を特集の締めに持ってくることになったらしい。

最後に空を背景にするので、墓参りの撮影は雨天順延である。その事情を知って、入間基地の気象隊が腕によりをかけて気象観測してくれたというのは余談である。

これで気象予報を外したら入間気象隊の沽券《こけん》に関わる、責任問題だと笑い話になったが、当日は無事晴れた。

途中で仏花を購入するシーンなどを取りながら藤川士長と制作会社の撮影隊、帝都の取材班は昼前に霊園に到着したが、空井と比嘉は先に霊園に入っていた。撮影で墓前を騒がすのでせめて掃除を念入りにさせてもらおうと、アテンドを片山に任せて先に掃除をしていたのである。霊園の管理会社が入っているのでそれほど散らかってはいなかったが、そこは気持ちだ。

撮影や取材のスタッフとともに到着した藤川士長は、慣れた様子で水場から共用の掃除道具を持ってきたが、先に掃除をしてあることに気づいたらしい。

礼を言われていやいやと先着組が恐縮するやり取りを帝都の取材班が撮っていたので、特集にこの光景も使われるのかもしれない。

没になったCMでは制作会社が衣装を用意したが、今回はドキュメンタリー風なので藤川士長は私服である。下から煽るのでパンツで、と指定が入っただけだが、白いコートを羽織った藤川士長の服装は若々しく爽やかで、何の問題もなかった。

藤川士長が墓石の影から何やらプラスチックのケースを取り出した。空井と比嘉も掃除をしているときに気づいていたが、一体何が入っているのかと不思議に思っていた。

開けると中には花鋏《はなばさみ》や線香、ライターが入っている。

取材班側からリカが「それは?」と尋ねると、藤川士長は「家族が思い立ったときにお参りに寄れるように、お墓参りに使う道具を置いてあるんです」と答えた。

頻繁に墓参りをするという話だったが、体験に基づいた家族の工夫だろう。

「たまにお線香がしけってたりしますけどね。そういうときはお線香は省略しちゃいます」

花を生ける藤川士長に、リカが雑談のような何気ない間合いでゆったりインタビューを進める。意外と聞き上手だなと空井はその様子を眺めたが、仮にも記者経験のあるリカに対しては失礼な感想かもしれない。

「今は簡単にお墓参りに来られるけど……入間から転勤したらちょっと寂しくなるかもしれないです。やっぱり父の存在が心の支えになってるので」

そんなことをぽつりぽつりと話しながら藤川士長が花を生け終わった。そして線香に火を点け、拝む。そのときは取材のカメラが少し離れて墓前の姿を撮った。

CMの撮影でもう一度手を合わせてもらわねばならない。カメラが近くまで寄ったりするので落ち着けないだろうと、お参りを済ませてからCM用に画面を作ることになっていた。

藤川士長にポーズを取ってもらい、カメラの位置やレフ板の角度を合わせる。

そのとき奇跡が起こった。

ジェットエンジンの音が遠くから迫り、空井は見上げて目を瞠った。

C－1だ。しかも——進路からすると、墓の直上をフライパスする。

「あれ撮って！」空井はとっさに叫んだ。

「藤川士長と一緒に！　早く！」

藤川士長も信じられないような顔で空を見上げている。

「お父さんの乗ってた輸送機です！」

ようやく事情が察せられ、CM撮影班が慌ただしく動いた。

地面にほとんど這いつくばるようにカメラマンが藤川士長の前に滑り込み、マイクやレフ板も周囲に展開する。帝都の取材班もそれを邪魔しない角度からすかさずカメラを構えている。

全員が息を詰めた。咳払いすら憚られるような緊張の中、C－1が飛来する。基地が近いので着陸コースに入り、高度はごく低い。空を覆い尽くすように巨体が迫る。

ジェットはもう轟音《ごうおん》の領域だ。そして——

迷彩の太い機体が藤川士長の頭上を通過する。

ジェット音が遠ざかるまで、誰も一言も発しなかった。まるで敬虔《けいけん》な祈りのように全員が沈黙していた。

やがて、帝都の取材カメラが藤川士長の近くに寄った。俯いた藤川士長は目元を拭っている。

取材班としては見逃せない表情だろう。

片山が隅っこで「俺はもうダメだ」と比嘉にすがりついているのは、また勝手に感情移入してこみ上げたらしい。

「……飛行機、手配されてたんですか？」

リカに訊かれて、空井は「まさか」とぶんぶん首を横に振った。

じゃあ、とリカが笑った。

「あれはお父さんの餞《はなむけ》ですね」

眩しいような笑顔に思わず見とれた。餞という言葉はこの出来事を最も的確に表現している。餞のＣ－１、航空自衛隊にはこのうえなく似つかわしい奇跡である。

「藤川士長に特集の録画ＤＶＤをあげてもらえませんか？」

ＣＭのほうは広報室から渡せる。きっと仏前に供えたいはずだ。

「それくらい気が回らないと思われてるなんて心外ですね」

リカはわざとらしく難しい顔をして、二人で同時に吹き出した。


制作会社はＣ－１を見送って涙をこぼした藤川士長の表情を撮影してあったが、片山の一存でＣＭには採用しなかった。

「帝都の特集取材のほうならいいけど、こっちはドキュメンタリー仕立てとはいえＣＭだからな。演出としてあの純粋な涙を使っちゃ駄目だろう」

そんないいことを言いつつ「涙に頼るまでもなく俺のコンテは充分見応えがあるはずだ！」と誇るのは照れ隠しもあるのだろうが、半分は本音だと空井と比嘉の間では見立てている。

完成したCMはコンセプトのとおりドキュメンタリータッチで編集されており、見応えのある内容になっていた。藤川士長本人のナレーションはややたどたどしいが、そこが却ってリアルさを感じさせる要素になっている。

ナレーションは「お父さんへ。わたしはお父さんと同じ航空自衛官になりました」と始まり、制服姿の藤川士長が敬礼をしている全身像が映る。横には『藤川秋恵士長・二十二歳・整備隊』とテロップが入っている。

続いて業務中の光景だ。額に汗して工具を振るっている整備作業中の姿に始まり、同僚と談笑している食事中の様子なども映る。そして「藤川！」と上官に呼びつけられ、叱責を受ける姿。「すみません！」と頭を下げたところで場面が切り替わる。

「今日は久しぶりの外出です」というナレーションで、街を歩く私服の藤川士長。途中の花屋で花を買い、到着したのは墓前だ。

手を合わせる横顔に「まだ失敗も多いけど、ついにお父さんが乗っていた飛行機を整備できるようになったんだよ」とナレーションが重なる。そして藤川士長が立ち上がって空を見上げ――最後のC－1のフライパスは圧巻というしかなかった。そしてこのシーンではナレーションを変更している。「これからも見守っていてね、お父さん」のはずだったが、「お父さん」と一言呼びかけるだけだ。思いがけずC－1を映り込ませることができたため、それを最大限に活かす意図でナレーションをシンプルにしたのである。

「こいつは出来物だなぁ」

応接室のテレビで完成CMを観終わった鷺坂が唸った。

「あのC－1は奇跡と言うしかないですよ。確かに航路は通ってるから霊園の上をかすめることはあり得ますけど、まさかピンポイントでお墓の真上なんて」

熱弁する片山に鷺坂が微笑を浮かべた。

「広報をやってると、たまにそういうことがあるんだよ。信じられないようなタイミングの良さが重なることがある」

なぁ、と鷺坂が窺ったのは比嘉だ。比嘉も笑って頷く。

「たまにありますね」

比嘉は広報経験が長いので、思い当たる節がいくつかあるらしい。片山が少し悔しそうな顔になった。

「スタッフ全員がいい結果を出そうと頑張って頑張って頑張って頑張って、全力を振りしぼったような企画のときに、ひょいっと神様が風を吹かせて一押ししてくれるんだよ」

「神風って奴ですか」

そう訊いた片山に「そういう神風があってもいいやね」と鷺坂は頷いた。

「片山のコンテはC－1がなくても充分に良かったけど、お前たちが一生懸命だったから神様がおまけをくれたんだろうよ。もしかすると天国のお父さんかもしれないけどな」

空井はほとんど無意識に口を開いていた。

「稲葉さんがそう言ってました。お父さんの餞だって」

その言葉を噛みしめるように全員の言葉が途切れた。

「……神風吹いちゃったし、これ以上の企画なんてもうやれないかもしれないなぁ俺」

しんみりした自分が気恥ずかしくなったのか、片山がおどけたように頭を掻いた。すると比嘉が「そんなことありませんよ」と笑った。

「片山一尉の熱意があれば何度でもこんな企画がやれますよ、きっと」

「ばっ……か、謙遜だよ謙遜！　察しろ！」

片山は乱暴な口調で怒鳴ったが、照れているのが見え見えである。

「で、このCMいつ公開するの？」

鷺坂の質問には空井が答えた。

「稲葉さんが『帝都イブニング』で藤川士長の特集を作ってくれるので……その放映を待とうという話になってます。特集の最後をCM撮影の光景にするということなので、CMの公開情報を入れてもらおうと思って」

「どこまでも神風だなぁ、そりゃ。『帝都イブニング』のドキュメントコーナーと連動できたら話題になるぞ」

鷺坂が目を丸くする。

「最初のCMが没になったときはどうなることかと思ったけどな」

聞くと鷺坂は昨年のCMの使い回しをしなければならないかもしれないとまで覚悟していたという。

「火事場の馬鹿力でこんなリカバリーができるんなら常に窮地に落ちてろよ」

「他人事《ひとごと》だと思って気楽なこと言わないでくださいよ、室長！」

片山のブーイングに鷺坂はどこ吹く風で、空井と比嘉は顔を見合わせて吹き出した。

＊

その後も神風は吹き止《や》まなかった。

「ホントですか、それ！」

思わず訊き返した空井に、リカは電話の向こうで「嘘なんか吐《つ》きません」と答えた。

藤川士長を取り上げた特集で、最後に実際のＣＭを三十秒フルで流してくれることになったという話だった。

「デスクとも相談したんですけど、構成の流れからして視聴者は実際のＣＭを観たいはずだってことになったので……だからＣＭの録画データをお借りしたいんですけど。公開情報のテロップもお約束どおり最後に入れますから」

「喜んで！　もうどこにでも持って行きますよ、そんなの」

その話を片山に知らせると、「でかした！」と渾身の力で背中を叩かれ咳き込む羽目になった。もはや暴力だ。

特集は『ワーキングガール物語』というシリーズタイトルがついたコーナーの六回目での放送である。毎回副題が付くが、藤川士長のその回は『餞のＣ－１輸送機』だった。

「いいタイトルですね」

広報室で一緒に放送を観ていた比嘉が誉めたが、空井としてはああやっぱりな、と腑に落ちた。リカはこんなタイトルをつけると前もって知っていたような気さえする。

C－1を整備する藤川士長の様子から始まり、C－1の説明に絡めてナレーションが藤川士長を紹介する。関わっている空井たちにはこのC－1が最後への伏線だなと既に分かる。課業中や休憩、自由時間まで密着し、要所要所で質問を挟んでコメントを引き出す。生い立ちも本人の口から語られた。

私が小学生の頃に病気で亡くなった父がC－1のパイロットだったんです。よく一緒に遊んでくれて、すごく面白いお父さんでした。くっだらない一発ギャグとか得意で、いつも家族みんなを笑わせてました。でも、基地のふれあいイベントを観に行ったとき、C－1の説明をしてる姿がかっこよくてびっくりしました。こんな大きい飛行機に乗ってるんだ、っていうのもびっくりで……

高校で進路に迷ったとき、亡くなった父親のことが思い浮かんだという話だった。空井たちも同じ話を聞き取りのときに聞いている。

仕事の失敗で上官に叱られたり、落ち込んだりする姿も映しながら、「でもお父さんの飛行機を整備できるようになって嬉しい」と藤川士長が語る。

そんな藤川士長が航空自衛隊のCMに抜擢されることになった、とナレーションが語り、CM撮影の現場が紹介される。CM出演についての感想を聞き出しつつ、墓参りの撮影である。

『そしてそのとき奇跡が起こった』とナレーションが語る。そして藤川士長の頭上をフライパスするC－1の光景。

『偶然通過した航空機は父親の乗っていたC－1輸送機だった。天国の父から同じ道を選んだ娘への餞だろうか』――そして画面には藤川士長の涙する姿がアップになる。

そして完成したＣＭが紹介され、公開情報がラストにテロップで記された。ＣＭ公開に向けてこのうえない追い風である。

ＣＭの反響はまず内部から現れた。自衛官の募集広報も担当する自衛隊地方協力本部で、募集用の広報材料として空自ＣＭが使用されることになった。『帝都イブニング』で特集された実績を合わせて紹介すれば効果的なのではと見込まれたが、実際に説明会での評判も上々だという。

航空自衛隊のホームページで公開したところ、「航空自衛隊・ＣＭ・帝都イブニング」などのキーワードで検索するアクセス数が増え、世間的にもかなりの反響があったことが窺えた。

各種の動画投稿サイトに投稿されたのはご愛敬だ。つまらなければ無視されるのだからむしろ大健闘である。

自衛隊ＣＭはすぐにこれといった結果が現れるものではないが、近年まれに見る大成功の例と言えるだろう。

その順境に鋭い逆風が吹いたのは、二月も半ばに差しかかった頃である。

＊

その日、空井が出勤すると二番乗りだった。一番乗りは常に報道班の誰かである。新聞各紙のクリッピングを室長が出勤するまでに終わらせておくため、当番の者は早朝に出勤している。

今日の当番は柚木だった。

「よっ、早いわね」

作業台で新聞をめくっていた柚木が軽く手を挙げる。手元の鋏を取り上げたのは、自衛隊関連の記事を見つけたらしい。最近は某国のミサイル発射実験が頻繁なので関連記事が多い。撃つと仄《ほの》めかしては撃たなかったり、前回は撃たなかったが経済封鎖を解かなければ今度こそ撃つかもしれないと声明を出したり、ほとんど『撃つ撃つ詐欺』の様相を呈してきている。

「手伝いましょうか」

「ありがと」

にこっと笑った柚木は、空井より十歳近く上とは思えないほどかわいらしい。最近は残念度が減少傾向にあるので柚木が普通に美人に見える瞬間が増えている。

向かいの作業スペースに座り、空井は柚木がまだチェックしていない新聞を取った。自衛隊の記述を探しながらめくっていく。

新聞でどんなふうに自衛隊が取り上げられているか、という長期観測資料としてクリッピングは重要な作業だ。

「最近どうですか?」

「んー、やっぱり国防論が活発に取り沙汰されてるときは自衛隊に触れる記事も多くなるわね。もちろんいい取り上げ方ばっかりじゃないけど」

「やっぱり厳しい意見もありますか」

「でもまあ、無視されるよりは議論されるほうがいいわよ。国防について意識が高まるのは悪いことじゃないしね」

そんなことを話しながらお互い新聞をめくっていると、三番乗りが出勤してきた。槙だ。

「あ、何だ」

朝の挨拶より先に拍子抜けな呟きが飛び出し、どうしたのかと空井が窺うと柚木がにやにやと笑いながらからかった。

「もしかして手伝ってくれるつもりだった？」

「ええまあ。あなたクリッピング遅いから」

「だから早く来てんのよ、えらいでしょうが」

誉めて誉めてと言わんばかりの柚木に、槙は素っ気なく「当たり前でしょう、そんなこと」と流した。

「女は誉めて伸ばすもんよ」

柚木はむくれたが、多分空井がいなければ素直に誉める展開になっていたと思われるので空井は思わず首をすくめた。図らずもおじゃま虫になってしまった。

席に荷物を置いた槙が給湯室へ向かう。

「空井もコーヒーでいいか？」

「あ、はい、すみません」

すみませんというのは気持ち的には二重の意味がかかっている。

「ミルクと砂糖どうする」

「あ、両方お願いします」

空井が答えると柚木が「やーいおこちゃま」と嬉々としてからかった。

「いいじゃないですか、甘いの好きなんですよ」

「女の子とデートするとき様にならないわよ」

余計なお世話だ、と思ったら槙から柚木に突っ込みが入った。

「あなたがミルクも砂糖も入れないのは成人病対策でしょう」

「ダイエットって言えや、せめて！」

柚木はキレたが空井は思わず吹き出した。槙は柚木の痛いところを衝くのが異常に巧い。

甘いコーヒーをすすりながら新聞のチェックを進める。そしてそのコラムは突然空井の目の前に躍り出た。

一読しても内容が頭に入ってこず、読み直した。都内でホームレスの就職支援団体を組織しているという人物の書いたものだった。

……当団体では主に派遣切りに遭って住所不定無職の失業者を受け入れ、就職活動を支援している。お陰様で都内では知名度も高くなってきた。最近はかなりの数の求人募集が持ち込まれるようになり、ありがたい限りである。就職説明会を開いてくださる企業も多くある。

しかし、先日とんでもない求人が舞い込んできた。何と自衛隊である。

アメリカなどで貧困のために選択の余地のない人々を軍隊にスカウトする例があるが、ついに日本でも同様のことが始まったのかと慄然とした。

来てしまったものは追い返すわけにも行かない。一応は説明会の許可を出す。しかし、施設の入居者相手に上映された募集ＣＭを観て愕然とした。

亡父と同じ進路を選んで自衛隊に入隊した女性が主人公である。まるでいい話であるかのように女性の入隊の経緯が紹介されており、戦争賛美としか思われない内容だ。

聞くと、テレビニュースでも紹介されたという。自衛隊の姑息なイメージ戦略にマスコミまで踊らされているのかと暗澹たる気分になった。そもそも、このエピソードが捏造でない証拠などどこにもないというのに何たることか。

入隊したら働きながら勉強したり資格を取れる制度がある、と募集担当者は美辞麗句を並べているが、そんな約束がどこまで守られるのかはまったく疑わしい。

これは軍隊による経済弱者の徴発といっても過言ではない。今にも世間に軍靴の音が聞こえてきそうである。

経済の疲弊は弱者を搾取する構造を作り上げる。他にも……

完全に手が止まり、固まった。こんな文字列はこれ以上一秒たりとも見たくないのに、そこに目が貼りついたまま離れない。ページをめくることもできない。

「どしたのよ」

あまりに長く身動きしなかったためか、柚木が怪訝にこちらを窺った。

「何か長い記事でもあったの？」

答えることができずに、無言で新聞を柚木に突き出した。全国紙の一つだ。受け取った柚木が紙面を探し、槙も一緒に覗き込む。

「何よ、これ」

柚木の眉間に見事な縦皺が刻まれる。

「この筆者が自衛隊嫌いだということはよく分かったけどな……」と槙も渋い顔だ。

「公正な意見とは思えないけど、新聞や出版媒体に活字で発表されると信憑性《しんぴょうせい》があるから載っていると思われることがあるのが辛いところだな」

何か応じようとして、喉にかすれた声が引っかかった。何かの固まりが喉に詰まったかのような鈍い痛みは知っている、これは泣き声がつかえてにっちもさっちもいかないときの——

ああ、俺、泣きそうになってるんだ。現象から逆算して気付き、一気に動揺した。

「すみません、ちょっと」

ようようそれだけ言い残し、空井は作業台を立った。逃げるように部屋を出てトイレに向かい、個室に立てこもる。

畜生っ……

涙こそこぼれなかったが、目が燃えるように熱かった。どうして——

どうして、相手が自衛隊だからといってあんなひどいことが言える。

一人の女性が少女の頃に亡父を偲《しの》んで同じ道に進んだという、他の仕事であれば親子愛として受け入れられるはずのエピソードが、どうして自衛官だと社会悪のプロパガンダのように言われなければならない。

しかも捏造なんて。

自分たちと絶対に相容れない人々がいるということは知っている。自衛隊というだけで無条件に嫌われることさえあるということも知っている。

だが、自衛官だからといって藤川士長の生い立ちまで捏造かもしれないと誹《そし》りを受けなくてはならないのか。

父親との思い出が隊で取り上げられて嬉しい、とCM出演に応じてくれた藤川士長の顔が思い浮かんだ。

どうかあの心ない文章が彼女の目に触れないように。空井はそれだけを祈った。

＊

だが、逆風はそれだけにとどまらなかった。

コラムを書いた就職支援団体の代表者が帝都テレビの朝のワイドショーに出演したのである。時事問題のコーナーで失業問題を取り上げた中のインタビューだった。専門家としてコメントを求められたのだろう。

インテリめいた容貌の熟年男性がスタジオに登場した。文化人として売っている女性タレントがインタビュアーである。

代表者はコラムに書いたのと同じ内容を滔々《とうとう》と語った。不況の悪影響として自衛隊の求人募集が来た、といかにも由々しいことのように。

女性タレントも調子を合わせた。

「職がない人に付け込むなんてひどいですね。いくら就職に困ってたって、自衛隊に入りたい人なんかいませんよねー」

他の職業の求人募集でこんな発言をしたら大問題になるだろうに、これを平気で言い放てるという時点で自衛隊は世間の職業よりカーストが一段下になっている。

「失業者やホームレスがこうして搾取されずに済むように、我々の運営するシェルターがあるのです。経済弱者の搾取は何としても阻止しなくてはなりません」

代表者はいっそ誇らしげなほどである。

「ンだよ、そりゃ！」

録画した番組を放映日の午後にCM班と鷺坂で閲覧していたが、とうとう片山が爆発した。

「自衛隊に入るより無職で食うに困るほうがまだマシだとでも言いたいのかよ、こいつらは！」

「まあ、そりゃあ個人の主義主張の問題だから自由だけどね」

あっさりそう流した鷺坂が「しかし」と顔をしかめる。

「インタビュアーが同調しちゃったのはよろしくないなぁ。この子、モデルから文化人枠に転向しようとしてこういう番組によく出てるんだけどさ。いかんせん、勉強が足りてなくて物言いが不用意なんだよなぁ。取り敢えずその場の意見に同調しちゃう」

「番組側の人間が全面的に同意してしまうと、それが番組の総意ということになってしまいますからね」

比嘉も苦い顔をしている。鷺坂も頷く。

「この前も安直なこと言ってお詫び騒動になってたよ。こういった番組には向いてないと思うんだけどなぁ。そもそもこの代表者があげつらってるのは同じ帝都のドキュメンタリーじゃないか。自社番組をけなすような意見に考えなしに同調しちゃ駄目だろう」

「どうします、抗議」尋ねた比嘉に鷺坂は唸った。

「申し入れはしないと仕方ないだろうなぁ。釘を刺す程度の効果しかないけどさ」

「……あの」

空井は初めて口を開いた。他の三人が一瞬黙り込み、鷺坂が「どうした」と応じた。

「これ、生放送でしたよね」

「そうだな、ワイドショーだし」

訊いたきり空井は口をつぐんでテレビを睨んだ。話題こそ自衛隊から離れたが、もう代表者の顔を眺めていることも苦痛だった。しかし見届けなくてはならない。

生放送だったら番組中に不適切な発言があればお詫びが入る。インタビューの最後に、あるいはコーナーの最後に、「ただいま番組内で不適切な発言があったことをお詫びします」と司会者が言ってくれたら。

帝都テレビはリカの勤めているテレビ局だ。リカだって最初はあれほど自衛隊に反発していたのに今ではかなりの理解を示してくれるようになった。リカの前任ディレクターはもっと好意的だったという。

その帝都テレビなら。

「冷静に聞けばこの代表者の発言は単なる個人的感想でしかないんだけど、何しろ肩書きがね。社会的弱者の救済活動をやってますってプロフィールを持ってる以上、自動的に善人ポジションになっちゃうからなぁ」

「自衛隊が相対的に悪役になってしまう構図ですね」

鷺坂と比嘉がそんなやり取りを交わしているのを聞きながら、空井はひたすらインタビューが終わるのを待った。

——インタビューが終わり、そのコーナーも終わったが、最後まで番組のお詫びは出なかった。別のコーナーが始まってから、空井は周りに何か言い残す余裕もなく席を立った。

*

強《こわ》ばった表情で応接室から出て行った空井を、残った三人は無言で見送った。

「……どうなのよ、あれは」

口火を切った鷺坂に、比嘉が表情を曇らせた。

「かなり参ってると思いますよ」

「空井は自分が直接関わった企画を叩かれた経験がないですからね。ダメージでかいと思いますよ。俺も『フルール』のときは自衛隊の売名とか叩かれた記事にぶつかったけど、あれはホントへこんだもん」

片山の言葉に比嘉も苦笑した。

「ひどかったですよね。事務所から賄賂を受け取って運用したんじゃないのか、とか叩いた記事もあったし」

「それは書きっぱなしの三流スポーツ紙だったよな。言い逃げだよあんなの」

当時を思い出したのか片山がぼやいた。

「空井二尉は広報勤めもこれが初めてですから、余計に今回のことはショックでしょうね」

広報以外の部署では基本的に民間との渉外が発生しないので、自衛隊へのネガティブな反応を直接受け止める機会はあまりない。広報は隊の防波堤として機能しており、空井は空幕広報室に来るまでは防波堤に守られている側だった。

「まぁ、世間のマイナス意見と対峙《たいじ》させられるのは恐いもんだからなぁ。俺は統幕に行ったときは出勤拒否症になるかと思ったよ」

統幕の報道を司る統幕報道官は三幕の広報室とはまた性質が違い、報道対応の機能しか持っていない。自衛隊全体の重大な発表や、事故や不祥事が発生したときの対応ばかりなので、接するのは攻撃的なマスコミが主体となる。広報としては千本ノックを受け止め続けるに等しい苛酷な部署だ。苛酷の度合いは鷺坂をして二度とごめんだと言わしめる程度である。

「広報やってりゃ必ずぶつかる困難だけどな。最初は仕方ない」

取り敢えず、と鷺坂は再生の終わったＤＶＤを停止した。

「番組に航空自衛隊として抗議は入れるから、藤川士長のケアをしっかりな。テレビでこういうこと言われちゃうとショックだよ」

「明日、空井を連れて事情説明がてら見舞ってきます」

答えた片山に、鷺坂が首を傾げる。

「大丈夫かね、空井を連れてって」

「最初は俺一人で行くつもりだったんですけどね」

言いつつ片山は頭を掻いた。

「空井がどうしても行くって。直接詫びたいんじゃないですかね。まぁ、空井にも何らか決着をつけさせてやったほうが落ち着くかもしれないし」

ちと心配だけどなぁ、と鷺坂は呟いたが、まあいいかと結局反対はしなかった。

＊

先日、CMのためにプロフィールの聞き取りをしたのと同じ部屋だった。

そのときは潑剌としていた藤川士長だが、今日は消沈している。

ごめん、と現れた瞬間に身を投げ出して謝りたくなったが、空井はその衝動を飲み込んだ。

いいか、お前が楽になるために謝りに行くんじゃないぞ。片山が厳しい顔でそう言った。——俺たちは藤川士長を見舞いに行くんだ。

「この度は広報に協力していただいたのに、心ない意見が出てしまって申し訳ありません」

片山が一礼したのに続いて空井もほとんど机に伏せるように頭を下げる。

「航空自衛隊として番組には抗議を申し入れました。もしCMをこれ以上使われたくないということであれば、こういうことが発生したので対応します」

それは広報室で決めてきた方針だ。藤川士長が意表を衝かれたような顔をする。

「でも、今年のCMがないと困るんじゃ……」

「去年のもので対応します。隊員の心労を押して使用するわけにはいきません」

だが、藤川士長は「大丈夫です」と即答した。

「基地の広報班にももしかしたら嫌な形で話題にされることもあるかもしれない、という説明は受けていたので。それでも志願したのはわたしですから。それに……」

藤川士長が唇を嚙む。

「これでCMを取り下げちゃったら、本当に捏造だったみたいに思われてしまうので」

もし似たような否定的な意見がまた出たらと思うとさぞや恐いだろう。だがその風評に負けるのは嫌だ、という強い意志が見えた。

でも、とその引き結んだ唇が歪む。

「何で、こんなこと言われなきゃいけないのかなって……そんなにわたしたち悪いことしてるのかなって」

唇に続いてくしゃりと顔が歪み、涙がこぼれ落ちる。

「テレビで取材までされたのに捏造なんて、他の仕事なら絶対言われないのに」

自分が思っていたこととまったく同じことを当事者から語られて、空井も思わず唇を嚙んだ。

例の代表者はインタビューでも言いたい放題だった。テレビ映えするきれいな隊員が感動的な逸話の持ち主だったなんて話が出来すぎで疑わしい、と。他の隊員の話を借りているのではないのか、と。

「わたしのお父さんの話です」

言葉は短かったが、痛ましいほどの思いが籠もっていた。大切な思い出をどうして他人のものじゃないのかなんて言われなくてはならない。

だったら出てくるな、引っ込んでいろとあの代表者は言うのだろうか。自分の組織を理解してほしいと広報することがどうしてこんなに責められる。

また目が燃えるように熱い。空井はただただ自分の膝を睨みつけた。

「ごめんな」

片山がいつもの口調で呟いた。藤川士長が首を横に振りながら嗚咽《おえつ》を漏らす。

「これ、よかったら目を通してみて。もしかしたら気がまぎれるかもしれないから」

言いつつ片山は書類封筒を藤川士長に渡した。

藤川士長と別れた帰り際、何を渡したのか尋ねると、春の募集に向けて高校で説明会を開いたとき、学校側に頼んで実施したアンケート類だという。

「説明会の今後の参考用に、説明会の感想を訊いたらしくてな。映像で引きが強かったっていうのもあるけど、ＣＭが良かったって意見がけっこうあったんだ。あとは動画サイトのコメント。『萌え』とか『俺の嫁』とか茶化した意見を見せるのはどうかとも思ったけど、好意的なことは確かだから少しは救いになるかと思って」

多少ふざけているとしても、憶測混じりの敵意よりはずっといい。

「でもまぁ、仕方ないんだよ。こういうことは諦めないと」

それは空井に向けての言葉だと分かったが、悔しさや悲しさが渦巻いて返事はできなかった。

＊

リカがそのワイドショーの一件を知ったのは放映から二日が経ってからである。

出張で地方に出ていたのだがその県では帝都テレビの系列局が放映されておらず、帰ってきてから初めて知った。

航空自衛隊からも抗議が入ったということを先輩の阿久津から聞いた。

録画を観たが、コメンテーターの意見は一方的で個人的なものだった。しかも同じ局内の番組を名指しで批判するなどあり得ない。

一番の問題は、番組のスタッフであるインタビュアーが安易に同調したことだった。その同調さえなければあくまでコメンテーターの個人的意見ということで処理できたが、番組として同意してしまったために番組スタンスがコメンテーター寄りになってしまった。

航空自衛隊から抗議が入ったのもそのためだろう。

「……どうして、番組内で謝罪が出なかったんですか」

自分の手掛けた企画が憶測で非難されたこともさることながら、自分がいない間に取材相手とこんなトラブルを起こされたことで声が震えた。信頼関係に決定的なひびが入りかねない。

「局内でお詫びを出すべきかどうか協議はされたらしいんだけどな。発言者がゲストだったことで、ゲストの意見を否定して恥をかかせるようなコメントを出すのはどうかって判断に流れた」

阿久津の苦い表情は、それでも謝罪しておくべきだったと語っている。

「せめてインタビュアーの発言だけでも謝罪すべきだったんじゃないんですか」

失業してたって自衛隊にわざわざ入りたい人なんかいない。インタビュアーの相槌は最悪だ。

「ゲストの元発言を婉曲に非難する形になるかもしれないからってことでな。批判された番組が同じ局内ということもあって身内に割りを食わせる形になったらしい」

リカは唇を噛んだ。割りを食わせたのは批判された番組やドキュメンタリーを作ったリカではない。何よりもそこで被写体になった自衛隊だ。

局内では公正なスタンスを保っているように見える阿久津でさえ、そのことには思い至らない。自衛隊だったらまあいいじゃない、どうせ元々好かれてはいないんだし大した問題にはならないよ。おそらく誰も自覚することすらなくそんなふうに棚上げしている。

自衛隊は――空井は常にそういう扱いを受けている存在なのだ。

リカはまだ国防論など咀嚼《そしやく》しきれていない。ただ、比嘉が以前言ったことが思い出された。

被害の前例を作らないと出動できないというのはあまりに悲しい。被害者を実績にしないために広報活動をしている。

そんなふうに勤めている彼らの一体何と報われないことだろう。

「外出します」

リカはそれだけ言い残して局を出た。


空幕広報室を訪ねると、空井は席を外していた。片山と比嘉がいたのでまず二人に詫びる。

「申し訳ありませんでした、この度は……」

頭を下げると、そこから視線が上がらなくなった。肩身が狭くて彼らの顔を見られない。

「今日、事態を知ったばかりだったのでご連絡も遅くなってしまって」

「どこか地方にご出張でも？」

比嘉が多分気を遣ってだろう、気軽な口調で事態から離れたことを尋ねてくれた。

「ええ、帝都の系列局がない県で……もし居合わせても何もできなかったでしょうけど」

力不足が自然と自分を卑下させた。

「室長があの女性タレントはああいう番組には向いてないいって一席ぶってたよ。降ろしたほうがいいんじゃない？　おつむの軽さと口の軽さが比例してるんじゃなぁ」

片山がインタビュアーをこき下ろしたのは、口の悪い片山流の執り成しだろう。

今さら何の足しにもならないが、番組内で謝罪を出すかどうかの検討は一応為されていたことを説明する。

応接室に通されて待っていると、ほどなく空井が現れた。

一番馴染みの顔を見て、ほっと気持ちが緩んだ。

「すみません、今回のこと……ひどいですよね、本当に」

空井に会うまで一人で抱え込んでいた怒りがようやく解放された。

「わたしも腹が立って仕方なくて。あの代表者が新聞で書いたコラムのことは知っていたんですけど、まさか帝都の番組でも同じ調子で腐すなんて。アメリカの社会問題を聞きかじって知識をひけらかしたいとしか思えません」

そうですよね、と空井は頷いた。

「稲葉さんの作った企画ですからね。それはもちろん不愉快ですよね、背中から刺されたようなものですよね」

稲葉さんの、という部分に力点が置かれたような相槌が引っかかった。

「もちろんそれもありますけど、それだけじゃなくて……」

「だってそれ以外にどうして稲葉さんが怒るんですか？」

空井の表情は静かだが、まるで拒絶するような頑なな気配を身に纏《まと》っている。

「稲葉さんだって初めて会ったころは戦闘機を人殺しの機械だって言ってたじゃないですか」

笑みさえ含んだ穏やかな声に、喝破されたように身が竦んだ。

脳裡に去年の初夏が巻き戻った。正にこの部屋で、元々は戦闘機に乗っていた空井に戦闘機のことを人殺しの機械だとあげつらった。

あのときの自分と今回の代表者のどこが違う？　あのとき自分はふて腐れたように渋々謝っただけで、決して心から申し訳なくなど思っていなかった。

振り回していた拳の先に人がいたことを不満にさえ思っていた。あんたたちがそんなところにいるからわたしが加害者になってしまったとばかりに。

空井が水に流してくれたのをいいことにあのひどい言葉を棚に上げ、いつのまにか自分は彼らの理解者のつもりにさえなっていた。

空井がリカから目を逸らし、リカも膝に目を落とした。膝の上に置いた手が細かく震えている。

さっき片山や比嘉に詫びたとき以上に――顔が上がらない。

「すみません。わたし、皆さんのお気持ちも考えないで……」

口の中で歯切れ悪く呟きながら荷物を取る。

「すみません、のこのこと」

そしてほとんど逃げるように広報室を出た。

庁舎を出るまで痛いほど唇を噛んだ。正門に向かって早足に歩きながらぼろぼろ涙がこぼれた。

空井の顔を見た瞬間、甘えた。局内で一人持て余していた憤りをようやく誰かと共有できると詫びる言葉もそこそこに。

片山や比嘉に詫びたようにどうして空井に謝れなかった。ひどいですよね、あんまりですよねとまるでその痛みを分かち合えるかのように。

自分は空井を真正面から刺した側のくせに。

恥ずかしくて恥ずかしくて、穴があったら入りたいほどだった。

6.

空飛ぶ広報室

稲葉さんだって。

*

初めて会ったころは戦闘機を人殺しの機械だって言ってたじゃないですか。

言い放った瞬間、リカの表情がひび割れた。

これほど急速に人の顔から血の気が引くところを見たことはない。傷つくことが分かっていていて言い放ったくせに、空井はリカのその顔を直視できずに目を逸らした。

すみません、と詫びた声は震えていた。

こちらこそ言いすぎました、と返せないほど暴力的な言葉を投げたことにリカの様子で初めて気づいて、舌の根が凍りついたように何も言えなかった。

リカが何を言いながら席を立ったか覚えていない。翻るスカートの裾を目の端に捉えただけだ。

「ねえ」

ややあって応接室に入ってきたのは柚木だ。

「どうかしたの？　稲葉が真っ青になって帰ってったけど」

「……別に」

後ろめたさに柚木から目を逸らす。リカから逸らし、柚木からまた逸らし。誰の目もまともに見られない。

「ちょっと！　別にって顔じゃないでしょ、それ！」

「ほっといてくださいよ！」

空井は問い詰める柚木を振り払うようにして逃げた。広報室に抜けると居合わせた全員の注目が集まる。柚木を拒んだ声は思いのほか大きかったらしい。怯んだが誰かに声をかけられる前に突破する。階段で数階下りて人気のない休憩所を見つけた。

空いたソファに腰を下ろすと、勢いに抗議するようにスプリングが軋んだ。

きっと今頃。——見たことのない泣き顔を思い浮かべて慌てて振り払う。泣きそうな顔だったけど本当に泣くとは限らない、というのは欺瞞《ぎまん》が分かりやすすぎて自分で打ちのめされた。言葉で人を傷つけた手応えをあれほど感じたのは初めてだ。

投げつけた言葉は八つ当たりにも等しい。

空井には理不尽としか思えないあのコラムから始まって、テレビ番組での我が物顔なコメント。手放しで同調した女性タレント。祈るような思いで待って、結局入らなかった番組側のお詫び。お詫びまでは言わない、せめて訂正だけでも入れば。

ことごとく裏切られて積もり積もったマスコミへの不信感が、リカの顔を見た瞬間に行き先を見つけたように膨れ上がって溢れた。

どうして稲葉さんがいるのに何もしてくれなかったんですか。

どうして今まで何も言ってくれなかったんですか。

ドキュメンタリーもＣＭもあなただから預けたのに。

あなたなら藤川士長の物語を大事に取り扱ってくれると信じてたのに。

放映から二日が経ってようやく訪ねてきたリカは空井にとっては遅すぎた。航空自衛隊からの抗議で帝都テレビの事情は概ね知れた、だがその事情を何よりもまずリカから聞きたかったのだとリカに会って気がついた。

挨拶もそこそこに憤るリカを見て、でもあなただってと気持ちがねじけた。

あなただって初めて会ったときは大概だったじゃないですか。

パイロットだった俺に戦闘機は人殺しの機械だと言い放つのと、藤川士長を踏みにじったあの代表者と、一体どこがどれだけ違うんですか。

あてこする言葉はあのときの意趣返しのように滑り出た。やさぐれた気持ちを持て余すように投げつけた。

凍りついたその表情を見るまで、自分がどれほどのものを投げつけたのか想像もつかなかった。

——もしかするとリカもあのときそうだったのではないのか。

ささくれ立った時期にたまたま居合わせた空井に捨て鉢な気分を投げつけただけではなかったのか。それはまるで機嫌の悪い犬が通りすがる人に吠えかかるように。

目の前で分かりやすく打ちのめされたリカを見て、自分が打ちのめしたのだと初めて気づいた。自分の放った言葉にそれほどの暴力が含まれていたのだと、自分はそれをリカに投げつけたのだと理解してから初めて慄いた。

きっとリカもあのとき同じだった。こんなに傷つくなんて、そんなつもりじゃなかったのに、と内心で何度も言い訳を呟いたに違いない。何故なら空井が今くり返し呟いている。

スラックスのポケットでマナーモードの携帯が震えた。

もしかしてと焦って取り出すが、単なるインフォメーションメールだった。さっきの今で何を都合のいい期待をしているのか。

こちらからかけようかどうしようかと液晶を眺めて長い時間フリーズした。

もし電話に出てくれたとして、一体何と言えばいいのか。

やり場のない怒りをやみくもにぶつけました、でもあなたがそれほど傷つくとは思わなかった、とでも？

傷つけるつもりだったけどここまで傷つけるつもりじゃなかったんです、とでも？

「……バカじゃねえの」

自分への罵倒が力なく漏れた。

以前のリカより空井のほうがずっとひどい。リカはあのとき空井と知り合ったばかりだった。よく知らない相手に後先考えずに突っかかったリカと違って、空井は知り合って親しくなったリカをあてこすった。

何度も何度も携帯の電話帳でその名前を選び、発信できないまま何度も液晶のバックライトが落ちた。


「何があったか知らないけどさぁ」

柚木にそう声をかけられたのはその日の帰りがけだ。

「さっさと謝っときなさいよ。今回の件で稲葉を責めるのはお門違いもいいとこよ。部署も違うし、稲葉みたいなぺーぺーが局のお詫びの判断なんか左右できるわけないんだから」

自分でももう分かっていることをずけずけ突く柚木の声は痛いが、その痛さは罰を受けているようでわずかに気持ちが休まる。

「大体ね、打たれ弱すぎんのよあんた。報道班なんかいつどっから叩かれてもおかしくないって前提で守備にキリキリしてんのに、この程度でへこんでんじゃないわよ」

守備の報道班が自衛隊広報の要だということは以前に鷺坂が言っていた。報道班がマスコミに対して自衛隊の印象を守ってくれてこそ、広報班が自衛隊の長所を売り込める。

「あんたたちを動かすためにあたしたちがバリケードになってやってんのよ。しょーもない連中にミソつけられたくらいでめそめそしてんじゃないわよ。あまつさえ貴重な理解者減らすような真似したら承知しないからね」

以前は一番リカとそりが合わなかった柚木だが、今では理解者と認めるまでになったらしい。最初は平気で「自衛隊の空軍」式の勘違いをしたまま乗り込んできたリカが自分たちに馴染んでくれた道程《みちのり》が改めて思い起こされた。

ここに来てその積み重ねを引っくり返した自分の言い草を思うとますますいたたまれない。

謝っとくのよ、と念押しして帰った柚木の言葉はほとんど命令に近い圧力を持っていた。その圧力を借りてようやく昼間の一件からかけあぐねていたリカの携帯に電話をかける。

電話は数回コールを鳴らしたが繋がる気配はない。留守電に切り替わる寸前に一旦切る。この状態で上手く伝言を残せる自信はない。

少し待ってからかけ直したが、今度はノーコールでいきなり留守電だ。どうやら電源を切ったらしい。

当たり前だ、と自嘲のように笑いが漏れた。もし空井がリカの立場なら、今一番聞きたくないのは空井の声だ。

せっかくの柚木の発破も不発に終わり、せめてメールでもとメールソフトを立ち上げる。だが、気がつくと思いが溢れるあまり鬱陶しいことこのうえない文面になっており、何度書き直してもどうにもならず、型通りの謝罪文しか送れなかった。

*

「一大事です」

槙が真顔でそう述べたのは、空井が小さな取材の立ち会いで外出した日の休憩時間である。

「室長が稲葉さんの顔が見えないことを気にかけてます。取り敢えずははぐらかしておきましたけど、次に訊かれたら何と答えたもんでしょうか」

「あんたの一大事は室長ベースか」

柚木が手振りをつけて突っ込んだ。

「あんた今まであの二人のことなんか大して気にかけてなかったくせに」

「だって稲葉さんのことなら担当の空井の問題でしょう。空井が自分で対処するべきです」

「情が薄いんだから！」

「むしろあなたたちが濃すぎでしょう。仕事上のトラブルならともかく個人的な行き違いなんて本人たちの問題ですよ」

確かに、と比嘉が頭を掻いた。

「周りが気にする筋合いではないんでしょうけど……どうも気にかかって」

「分かるわー、特に稲葉さん」と片山が大きく頷いた。

「何ていうか、やっと懐いた野良を間違えてぶっちゃったみたいな気分なんだよな」

「何気に失礼なコメントね、それ。あれは地域猫か」

たしなめる振りをしながら柚木もあれ呼ばわりである。

「しかしまぁ、こうして見ると稲葉ってしょっちゅううちに来てたのね」

リカが例の一件から顔を見せなくなって十日ほどだ。たった十日で部屋が分かれている鷺坂が気にかけるくらい頻繁にリカは広報室に通っていたことになる。

「よその広報室を訪ねるときでもついでにうちには寄ってくれてましたからね。週に一度は必ず来てたんじゃないですか？　集中して取材にかかると通い詰めだったし」

答えた比嘉に片山が唸った。

「それがこんだけ顔出さないとなるとなぁ」

応接室で空井と話していたリカは、何かがあったと周囲に分かるほど青い顔で帰って行った。

真相は藪の中である。

「結局何があったんです？　直後に様子を見に行ったんでしょう？」

柚木に尋ねた槙はその現場には居合わせていない。

「だから知らんっつの」と柚木は顎を突き出した。

「あたしだってほっといてくれって突っぱねられただけなんだから」

リカが出て行ってから誰が事情を訊き出すのかと瞬時に押しつけ合った結果、女性と揉めたのなら話を聞くのも女性のほうが機微が分かってよろしかろうと柚木が空井を窺いに行ったのだが、脱兎の如く逃げられた。

「一応、謝っとけとは言ったけどさ」

子供のケンカじゃないのだから、何があったと寄ってたかって問い質すわけにもいかない。以降、その一件はすっかり腫れ物扱いだ。

「でもまあ、大体想像はつくけどね」

言いつつ柚木はしかめ面で頭を掻いた。

「どうせ、稲葉さんがいたのに何でちゃんとしてくれなかったんですかとか何とか駄々捏《こ》ねたんでしょうよ。血迷って大概ひどいこと口走ってるわね、ありゃ」

「稲葉さん、顔が真っ白になってましたものね」

頷いた比嘉に「それだけじゃなくて」と柚木はひらひら手を振った。

「稲葉もだけど、空井も輪をかけてひでェ顔だったのよ。分ッかりやすくやっちまった顔」

居合わせた全員が一様に痛ましい顔になったが、「でも」と片山が逆説を投げた。

「空井のほうにやっちまった自覚があるなら、修復も早いんじゃないですか？」

「バカねぇ」

柚木は無情に一刀両断である。

「それならとっくに稲葉もまた顔出すようになってるっつの。意固地になってるほうが話は簡単だったわよ、周りが執り成せるんだから」

本人にしくじった自覚があって打ちのめされているだけに周囲は手を出しづらいところがある。むしろ自分は悪くないと凝り固まっているほうがほぐすポイントがはっきりしているだけに説得しやすい。いっそのこと「仕事なんだから四の五の言わずに関係を修復してこい」と頭ごなしに叱り飛ばすこともできる。

「そんで、空井は謝ったわけ？」

柚木が尋ねた相手は比嘉である。空井の着任当初の指導役でもあったし、未だに空井も頼っているので、微妙な問題にギリギリ探りを入れられるポジションだ。

「柚木三佐に言われてからメールは入れたようですよ」

答える比嘉の表情は煮え切らない。

「稲葉さんからも返事が来て、謝罪自体は成立したらしいんですが」

「一番めんどくさいパターンに嵌ってねェか、そりゃ」と柚木が顔をしかめた。

揉めた一件について形のうえで手打ちが成立してしまったら、わだかまりがあってもその後はお互い触れにくい。

「大体そんな微妙なこじれ方したのに何で謝罪をメールにしちゃうのよ。直接会うのはハードル高くても電話でやり取りしたほうがすっきりするでしょうよ」

「携帯に何度かかけたけど繋がらなかったらしくて」

「会社にかけろ！」

「気力が挫《くじ》けたみたいですね。どうやら個人的な行き違いのようですし、メールで済むといえば済む用件ですから。下手に喋ってこじれるほうが恐かったんじゃないですか」

と、しばらく聞く側に回っていた片山が「実は」とそぅっと手を挙げた。

「四、五日前に稲葉さんから広報室に電話があって……」

全員が一斉に片山を注目した。無言の圧力に仰け反った片山が歯切れ悪く話しはじめる。

「ドキュメンタリー用に貸してたCM映像の返却について問い合わせだったんだけど……空井に代わろうかって言ったらものすごい勢いで辞退されました」

「稲葉、怒ってるふうだった？」

「むしろ恐がってるふう」

全員が一斉に溜息をつき、比嘉がこぼした。

「いっそ怒ってくれていたほうが話が早かったですねえ」

稲葉さんまだ怒ってるぞ、もう一回謝っとけよ——とけしかけられるほうがよっぽど簡単だ。お互いがお互いに対して腰が退けており、これが両方同じ職場なら周りがそれとなくつつくこともできるが、片方が部外者なので話がややこしい。形式的には謝罪が成立しているのに第三者が仲裁すると蒸し返しているようになってしまう。

「あーもう、あいつらいっそ付き合え！　ナニ中学生みたいなすれ違いやってんだ！」

キレた柚木に片山も頷いた。

「言っちゃえば『彼女に嫌われたんじゃないか恐い』『彼に嫌われたんじゃないか恐い』って話ですからね」

「むしろ痴話喧嘩にしとけって話よ、めんどくせえ」

身も蓋もなくまとめた柚木に槙が真顔で尋ねた。

「で、室長には何て言えばいいですかね」

「あんたはあくまでそれか！」

「ええ」

悪びれない槙に柚木がけっと横を向く。

「どうせあんたは室長が一番大事なんだろうけどさ」

「いえ、そんなことは」

槙は大真面目に否定した。

「大丈夫ですよ、同じくらいですから」

何がだと柚木が盛大にキレるより先に片山と比嘉が吹き出して火に油を注ぎ、こちらは今さら珍しくもない痴話喧嘩が勃発した。

＊

空井が席に戻ってくると机の上に郵便物が届いていた。ＤＶＤ在中と表書きがあり、その品目で差出人が分かった。

裏を返すとやはりリカである。だが、宛名は空井ではなく広報室になっていた。

中身はドキュメンタリー作成用に貸し出していたＣＭ映像だ。一筆箋で簡単な添え状がついている。

長らくお借りしまして申し訳ありません。また何かありましたらよろしくお願いします。

貸し出しに対する礼ではなく詫びの言葉だったことを穿《うが》ってしまい、また宛先も穿ってしまう。広報室で貸し出したものだから広報室宛てに戻ってきてもおかしくはないのだが、揉める前なら自分宛てになっていたのではないだろうかと発想がネガティブに走る。

「空井」

声をかけたのは班長の木暮である。見ると木暮は電話の受話器を持っていた。

「帝都テレビさんから」

心臓が体に悪い跳ね方をした。気のせいか比嘉や片山もこちらを窺っているような気がする。周囲からいきさつを気にかけられていることには気づいている。

下腹に力を入れながら指示された内線を取った。

「お待たせしました、空井です」

だが、相手の第一声であっさり脱力した。声は男性だったのである。

「初めまして、帝都テレビの阿久津と申します。いつもうちの稲葉がお世話になりまして」

「ああ、いえ。そんな」もごもご答えつつ、向かいから目力で尋ねてくる片山に小さく首を横に振る。片山は何だと露骨に興味を失った。

「こちらこそ稲葉さんにはたいへんお世話に……先日のドキュメンタリーも」

「いえいえ、後日のワイドショーで粗相をしましたから局としては相殺です」

あっけらかんとした阿久津の声に、拍子抜けしたようながっかりしたような気持ちになった。航空自衛隊からは正式に抗議までしたのに、テレビ業界の人間からはこれほど軽くあしらわれる程度のことなのだろうか。それとももう終わったことだからか。

まともに衝突した自分たちがひどい間抜けのようだ。

「あの、稲葉さんから何かご伝言でしょうか」

リカとの一件が気になっていたのでついそちらに絡めて尋ねてしまったが、阿久津は訝《いぶか》しげな声で「いえ、稲葉は特に関係ありませんが」と答えた。よく考えれば空井とは一度も面識のない阿久津にこじれた一件で伝言を頼むはずもない。思考が狭窄《きょうさく》気味である。

「実は航空自衛隊さんに撮影協力のお願いを申し上げたいと思いまして。急な話ですみませんが、近々お目にかかることは可能でしょうか」

テレビ関係者が性急なのは今に始まったことではない。そして、その性急さに食らいつけるかどうかで大きな話を物にできるかどうかが決まる――ということは着任早々に立ち会ったドラマの撮影で骨身に叩き込まれた。

今日を含めて三日間の空き時間を出すと、案の定阿久津は今日を希望した。十五時からである。場所は帝都テレビだ。まだ内々の話なので外部で話したくないという。

リカと鉢合わせたらと思うと気が退けたが、いっそ顔を合わせてしまったほうがわだかまりが溶けるかもしれない。

「それでは三時にお伺いしますのでよろしくお願いします」

電話を切ると比嘉が「どうしましたか」と事情を窺ってきた。

「帝都のディレクターさんから撮影協力の申し込みです。急ぎで大きな仕事みたいなので、午後から行ってきます」

リカのツテで連絡してきたらしい、ということは何となく言いそびれた。

＊

帝都テレビに初めて来たときは広い屋内で迷子になってリカに助けを求めたが、その後何度か訪れて受付や打ち合わせブースにはスムーズにたどり着けるようになっている。

十分前行動の鉄則に従って待ち合わせ場所のロビーで待っていると、「空井さん」と太い声に呼ばれた。そちらを向くとヒゲを蓄えた恰幅の好い中年男性である。

「初めまして、阿久津です」

面識がないうえにロビーも混雑しているので携帯が鳴るかと思ったが、先方から見つけられて少し意表を衝かれた。

「初めまして、空井です。よくお分かりになりましたね」

「大体の背格好は存じてましたんでね。以前、打ち合わせブースに稲葉といるところをお見かけしまして」

それこそ初めて帝都テレビを訪れたときだ。あのときは戦闘機の体験搭乗の企画を持ち込んだ。目的の売り込みよりリカのインタビューに付き合ったほうが長かった。

「それに立ち姿が一番きちっとしてらしたんで」

移動しながらそう言われ、空井が首を傾げると阿久津は笑った。

「自衛官は姿勢が綺麗だと稲葉によく聞いておりまして。背格好のイメージと合わせて多分この人で間違いなかろうと」

リカにお辞儀が綺麗だと誉められたのもそのときだ。あのとき、リカの前で泣いた件も含めていろんなことを素直に打ち明けたような気がする。

パイロットだった自分を自然と過去形にできたのは一度堰《せき》が切れたからだ。そこに立ち会っていたのはリカだ。取材のカメラを回しておくこともできたのにそれをしまった。テレビとしてはいい画《え》だっただろうに、空井が心置きなく泣けることを優先してくれた。

それなのに自分は一体何というものを返したのかと、あのときリカと話した打ち合わせブースのそばを通り過ぎて胸が詰まった。

関係者用の喫茶室で改めて名刺を交換し、阿久津はテレビマンらしい性急さでさっそく本題に入った。

「実はこれなんですが」

阿久津が取り出したのはA4を数枚綴《と》じた書類で、空井には非常に見覚えのあるものだった。戦闘機の体験搭乗を売り込む企画書である。今でも地道に持ち込みを続けているものだ。

帝都で一度持ち上がった話は方向性が折り合わずに潰れたが、何かあったらまたお願いしますと企画書を預けていたので局内で回ってきたのだろう。

「もしかして何か機会をいただけるんでしょうか」

引きずっていた気持ちは一旦切り替えて食らいつくモードに入る。

「ええ。実はこの度『帝都イブニング』からバラエティ部門に異動になりまして。春の番組改編の目玉としてバラエティ番組を新規で始めるので、その第一回目の企画を探してたんですよ」

「番組の詳細を教えていただいてもよろしいでしょうか？」

一度潰れたことがある企画なので、やや慎重に探りを入れる。また罰ゲーム的なノリで戦闘機の扱いが安っぽい企画だったら応じられない。

「水曜十時の枠で『宙色《ソラ》バラエティ』という番組です。『宙』の初めての冠番組になります」

空井は思わず身を乗り出した。『宙』といえば今や『ＪＪ企画』の看板アイドルグループだ。空井が広報室に着任した春先にはまだ売り出し中の位置付けだったが、その後メンバーが次々とドラマや映画でブレイクした。ブレイク前からメンバー全員を把握していた鷺坂など例によって「俺は当てた」と鼻高々だ。

あちこちのトーク番組やバラエティで引っ張りだこになっていたが、初の冠番組は帝都テレビが勝ち取ったらしい。

「それはすごいですね！」

素直に感嘆すると、阿久津も素直に自慢げな表情になった。『宙』の初の番組となれば確かに来期の目玉だろう。そこに抜擢されること自体が阿久津のディレクターとしての能力を物語っている。聞くと今まで報道ディレクターとして『帝都イブニング』に関わっていたが、元々の得意分野はバラエティだったという。

「番組は体験型のロケやゲストを招いてのトークで構成します。初回は二時間拡大のスペシャルになるので、それにふさわしいインパクトのあるオープニング企画が必要なんです」

願ってもない話である。今をときめく『宙』の初の冠番組、しかも記念すべき第一回目の企画など、これ以上の条件は鉦《かね》と太鼓で探しても見つかるものではない。

「メンバーの中のどなたが乗ることになるんでしょうか」

尋ねた空井に阿久津は即答だった。

「全員です」

えっ、と空井は思わず言葉を失った。『宙』のメンバーは五人である。F－15にしてもF－2にしても、一度に五機を体験搭乗のために割《さ》くのはどこの基地であろうと不可能だ。こればかりは上層部に打診しなくても分かる。体験搭乗を許可する権限のある基地司令でさえ、年間の枠は三人しか持っていない。それも一度で三枠すべて使い切るなど前例がない。

戦闘機の体験搭乗はあくまで訓練に支障が出ない範囲で行われるものだ。情勢によっては基地司令の持っている年間の三枠さえ使用されずに終わることもある。

「それはちょっと……例えばリーダーの方だけとか」

「それは事務所側でＮＧなんです。メンバーの扱いに差をつけないことが番組の条件で」

誰か一人を際立たせることで他のメンバーが脇役に見えてしまうことを嫌っているのだろう。だが、五人全員を乗せるのは絶対に不可能だ。

「そこでご相談なんですが」

阿久津がずいと身を乗り出した。

「企画は戦闘機でいただきましたが、これをブルーインパルスにすることは可能でしょうか」

思いがけない角度からの奇襲に空井は目をしばたたいた。

六機編成のブルーインパルスなら『宙』の五人に対して機数は足りる。隊長が乗る一番機には部外者は乗せられないので、残り五機に五人でちょうどだ。

まるで狙い澄ましたかのような条件に背筋がぞくっとした。ものすごく大きなチャンスが鼻先にぶら下がっている。

『宙』といえば青でしょう。『宙』が〝ブルー〟インパルスに乗るなんて、これほど話題性のある企画が他にありますか。航空自衛隊にも俄然注目が集まりますよ」

「分かってます。もちろんです」

何度も頷きながら、空井は眉間にシワを寄せた。

「ただ、これも前例がありませんので……許可が出るかどうか」

自分にすべての権限があるなら今すぐ飛びついているような話だ。

「一度持ち帰らせてください。前向きに検討したいと思います」

せめて意欲を滲ませた回答に、阿久津は「返事はいつ頃いただけますか」と食い下がった。

「できれば三月下旬には完パケしたいんです。初回が四月中旬放映なので」

折しもカレンダーは二月をわずか数日残すばかりで、撮影が実現するとしたら猶予は一ヶ月も残っていない。

体験搭乗のためには低圧訓練《チャンバー》を含む航空生理学実習を受講させねばならない。それを考えると今すぐ段取りを開始しても間に合わないくらいだ。キリーの『報道記者、走る!』のときは鷺坂の指揮の下、一週間でドラマの撮影を受け入れたが、企画の内容からするとそれに負けず劣らずの無茶な日程である。

「三日ください。目処はお答えできると思います」

そして空井は阿久津の出した諸条件を抱え、早々に局を出た。

＊

広報室に戻ると、鷺坂は室長室に在室していた。すれ違わなかったのは取り敢えず運がある。

持ち帰った『宙色バラエティ』の話をさっそく報告すると、鷺坂は目を輝かせた。

「『宙』がついに冠番組かい！」

そこは食いつく場所が違うと思うんですけど、というのはあまりにキラキラした瞳に気圧され言いそびれた。

「どうでしょう、かなりいい話だと思うんですけど」

「当たり前だろう、『宙』の初の冠番組、しかも初回のスペシャルだよ！　うっかりしたら視聴率三〇％行くかもしれないぞ」

うきうきした様子の鷺坂はすっかり乗り気になったらしい。これで実現率が跳ね上がった。

「まさか俺が広報室にいる間にキリーのドラマに匹敵する話がもう一度来るなんてな」

「先方はかなり急ぎで、返事も三日以内と約束したんですけど」

「ま、目処くらいは答えられるだろうさ。却下されるとしたら一発却下だからな。付け入る隙が少しでもあればどこからでもこじ開けてやるよ」

鷺坂はやる気満々で指を鳴らしつつ席を立った。

「取り敢えず幕長摑まえて言質を取って来るから、お前は関係部署用の企画書を用意しといで」

こういうとき、真っ先にトップの首根っこを押さえに行くのは鷺坂の流儀である。

広報室に戻ってまた報告すると、広報班の他の面々も色めき立った。

『宙』とブルーインパルスのコラボですか、それはすごいですね」

比嘉は手放しで喜んでくれたが、片山は喜びつつもやや面白くなさそうだ。

「何でそんな大きい企画がいきなりお前名指しで降ってくるんだよ」

「以前、体験搭乗の企画を持ち込んでお流れになったことがあるじゃないですか」

「ああ、あのアサハカに先走ったやつな」

人の失敗はよく覚えている。空井は内心で舌を出した。

「あの企画書、そのときのディレクターに預けといたんですよ。だから多分そこから……」

「なるほど、失敗もたまにはしとくもんだな」

「片山一尉だって内部の段取りは失敗ばかりじゃないですか！　ていうか、後輩の企画が初めて実現しそうなんだからもう少し温かい目で見てくれたらどうなんですか」

外から持ち込まれる企画ならあれこれこなせるようになったが、まだ自分で立てた企画が実現したことはない。

「他人のうまい話は何でも妬《ねた》ましくて当たり前だろうが」片山は身も蓋もなく言い放った。

「しかも最初の企画がこんなにでかいなんて空井のくせに生意気だ」

とんだジャイアンが身近にいたものである。

「ともあれ、スケジュールがなかなかタイトですから慌ただしいことになりそうですね」

比嘉の言葉に班長席から木暮が難しい顔をした。

「一ヶ月もドラマのときみたいな態勢だったら敵わんぞ」

『報道記者、走る！』のときは最終的に広報班がほとんどドラマにかかりきりになり、その他の業務が完全に止まっている状態だった。

「あれほどまでにはならないと思いますよ、さすがに一週間であの規模の撮影は異常です」

比嘉の返事に木暮は「それならいいけど」とさっそく興味を失ったらしい。鷺坂とは対照的に芸能関係には興味が薄い。

「ずるいわよね〜、キリーだの『宙』だのあんたたちばっかり派手で」

柚木が例のごとく羨んでぶつぶつ愚痴をこぼす。

「まあまあ。私たちは広報班の仕事でどれだけ実績を上げても人事考課には一切反映されないんですから。人脈を作るための会食費も持ち出しですし」

如才なくフォローした比嘉は十年以上も広報一筋だが、経歴的な評価はなきに等しい。昇進に興味はない、と完全に割り切っているからこそのルートである。

その比嘉の言葉はさすがに説得力があるらしく、柚木は「そうだけどぉ〜」とむくれながらも引っ込んだ。

このわいわいと騒がしい光景の中に、——いつもならもしかするとリカがいたかもしれない。頻繁に広報室を訪れていたリカは、広報企画が持ち上がったところに立ち会うことも多かった。そのとき居合わせていなくても数日の内にはやってきて話を聞きつけ、取材に張りついていた。何かというと空井にカメラを向け、「何かコメントを」と無茶振りした。

これからはそんなふうにこまめに取材に来ることもなくなるのかもしれない——ということに気づいて、急に仲間と笑い合っていることが苦しくなった。

広報室に長期取材した特集について相談したい、という約束はあのまま棚上げになっている。このままうやむやになるくらいなら窓口を他の誰かに変えたほうがいいかもしれないな、という考えが浮かんだ。

＊

却下されるとしたら一発却下、と鷺坂は言ったが、一発却下はされなかった。

そうなれば後はこじ開けるまでである。

「今回はキリーのときみたいに大臣許可がどうこうって向きにはこじれてないからね」

他の幕や内局との調整がないので楽勝だ、と鷺坂は余裕綽々《しやくしやく》である。ブルーインパルスの体験搭乗はほとんど前例がなく、それもワンフライトで五人を乗せるという規模には難色を示す慎重な意見もあるが、そこも鷺坂はあまり問題にしていなかった。

「幕長はやれるようならやってみなさいと仰ったしね。現場が味方になってくれたら突破できると思うよ。だからお前、ちょっと行って頼んでこいよ」

まるでおつかいを頼まれたかのような気軽な指示を受け、空井はブルーインパルスの本拠地である松島基地へ向かった。

現在のブルーインパルスには空井の知ったパイロットが何人かいる。特に五番機のポジションで今年から展示飛行のデビューを果たした島崎《しまざき》三佐は、駆け出しの頃の大先輩でよく絞られた。

第四航空団の庁舎へ向かうと、玄関で島崎が出迎えてくれた。

「スカイ！」

めっきり呼ばれなくなったその名で呼ばれて、時間が一気に巻き戻ったような気がした。希望どおりのタックネームを手に入れ、ブルーに乗れる未来を信じて疑わなかったあの頃。

スカイのタックを申告したとき、島崎もその場にいた。ちょっとカッコよすぎると渋ったのはこの島崎で、通るかどうかはらはらしながら空井はいきさつを見守った。

松島にはブルーのパイロットとして来るはずで、広報官として来る未来は想定していなかった。ちくりと胸が痛んだが、思ったほどは悲しくなかった。

「空井でいいですよ、ウィングマークもとっくに返したんですから」

「別にタックまで返したわけじゃねえだろう、かまうか」

そういう島崎のタックはアイラである。島崎の島からアイランド、そこから転じてアイラだが、綴りはＡＩＬＡでまるっきり外国の女名前なので、本人とのギャップが激しい。島崎はガッチリした猪首体型に強面《こわもて》、女性的な要素など顕微鏡で探しても見つからないクチである。

「タックで呼ばれると乗りたくなって困りますから」

「それもそうか。にしても残念だったなぁ」

事故に遭った当時は別の基地だったが、二年前に空井がブルーの内示を受けていたということは知っているらしい。

「今だから言うけど、お前は本当にセンスがあったものな。三十前でブルーに抜擢されるなんてなかなかない話だぞ」

「俺、入隊当時からブルーブルーってうるさかったですからね。熱意勝ちですよ、多分」

謙遜したが、厳しい先輩だったのでその誉め言葉は素直に嬉しい。そしてまた、

「でも、おかげさまでだいぶ吹っ切れました」

そう言えるようになったことが誇らしかった。

「今回は広報の立場からブルーを紹介できたらと思ってます」

「うん。じゃあその話も聞こうか。飛行隊長と総括班長が待ってるから」

言いつつ島崎がブリーフィングルームを抜けて上の階へ案内した。飛行隊長の計らいで島崎も立ち会うことになり、持参した企画書を三人に渡す。

「スケジュール的にはかなり厳しいんですが、ブルーインパルスを紹介するという点においてはこれ以上は望めないほどの好条件です。『宙』は事務所側も力を入れて売り出しているグループですし、初の冠番組ということで帝都テレビも非常に熱心です。また『宙』はファンの年齢層が広く、お茶の間の好感度も高いので、協力したという事実で空自のイメージもアップするのではないかと……」

頷きながら聞いていた総括班長が顔を上げた。

「効果が高いということは非常によく理解できました。意義については広報室としてどのように考えていますか」

その問いかけで背筋が伸びた。比嘉の昔の失敗談が思い返される。お笑いタレントのロケ番組に戦闘機を登場させようとして「お笑いなんてバカにしてるのか」とパイロットの気分を害したという。総括班長も空井より二十歳近く年配なので、テレビの企画という時点で抵抗があるかもしれない。

「自分が戦闘機パイロットだった頃は、戦闘機はかっこよくて人気がある、パイロットも人気の高い職業だと信じて疑っていなかったんですけど……いざ外部に出てみると、社会的には決して認知度も高くなく、注目している層も少ないという事実に直面してかなりショックを受けました。一般の人って、ブルーの使用機が戦闘機だと思ってる人がざらにいるんですよ。T－4もF－15もF－2も全部一緒に見える人が珍しくないんです」

それは戦闘機の体験搭乗企画をテレビ局に持ち込むようになってから痛感している。企画書を見せて「戦闘機ってブルーインパルスとか？」と言われることはよくあった。

パイロットだった頃は基地の外から望遠レンズで写真を狙うようなマニアを日常的に見ていたし、航空祭などでも大勢の人が詰めかけるので一般的な人気が高いと信じていたが、興味のない人からすれば運動性能の高い航空機はどれも十把一絡げらしい。

そしてそちらが一般的な感覚なのだ。

「体験搭乗の企画書を作っていて愕然としました。一般の人に戦闘機をアピールしようとすると、未だに謳《うた》い文句が『トップガン』しかないんですよ。私が幼稚園のときの映画です。あれ以降、戦闘機が主役でカッコイイ作品って登場してないんです」

幼稚園のとき、という表現はインパクトがあったらしい。もうそんな前かぁ、と島崎が唸り、飛行隊長と総括班長も表情が動いた。

「実際、空自のパイロット志望者も年々減少傾向にありますし、このままだと将来はもっと認知されることが難しくなります。でも、空自の本分はやはり航空業務です。航空自衛隊の〝航空〟の部分が認識されるような広報企画を積極的に打っていく必要があります」

その方策としてブルーインパルスの存在は大きい。

「私もブルーインパルスに乗りたいと思って戦闘機パイロットを目指しました。現状、ブルーの曲技は航空祭に行かないと見られませんが、これをもっと広く一般の人に見てもらうことは非常に意味があると思うんです。テレビで『宙』の番組なら多くの人が見ます」

なるほど、と総括班長が頷いた。

「実は、ブルーインパルスを航空祭以外の一般イベントで飛ばしたいということについては以前から鷺坂一佐に相談を受けていてね。一発目をテレビで来たかと驚いたんだが、ここからもっと展開を期待していいのかな」

ブルーインパルスの一般展開を鷺坂が既に考えていたことは初耳である。だが、鷺坂ならそのくらい考えるだろうと意外ではない。

「多分、テレビ出演で一般イベントへの売り込みも弾みがつくと思います」

飛行隊長も口を挟んだ。

「うちは命令さえ出たらいつでも飛ぶけど、テレビ側の都合だけで使われないように頼むぞ」

「必ず番組のメインで扱わせます」

空井にとっても子供の頃から憧れのブルーである。安い扱いなど絶対にさせない——と思っていると、島崎が言った。

「こいつ、昔からブルーには異常な執着心を持ってましたからね。熱心にやると思いますよ」

異常という言われ方は不本意だったが、島崎なりに後押ししてくれているらしいので、敢えて異議は挟まないでおく。

面会を終えて、帰りは入間に向かうC－1に同乗できることになっていた。陸路では乗り継ぎが上手く行っても四時間近くかかるのでありがたい。

島崎は駐機場まで同行してくれた。

「けっこう元気そうで安心したよ。築城の連中、空井は首でも縊《くく》るんじゃないかって本気で心配してたからな」

当時の自分はそんなふうに見えていたのかと苦笑する。

「そうですね、当時は目の前が真っ暗でしたけど……それからいろいろあって」

吹っ切るきっかけを思い出すと、必ずリカの顔も浮かぶことになる。そうして胸が痛むことが放ったひどい言葉に対するこれから先の罰かもしれない。

それでも広報室に興味を持ってくれた彼女に恥じるところのないように——今目指せることはそれだけだ。

「収録は必ず実現させますからよろしくお願いします、アイラさん」

タックネームで呼ぶと島崎はにやりと笑い、最後に握手を交わして空井はC－1に乗り込んだ。

＊

松島基地から帰った翌日、空井は朝一番で鷺坂に感触を報告した。

「ブルーインパルス側は意欲を見せてくれました。それから総括班長が一般イベントでの飛行も展開を期待しているとのことです」

「はいはい、それは今後の空幕広報の方針になるから安心してちょうだい。その売り込みもお前頼むよ。飛行機売るのはパイロット上がりが一番だろ」

空井にもちろん否やはない。航空機の魅力は誰よりも理解している自負がある。今となっては乗れなくなっただけに余計だ。

「現場の支持を得たからこれでほぼ実現できるだろう。帝都には返事しちゃっていいよ」

空井の出張の間に鷺坂のほうも上層部を取りまとめたらしい。

「分かりました！」

さっそく席に戻ろうとした空井を「ところでさ」と鷺坂が呼び止めた。

「稲葉さんにはお前がちゃんと教えてあげるんだろうね？」

いつもの稲ぴょん呼びではなく稲葉さんときちんと呼んだことで真面目な問いかけだと知れた。

「それは……」言葉を探しながら目が泳ぐ。

「俺からは無理かもしれませんが、必ず耳には入れます」

ふうっと鷺坂が聞かせるための露骨な溜息をついた。

「お前は稲葉さんに対していい広報官になれると思ったんだけどね」

鷺坂の言葉は的確に痛いところを刺した。

リカと最初に衝突したとき、分からないことは何でも訊いてくださいと申し出た。稲葉さんに理解してもらうことが僕の仕事なんです、とせがんだ。

自分の受けた衝撃に振り回されて初心を見事に落っことした。

「俺が言ったこと覚えてるか？　俺たちに暴論を攻撃する権利はないって」

暴論を食らうのは広報努力が足りていないからだと思わねばならない――という教えを受けたのもそのときだ。

どれほど理不尽に思えても粛々と抗議、自衛隊にはそれしか許されていない。

「……覚えてます。だから顔向けできません」

暴論の相手にさえ怒りをぶつけることは許されないのに、番組の関係者でもないリカを荒れた気持ちの捌《は》け口にした。そのことを自分が一番許せない。

「潔癖ではあるけど勝手な責任の取り方だなぁ」

投げっぱなした感想がまた刺さり、空井は自然とうなだれた。

「そんな空井くんにこれだ」

鷺坂が机の中を引っ掻き回し、一枚の紙片を取り出した。新聞の切り抜きである。

「例のコラムが載った新聞の数日後の夕刊。夕刊のうえに投書欄だったからうちのクリッピングでは見落としたみたいだけど、この前海幕の広報室長が持ってきてくれてね」

タイトルには『一方的な意見』とある。内容はコラムについての反論だ。

あまりにも一方的な意見だと思いました。航空自衛隊のCMを批判した○日付けのコラムの話です。筆者の主義はよく分かりましたが、証拠もないのに女性自衛官のエピソードにまで捏造の疑惑を投げかけるのは名誉毀損にもなりかねません。

筆者は自衛官というだけで無条件に貶める権利があると思っているのでしょうか？　自衛官も人間であり、人権を持っています。憶測で貶めるなど許されていいはずがありません。

社会的弱者を支援しているはずの代表者がこのように一方的な意見を発信できてしまうことを悲しく思います。

投稿者のペンネームは「因幡の白兎」。鷺坂のダジャレからそのままだ。

「あの代表者がテレビに出る前だよ。帝都の番組でけなされたから知ったんじゃない、最初から知っててもう怒ってくれてたんだ」

空井は言葉もなくただ切り抜きを見つめた。空井たちには決して問えないことを問うてくれたその文面は、自分のドキュメンタリーが貶められたからではなく、傷つけられた藤川士長という女性自衛官のために純粋に怒っていることがよく分かる。

「いろいろ救われると思わないか？　稲ぴょんの気持ちが嬉しいのはもちろんだけど、この投書を載せた奴がいるんだぜ」

「——余計顔向けできませんよ、こんなの」

そりゃまあそうだな、と頷いた鷺坂が「だからいっこ理由をやるよ」と続けた。

「俺、この春で異動することになってな」

思いも寄らぬ方向からの爆弾に、空井はえぇっと声を裏返らせた。

「もうちょっといられるかと思ったんだけど、まぁそろそろ二年経つしな」

「他のみんなは知ってるんですか」

「勘のいい奴は薄々察してるだろうな。でもはっきり決まったのはここ数日だから、教えたのはお前が最初だよ」

そんな、と呟いた声はかすれた。幹部の異動が頻繁なことは理解しているが、もっと長く鷺坂の下で働いていたかった。

「だからさ、稲ぴょんが万が一ご機嫌斜めでも、鷺坂のおっさんが心配してるので不憫《ふびん》と思って僕と仲直りしてくださいって泣きつくといいよ」

「泣きつきませんよっ！」

嚙みついてから声がしぼんだ。

「でも、俺、何て言えば……」

すると鷺坂は「ばかだなぁ」と一蹴した。

「傷つけちゃったらごめんなさいしかないだろう？」

行け行けと追い払われて、空井は室長室から外に出た。廊下の隅で携帯を使う。

あの日は携帯にかけて繫がらなかったので挫けた。今度は帝都テレビにかけて取り次ぎを頼む。

保留のメロディーが流れる。心臓が壊れそうに痛い。

かちりと回線が切り替わる気配がした。メロディーが切れてわずかに息が入る。

「お電話替わりました、稲葉です」

懸命に揺らぎを抑えて平坦に保ったその声。

「ごめんなさい！」

無意識のうちに頭も大きく下がっていた。何を言おうか言葉が頭の中で渦巻いて、選びきれずにもう一度「ごめんなさい」と繰り返した。

傷つけちゃったらごめんなさいしかない、その示唆《しさ》にすがるように。

「ごめんなさい。――俺、八つ当たりしてひどいことを言って」

三度目でようやく理由を付け足せた。

「謝りに行ってもいいですか」

「……すみません、」

思い詰めたような声で断りを入れるや電話がいきなりぷつりと切れた。空しく繰り返す不通音を呆然と聞く。

やっぱり今さらかと力なく電話を切ると、その手の中で携帯が震えた。びくりと液晶を見ると着信はリカの携帯だ。

「はい！」

恐い上官に呼びつけられたようにしゃちほこばって電話に出ると、

「何でそんなの会社の電話で言うんですかっ！」

「ごめんなさい！」

反射で謝ってから気づいた。非難してそのままリカはしゃくり上げていた。どうやらオフィスから逃げてきたらしい。

「ごめんなさい泣かないで」

電話を持っていない右手が空しく宙を泳いで執り成す。

「ごめんなさい、携帯に出てもらえるかどうか自信がなくて」

ああ、今、目の前にいてくれたらいいのに――押し殺して潰れた泣き声は耳元に届くのに手は届かない。ハンカチ一つ差し出せない。

「あんなこと言ったから嫌われたんじゃないかって。俺の電話なんか出たくもないかもしれないって心配で」

そんなこと、とリカがまたしゃくり上げる。

「わたしのほうが心配してたもの」

ごめんなさい、とまた芸もなく繰り返す。

「それで、あの……謝りに行っても……？」

あと何回謝るつもりですか、とリカが泣き笑いの声になった。

「稲葉さんに許してもらえるまで謝ります」

「わたしは何回謝らせる女なんですか」

「だって会いたいんです」

口走ってから慌てた。

「あの、和解できたんだったら顔見て安心したいかなって」

行き違ったまま会えなくて辛かった――とはさすがに言えず、理由は広報室の仲間に借りた。

「みんなも稲葉さんが来ないから心配してるし」

「それならわたしが行かなきゃ駄目じゃないですか」

間抜けを突かれた形だが、やっと涙声じゃなく笑ってくれてほっとした。

「来てもらえると嬉しいです。実は室長が異動することになったんです。すごく寂しがってて、すごく会いたがってます」

鷺坂に被せて言いにくい言い分を力いっぱい主張する。

「それに、阿久津さんにもつい先日大きな仕事をいただいたんです。それもご報告したくて」

ありったけの手札を並べ立てて、もう一枚も残っていない。

でも結局は僕が会いたいんです——ともう一度最初の理由に戻るべきかどうか逡巡したとき、ふわりと柔らかな声が答えた。

「では明日の午後にでもお邪魔できますか？」

はい、と答えた声が裏返った。その音階をどうにか逆に返して、空井は「お待ちしてます」と名残惜しく電話を終えた。

＊

リカが来たとき、鷺坂の異動の話もオープンになった。だが空井以外は薄々察していたようで、鷺坂シンパの両横綱を張る槙と片山もあまり驚きは見せなかった。

「やっぱり来ちゃいましたか」と槙が残念がり、片山も「あーあ」と子供のようにふてただけだ。

「後任は有望な奴をむりくり引っ張ってきたから安心してちょうだい」

二人を宥めた鷺坂が空井を振り返った。

「ブルーの一般売り込みも引き継いであるから頼んだよ。『宙色バラエティ』の話は売り込みのいいフックになるから力を入れて」

後任にいい置き土産ができたと喜ぶ鷺坂は、空井が『宙』の話を持ってきたときには既に内示を受けていたらしい。

「じゃ、稲ぴょん。もう一ヶ月切っちゃったけど、よろしくね」

鷺坂がリカにひょいと手を挙げ室長室に引っ込む。リカが慌ててお辞儀をしたが見ちゃいない。

「すごく寂しがってたって本当ですか」

疑わしげに訊かれて空井は気まずく頭を掻いた。やや誇張が過ぎたかもしれない。

「少なくとも心配してました」

応接室で座ってもらい、給湯室でお茶を淹れていると片山や柚木が「散々心配かけやがって」と小突きにきた。今回ばかりは反論できないので甘受する。

「お待たせしました」

そう言ってお茶を出せる状態が回復した安心感で顔が自然とほころんで、「ご機嫌ですね」とリカに笑われた。

「いえ、やっといろいろご報告ができるので」

「お聞きします」

促されて空井は前のめりになった。

「実は、阿久津さんから『宙色バラエティ』の第一回スペシャルでブルーインパルスに『宙』を乗せてほしいとご依頼がありまして。現在調整中ですが、かなり実現性が高そうです」

阿久津にも昨日のうちに報告している。ほぼ決定、と伝えていたものが今日正式にGOサインが出た。阿久津もさっそく局側の調整に乗り出しているはずだ。

「すごいお話ですね」リカは口ではそう言ったが表情はにこにこ穏やかなままで、もしかすると先に阿久津から聞いていたのかもしれない。

「『宙色バラエティ』は帝都としても非常に期待している番組なんです。阿久津もバラエティに異動していきなりの大きな仕事ですから張り切っていると思います」

「阿久津さんは『帝都イブニング』の先輩だったんですよね？」

「ええ。元はバラエティの人間だったんですけど、『帝都イブニング』の視聴率が落ち込んだ頃に情報コーナーなどで柔軟な発想が欲しいということで引き抜かれたんです。『お母さんとぼくの社会科』のアイデアをくれたのも阿久津だったんですよ」

リカの元のアイデアは『今さら人にはきけない社会科』だったという話は前にも聞いた。空井としてはそちらも悪くないように思えたが、子供向け教育番組風の『お母さんとぼくの社会科』はミニコーナーとしてはかなり人気が出てきているという。阿久津のセンスが一枚上手だったのだろう。

「やはりバラエティ的な発想に優れた方なんでしょうね。今回『宙』を全員ブルーインパルスに乗せるっていう案も阿久津さんが仰ったんです。僕の戦闘機の企画書を元に思いつかれたらしくて。『宙』といえば青、〝ブルー〟インパルスに乗せましょうって力説されました」

笑いながら聞いてくれるリカに空井の調子も上がった。

「確かにブルーなら不可能な話じゃないんですよね。全機が複座仕様ですし、パイロットも次のデビューを控えて訓練中のパイロットを同乗させるので、タンデム飛行に慣れてます。僕は最初の戦闘機の体験搭乗って企画に縛られて思いつきませんでしたけど……さすがテレビ関係の方は柔軟ですね。華やかなイメージのあるブルーインパルスだったら戦闘機より抵抗なく受け止めてくださる方も多いでしょうし、段階を追って理解してもらうには最適です」

「そこまで深くは考えてないかも」とリカは首を傾げた。

「ブルーインパルスなら数が足りてるって単純な思いつきだけかもしれませんよ」

「きっかけは単純なことからだとしても、結果的に非常に広がりのあるすばらしい発想ですよ。見習いたいと思います」

空井がそう言うと、リカも遠慮がちにではあるが嬉しそうな顔になった。関係者のことを謙遜しつつも、先日空自から抗議を入れられたので肯定意見は気が休まるだろう。

「阿久津はあちこちに顔も広いですし、社内での根回しも巧い人です。きっと実現しますよ」

「ぜひそう願いたいです。もうこちらは全面的にＯＫが出ているので、後はむしろ局と『宙』の都合次第ですから」

阿久津の調整に期待するばかりである。

「実はブルーインパルスを航空祭など隊内の行事だけでなく、一般のイベントでも飛ばしたいという方針があるんです。当面は僕が預かって売り込む予定ですけど、『宙色バラエティ』が成功したらそちらに向けても弾みがつくので本当にありがたいです」

リカが手元に置いてあった手帳をさっと手に取った。

「一般のイベントで飛ばすことにはどういう意図が？」

「基本的にブルーインパルスって、航空祭や自衛隊関係の行事で飛ぶのがほとんどなんですよ。でも、そういう行事に足を運んでくれる人っていうのは、航空ファンを含めて最初から自衛隊に興味を持ってくれている人に限られます。いわばサポーターというか……僕たちあまり好かれていない組織なのでそれはホントにありがたいんですけど」

鷺坂とはまだ簡単に相談しただけだが、戦闘機の企画持ち込みで行き詰まりを感じていた空井にとって、その方針は詳しく説明を受けるまでもなく自然と飲み込めるものだった。

と、リカがメモを取るのを中断してカメラに持ち替えた。空井を斜めから撮る角度に移動してカメラを回す。映像で残したほうがいいポイントだと切り替えたのだろう。空井もリカの準備が整うのを待ってから続けた。

「でも、元々受け入れてくれる人を相手に飛ばしてるだけじゃ認知は広まっていかないんです」

築城の飛行隊にいた頃、タキシングの途中に誘導路が外部の桟橋に近づくポイントがあった。その対岸の桟橋にはよく航空ファンが張り込んでいて、望遠レンズを懸命にこちらに向けていた。鉄道などではよくある光景だが、自分たちにもそういうファンがついていてくれることが嬉しくて、気がついたときは必ず手を振って応えた。

だが、そのように熱心な人々は決して多数派ではないのだ。

「僕らが理解してもらわないといけないのは、僕らに興味がない人たちです。元々ついてくれているお客さんに甘えてるだけじゃ駄目なんです。だからブルーインパルスを外部で飛ばしたい。自衛隊に興味のない人たちの前で飛んで『ブルーインパルスってすごいなぁ』って興味を持ってもらいたいんです。興味を持ってもらうことが理解してもらう第一歩なので」

カメラの前で話すかどうか少し逡巡したが、結局口を開いた。

「ブルーにはそれだけ魅力があるって信じてるんです。僕自身、子供の頃にブルーを見て夢中になりましたから。それが昂《こう》じてパイロットになっちゃったくらいで」

受けたリカのほうもやや逡巡した。やがて思い切ったように踏み込んでくる。

「事故でパイロットから転向される前、ブルーインパルスの内示を受けたというお話でしたが、今広報官としてブルーインパルスに関わることになったお気持ちは」

リカは緊張した面持ちで空井を窺っている。空井が拒否したらきっとカメラを止める。

だが、リカならかまわないと思った。

「僕は航空自衛隊で一番ブルーが好きな自衛官だと思うんです。だって届くはずだった自分の手が絶対に届かなくなったのに、まだ好きなんですよ。そんな奴が広報官になったんだから、僕はブルーの魅力を一番よく伝えられると思ってるんです。ブルーに乗っている戦闘機パイロットのことも」

思い入れがありすぎて声が詰まった。リカもそこでカメラを置いた。

「……すみません、もう冷静に話せるかと思ったんですけど」

気まずく頭を掻くと、リカは黙って頭を振った。置いたカメラをそっとなでながら「受け取りました」と呟く。

あんなふうに俺もなでてもらったな――などとカメラをなでる優しい手付きを眺めて思い出し、勝手に気恥ずかしくなって困った。

と、不意にリカが顔を上げた。

「今回の『宙色バラエティ』の企画が動いたら、それを取材して広報室の密着を一区切りさせていただこうと思います」

それはいつか来ることだと分かっていたのに、実際に切り出されてみるとひどく寂しい気持ちになった。

広報室の密着取材が終われば、今ほど頻繁にリカが訪ねてくることはなくなるだろう。今回の行き違いで長いこと会っていなかったような気がしたが、それでもせいぜい二週間だ。それほどリカは広報室をよく気にかけてくれていた。

寂しくなりますね、とは口に出せず「分かりました」の一言を何気ない口調に保つのが精一杯だった。

鷺坂も行ってしまうし、リカも行ってしまう。立て続けに置いて行かれるような気分になって焦った。自衛官に異動はつきものなのに何を今さら甘ったれたことを。だが、気持ちのどこかを引き剝がされるような痛みはごまかしようもない。

広報室に来てからの一年はそれほど密度が高かった。

「自衛隊の担当を外れるわけではないので、密着が終わってもお世話になると思いますけど」

やめてくれよ、と目を覆いたくなった。——そんなこと言い繕われたら余計に寂しくなるよ。

「でもまあ、取り敢えず一区切りは一区切りですよね」

空井はむりやり声のトーンを引き上げた。

「それじゃ『宙色バラエティ』は絶対成功させないといけませんね。最後に一花咲かせないと」

湿っぽさを吹き飛ばそうとした自分の声は、空々しくて痛々しいほどだった。

＊

阿久津のほうも調整は巧く行ったらしい。

「ただ、ちょっと注文がいくつかあって……」

電話の向こうで阿久津は恐縮した声である。テレビ関係者が先回りしてこういう喋り方をするということは、相当の無理難題を振ってくる。

空井は下腹に力を入れて待ち受けた。——さあ、何をぶつけてくるつもりか。

「あの、低圧訓練《チャンバー》ってありますよねぇ」

低圧訓練を含む航空生理学実習は、低圧訓練装置の『チャンバー』がそのまま通称だ。まさかチャンバーを受けたくないとか。いや、それは何があろうと絶対に省けないとしつこく説明したはずだ。

「あれを『宙』の貸し切りでやってもらえないかと事務所のほうが」

空井は思わず声を失った。

内部で警戒していたのは一にも二にもチャンバーの省略で、譲歩条件として日程はできる限り対応するということを決めてあった。以前キリーの体験搭乗を計画した際、局のディレクターがチャンバーをキリーの日程に合わせてもらえるかどうかを気にしていたという経験上だ。

本来は隊員に向けての訓練なので頻繁に実施されている。通常ならその中から参加人数に空きのある日程を提示して選んでもらうが、『宙』に関しては定員になっている日でも隊内参加者を別の日に振り替えて対応するよう既に関係各所に了解を取ってあった。

だが、チャンバーを貸し切りにしてほしいというのは予想外である。

「ええと、それはどうして……」

「事務所の意向でもありますし、局の意向でもあります」

阿久津はそう切り出した。

「チャンバーって丸一日かかる訓練でしょう。一般人とタレントをそんな長時間一緒にさせて、何か問題が起こったら困りますので」

自衛官を一般人と称されたことが新鮮で、空井は電話に入らないように小さく笑った。自衛官は世間様から一般人と認識してもらえることが少ない職業で、そこに自衛官の日頃の苦労がある。これほど揺るぎなく一般人扱いしてもらえることは珍しい。

「うっかり隊員さんの個人ブログで裏話や隠し撮りした写真を公開されたりすると……」

『JJ企画』はタレントのプライバシー保持に厳格な事務所で、そんなことがあればオンエアを待つのみという状態になっていてもフィルムを没にされかねないという。

「帝都テレビとしてもトラブルがあると事務所との関係が悪くなってしまいますから」

「隊員にはそんなことがないようにしっかり指導しておきますが……自衛官ですから命令はよく守りますよ」

「いやいや、それでも万が一と言うことがありますので」

どうやら立ち会う人間の資質がどうこうより、可能性が残っていること自体が駄目ということらしい。そして阿久津の口振りからこれは一歩も退かない条件であることが分かった。どちらかというと、事務所に対して万全の態勢でタレントを預かっているとアピールしたい局の意向かもしれない。

「分かりました、検討します。しかし、そちらも譲歩策を考えておいてください」

ただで丸呑みするわけにはいかないので、せいぜいハードルの高さを主張しておく。

「それからブルーインパルスのほうなんですが」

ブルーのほうにも何かあるのか。身構えた空井に阿久津は言った。

「『宙』のメンバーの一人が五番機に乗ることを希望してまして……」

意外な注文だったので空井の声はまた途切れた。阿久津はそれを難易度による反応と解釈したらしく、「可能ですか？」と窺ってくる。

「いえ、それはまあ……搭乗機の割り振りはこれから決めますので不可能ではありませんが」

五番機は先輩の〝アイラ〟島崎の乗るリード・ソロ機だ。

「ただ、リード・ソロは背面などが一番多いポジションなので、乗り物に強いかどうかなど適性を見て判断しようと思ってたんですが……そこは大丈夫でしょうか？」

「ええ、本人もそれを知ったうえで希望しています」

それもまた意外な話である。

「ええと、どなたが」

鷺坂の薫陶が篤かったおかげで、広報室の面々はほとんどが『宙』のメンバーを全員把握している。誰がそんな希望を出しているのか興味が出た。

「高柳良毅《たかやなぎよしき》くんです。何でも子供の頃からブルーインパルスのファンだったとかで」

へえ、と親近感が勝手に湧いた。ブルーのポジションをきちんと把握しているほどのファンだというなら希望は叶えてやりたいところだ。聞くと本人は乗り物にも強いという。

「分かりました、それはほぼ大丈夫だと思います。ただし、気分が悪くなって吐いたりしたとき、オンエアがなくなるということはないようにお願いします」

「ええ、そういう場合は他のメンバーの映像で繋ぎますから」

キリーのときは本人の体質的に乗り物酔い必至ということがネックになって企画が潰れたが、『宙』の場合は五人いるのでその点は気が楽だ。

電話を終えて、さっそく比嘉と片山にチャンバー貸し切りの件を相談する。

「たった五人相手にチャンバー動かせってか！」と片山がさっそくぼやいた。

「うちにだって全国で四つしかないんだぞ、それもスケジュール一杯で回してるのに」

日本でチャンバーを持っているのは航空自衛隊の入間、松島、浜松、築城の四基地と宇宙航空《JA》研究開発機構《XA》だけだ。全国でも五つしかないのでチャンバーの運用は常時フル回転に近い。隊内だけでなく、航空科学や医療関係の実験なども受け入れているためである。

「しかも入間なんですよねぇ」

『宙』のスケジュールや撮影の都合上、帝都からは入間基地が最初から指定されている。入間のチャンバーは一度に十四名の訓練生を受け入れることができ、設備も全国で最新だ。それだけに受講者も多く、これを一度貸し切りにするのはかなりの負担になる。

「先方の優先順位は日程と貸し切りとどちらですか？」

そう尋ねたのは比嘉だ。

貸し切りにする代わりに日程を譲歩するということであれば、例えば運用予定外の日や休日にチャンバーを実施することで訓練生の予定を振り替える手間が省ける。予定の振り替えと訓練日の新規追加とどちらが良いかは訓練を受け持つ航空医学実験隊の判断によるが、選択肢があるとないでは現場の反応も大違いだ。

「もっとも、向こうのスケジュールがこちらの訓練日を一日接収する形でしか空けられない、ということであれば仕方ないですけど。そこまで話を詰めたうえで入間には話を投げたいですね」

「すみません、すぐ問い合わせます」

チャンバー貸し切りという条件で呆気に取られ、そこまで気が回らなかった。「まだまだ甘いなぁ」と片山がしたり顔で駄目を出したが、それもすみませんとさっさと流す。

「他にはメンバーの高柳さんがリード・ソロの搭乗を希望しているくらいですね、現時点では。本人が元々ブルーのファンらしいです」

「へえ、ガッツあるじゃん」

片山が感心したように目を丸くした。

「乗り物酔いとか大丈夫なのかね」

「ちょっと心配ですけどね。小型の航空機はマイナスGが強く体感されますから」

Gが強くかかっている状態より、Gが軽くなるマイナスGの浮遊感のほうが気持ち悪くなるという意見は意外と多い。空井も航空学生だった頃は何度か吐いたことがある。

「でもまぁ、仮に吐くようなことがあってもそこだけカットすれば済むことですし。降りるときグロッキーになっても他のメンバーがいるので紛れるでしょうし」

「五人受け入れるのは煩雑だと思ってたけど、そういうところに融通が利くのはいいな」

「そうですよ、一人だけだとその一人がアウトだったら企画自体アウトですから。キリーのときそうでしたもん」

そして空井は比嘉に指摘された確認点を問い合わせるために再び阿久津に電話をかけた。

＊

結果的に『宙』と入間のチャンバーのスケジュールを突き合わせ、設備の非稼働日を『宙』の貸し切り講習日とすることになった。

ただし、訓練を実施する航空医学実験隊から新たな条件が上がってきた。当初は航空生理訓練の撮影予定はなかったが、これを撮影・放映してほしいというものである。

「え、でも画《え》的に地味でしょう？」

阿久津は当初まったく乗り気でなかったが、空井と比嘉で局に押しかけて交渉した。責任者は一応空井だが、説得の主役はむしろ現場調整役という立場の比嘉である。

「入間のほうも番組のためにわざわざチャンバーを貸し切りにするわけですから。こんな処置は未だかつて例がありませんし、現場の隊員たちにも予定外の勤務で大きな負担をかけます。当初お願いしていたように、隊の訓練日に合流していただく形なら私たちも現場を納得させられたんですが……ゲストを含む訓練なら頻繁に行われますから融通も利きますし」

そこを衝《つ》かれると阿久津も弱いらしい、居心地の悪そうな顔になった。比嘉が更に切り込む。

「しかし『宙色バラエティ』のために本来なら不必要な作業が増えるわけですから。こうなると入間側もただでは協力できません。部外者に特別な便宜を図った形になってしまいます。設備や隊員を特定の個人や団体のためだけに運用するというのはそういうことです」

「それほど大層なことですかねぇ」

渋る阿久津に空井もすかさず言い添えた。

「我々は税金で運用されている組織ですから。撮影協力はあくまで自衛隊をご理解いただく広報になるからという名目で許可が下されるものなんです。無原則に何にでも協力できるというわけではありません」

空いた講習枠にゲストを迎えるだけなら、そのゲストを搭乗させる部隊をサポートしたという名目が成り立つが、『宙』のためだけに講習を行うとなるとそうも行かない。入間基地にも独自の協力理由が必要となる。

「チャンバーの内容や重要性をテレビで紹介していただくという名目であれば隊員を動かせます。入間基地としても協力できる理由を探した結果のご提案です」

これを飲んでもらえないなら撮影協力は不可能だ、と比嘉は言外に含ませている。

「『宙』の皆さんが空いた枠で講習を受けて下さるなら話は変わってきますが」

「分かりました、チャンバーの撮影を入れましょう」

阿久津はあっさり陥落した。そこはどうしても譲れない部分らしい。

「いっそのこと、ブルーインパルス搭乗スペシャルということで一時間くらい使ってしまってもいいですしね」

それなら最初からそうしてくれよ、と空井は内心で不平を鳴らしたが顔に出すのはこらえた。

「いいですね、何しろブルーにアイドルグループが乗るなんて二度とあり得ないほどレアなことですから」などと調子を合わせておく。

「では放送作家に構成を相談してみます」

話がまとまるなり阿久津は慌ただしく席を立ち、空井と比嘉も打ち合わせブースを出た。

駐車場に向かいながら空井は溜息をついた。

「やっぱり強気で押す場面も必要なんですね」

「それはそうですよ、譲れない原則というものはありますから」

「でもなかなかその辺が理解してもらえなくて……」

「こちらが配慮したことをもう一度テーブルに載せることも大事ですよ。配慮してもらったことって人間すぐに忘れちゃいますから」

特にマスコミ関係の人はね、と比嘉は笑った。

「でも、阿久津さんはやりやすいほうですよ。優先順位がしっかりしてますから。あれもイヤ、これもイヤというタイプの人だと本当に苦労します」

「稲葉さんの話だとやり手だそうですから」

そんな先輩を持ったリカもやはりやり手になるのだろうか、と思いつつ、空井はたどり着いた駐車場で官用車の運転席に回った。


最大のボトルネックはこのチャンバーを巡る攻防で、これに折り合いがつくとその後は意外なほどスムーズに話が運んだ。

チャンバーとフライトの日程が決まったのは、『宙色バラエティ』の企画が持ち上がってから二週間後である。チャンバーは三月の第三週、フライトはその二日後だ。チャンバー後、年単位で体験搭乗の順番を待つ希望者もいる中、異例のスピード実現である。

そしてチャンバーの当日である。

＊

講習が行われる航空医学実験隊の庁舎には、撮影班が二つ入ることになった。

一つは『宙色バラエティ』、もう一つはリカの広報室密着である。ブルーインパルス体験飛行の当日もリカは撮影班を率いて松島基地に入るという。

いつもは装置を二回転させて三十名近くを受け入れている航空生理訓練の講義室だが、今日の受講生は『宙』の五人だけだ。代わりに局や事務所のスタッフが入り、人口密度はほとんど日頃と変わらない。

平均年齢が二十三歳だという『宙』のメンバーは庁舎入りしたときは大層賑やかで、特に航空ファンだという高柳は講義室に資料として置いてあるF－15の射出座席を見るや「すっげー！」と駆け寄って大騒ぎだ。

「これ本物ですか？」

教壇でスライドの準備をしていた教官の二尉が詰め寄られ、「本物ですよ」と答える。

「訓練中に海に墜落したF－15を引き上げて回収したものです。もしよかったら座っていただけますよ、射出レバーも引けます」

「えーっ、マジですか！」

思いがけない速攻に撮影班が慌ててカメラを回しはじめる。

「そんなすごいんだ？　それ」

他のメンバーが尋ねると、座席に腰を下ろしながら高柳が頷く。

「だって本物だよ、模型とかじゃなくて。座れる機会がないし射出レバー引けるなんて」

「値段どれくらい？」と意表を衝く質問が出て、高柳が首を傾げる。

「一機七十億とか八十億するんだよ、確か。だからこの椅子一つでも百万か二百万かするんじゃない？」

実際のとこどうですか、と高柳が尋ねたのは座席のベルトを締める手伝いをしていた教官だ。

「そうですね、もっと高いかもしれませんね」

ぼかした返事だが、メンバーのテンションは上がった。座っとこう座っとこうと順番を決めるジャンケンが始まる。

ベルトを締めてもらった高柳は「けっこうガッチリ固定されますね」とはしゃいでいる。

「引いていいですか」と迷わず射出レバーを握ったのは構造をある程度把握している。

けっこう固いですよ、と注意を受けつつレバーを引き、ガチャンと座席がスライドする剣呑な音にジャンケン組が派手に驚き笑った。

その光景を眺めながら、空井は「賑やかですねえ」と苦笑した。

「講義になるのかな、これで」

首を傾げると、リカが「大丈夫だと思いますよ」と答えた。

「この事務所のタレントさんはその辺の教育は厳しくされてるらしいですから。来たときも挨拶とかしっかりしてたでしょう」

そういえば、と空井はメンバーを迎えたときの様子を思い出した。紹介された関係者だけではなく、通りがかる他部署の隊員にも声を出してきちんと挨拶していた。テレビで見かける芸能人に普通に挨拶された隊員のほうが若干戸惑っていたくらいだ。

そして実際に講義が始まると、メンバーは開始前のはしゃいだ様子とは打って変わって静かになった。教官の話にはよく反応するし、質問などはテレビ的な感じで頻繁に投げるが、別に脱線したり不真面目になったりする気配はない。

低酸素症や加速度耐性の向上にはフライト前には水分を採ることが有効だ、という話に続いて、ただしジュースはいただけないという注意が出る。

「五〇〇㎖のペットボトル一本で、スティックシュガー十八本分の糖分を摂ることになります。パイロットがフライトの度にジュースを飲んでいたら、今度は成人病の恐れが出てきますね」

「ホントですか!?」とメンバーが騒然となる。

「具体的な数字にされるとインパクト半端ないね」

「うわ、おれ撮影の度にフツーに飲んでた」「お前やばいって」

その光景を見ながら空井はくすりと忍び笑った。「どうしたんですか?」と尋ねてきたリカに答える。

「僕も何度かこの話聞いたなぁって……パイロットの資格更新のときに必ずチャンバー受けるんで、パイロットは定年までに何回聞くか分かりませんよ」

リカが返事にちょっと困ったようだったので、「気にしていただかなくてけっこうですよ」とフォローする。

「それより、彼らもっと派手にびっくりすることになりますよ」

気圧についての説明のときである。

「午後からは皆さんにも高度が急激に上がって気圧が急激に下がる状態をチャンバーで体験してもらいますが、ゲップとおならは絶対に我慢しないでください」

エーッとまた『宙』が大騒ぎである。

「アイドル的にまずいでしょ、それは！」

仲間内で交わすコメントに教官がすかさず突っ込んだ。

「アイドル的にまずくても我慢しないでください」

どっと笑ったメンバーの一人が尋ねる。

「それ、絶対出ちゃうものなんですか？」

「絶対出ます。上から出やすいか下から出やすいかの差はあるかもしれませんが」

ぽかんとして聞いていたリカが「出るんですか」と小さな声で窺った。「出ますねえ」と空井も答える。

「気圧が下がると空気って膨張するでしょう？　体内でも同じことが起きてるんです。胃や腸の空気が膨張して、逃げ場を求めて出口から放出されるわけで。上の出口から出ればゲップだし、下の出口から出たらおならです」

「我慢することってできないんですか？」

「女の人は恥ずかしいからってよく我慢しちゃうんですけど、たいへんなことになりますよ」

慄いたリカの表情がおかしくて、ついつい脅かす声音になった。

「我慢したまま更に高度が上がって気圧が下がってしまうと、体内のガスがもっと膨張します。そうなるともう、出したくても口や肛門の小さな穴からは膨らんだガスが排出できなくなります。そうするとどうなるか分かりますか？」

少し考え込んで「苦しくなったり？」と答えたリカに空井は答えた。

「ガスが内臓を圧迫して激痛に襲われます」

「あの、それは我慢できないくらい？」

「僕がチャンバーを受けたときは救急車で運ばれた人がいました」

教壇では教官が同じ話をして『宙』を脅かし、ひえー、と派手な悲鳴が上がっている。番組でさぞや面白おかしく演出して使われるのだろう。

「だから稲葉さんも我慢しちゃいけませんよ」

「何でわたしがチャンバーに入る前提になってるんですか」とリカが怒ったように唇を尖らす。少しからかいすぎたらしい。

「でもまあ、実際にチャンバー内ではひっきりなしに誰かが屁をひってますからね。どれが誰の音やらさっぱりだし、恥ずかしいとかいう次元の問題じゃないから大丈夫ですよ」

「だからわたしは入らないって言ってるのに」

体内にガスを溜めないためには食事をよく噛んでゆっくり食べることだという注意が教官から出て、講義は順調に進行していった。

昼食を挟み、午後の低圧訓練の前に『宙』が着替える段取りである。

私服のまま訓練を受けることも可能だが、より気分が出るだろうと入間基地がフライトスーツとジャンパーを用意していた。

『宙色バラエティ』の広報段取りは受け入れる入間を立て、広報室から応援の空井は密着取材のリカを担当している。

一番大変な思いをする現場が一番いい格好をするべきだ、というのが鷺坂の主義である。有名な芸能人が来るようなときでも、芸能人との直接のやり取りやテレビスタッフとの折衝など主導は基地広報に譲るのが基本だ。

片山などは自分で全部仕切りたいタイプなので出過ぎてしまい、現場との軋轢《あつれき》が多い。大きな仕事のときに途中から比嘉がヘルプに出る理由もその辺だ。

空井は自分が出過ぎるということだけはないところを評価されている。実際、現場の広報班に任せておいたほうが当日はスムーズに進む。

入間基地の計らいは『宙』にもヒットしたらしく、賑やかにはしゃぎながら更衣室に向かった。

水槽状のチャンバールーム内では酸素マスクと酸素レギュレータの操作手順や耳抜きについて説明があり、十分間で三万六〇〇〇フィートへ急上昇する訓練が開始される。メートル換算では約一万一〇〇〇メートル、耳抜きが間に合わなくなった場合などは休止を入れるが、基本的にはほぼノンストップで急減圧される。

チャンバー内の音は外でモニターされており、気圧が下がりはじめるとやかましく放屁の音が鳴り響きはじめた。その勢いたるや、チャンバーの外から撮影していたテレビスタッフが呆気に取られるほどである。

「うわっ、出た！」などと『宙』のメンバーが騒いでいたのも始めのうちだけだ。すぐに無言になり、出るに任せる状態になる。

「バラエティ的には大騒ぎしてくれると面白いんだけどなぁ」とやや不満そうなのは阿久津だ。

「多分、耳抜きが忙しくてそれどころじゃないと思いますよ」

空井の説明にリカが「そんなに忙しいものなんですか」と首を傾げる。

「ひっきりなしに抜かないと、すぐ詰まります。空気の固まりがつっかえてるのが分かるくらいですよ。これもおならやゲップと同じで、ちょっと抜くのが遅れると耳の穴から空気を出せなくなりますから。……ほら」

チャンバー内ではメンバーの一人が手を挙げて休止を求め、教官が点鼻薬を点《さ》した。

「ちょっともたついてるだけですぐに耳抜きが間に合わなくなるんですよ。抜くのと詰まるのと追いかけっこみたいなものです。うっかりすると鼓膜が破れますから。酸素マスクを着けたまま耳を抜くのはけっこう難しいですし、皆さん必死だと思いますよ」

外耳は狭いので他の穴に比べて詰まりやすく、痛みが生じるのも早い。抜いても抜いても耳が詰まってくる感覚は、慣れていないとかなりの恐怖だ。

二時間ほどの訓練が終了すると、その場で低圧訓練の修了証が発行される。修了証を受け取る姿や訓練について感想を話し合うところまで撮影して、ロケは無事に終了した。

しかし、後日のオンエアはチャンバールームの訓練シーンが丸ごとカットされることになった。放屁オーケストラ状態の訓練風景に事務所からＮＧが出たのである。

「やっぱりおならをするアイドルというのは望ましくないんでしょうかねえ」と入間の広報班は残念がっていた。航空生理訓練は午前中の講義の場面から構成されたが、航空医学実験隊の一番の目玉はやはり日本最大級の低圧訓練装置である。これがカットになったのは痛恨だろう。

「次はおならがオンエアされても大丈夫なタレントで話を持ってきてほしい」という要望が入間から空幕広報室に入ったのは余談である。

＊

二日後のフライト日、松島基地は抜けるようによく晴れた。まだ雪が舞うことさえ珍しくないこの時期の東北では幸運な天候である。

「すごいねぇ、やっぱり一流の芸能人は運を持ってるんだねぇ」

感心しきりなのは鷺坂だ。空幕広報室からの立ち会いとしては鷺坂と空井が松島入りしている。主役は地元基地、という主義の鷺坂は、自分が直接仕切っているわけでもない企画の立ち会いに出てくるのは気が退ける様子だったが、空井がしつこく食い下がって引っ張り出した。

だって大きな話じゃないですか。松島基地の尽力に対して室長から挨拶や感謝があったほうがいいですよ。

本当は「それに」と付け加えたかった。――それに、これが最後じゃないですか。

『宙色バラエティ』の初回スペシャルが放映されるときには、鷺坂はもう広報室にはいない。

だからどうしても引っ張り出したかったんです、と空井はリカのインタビューに対して答えた。

広報の意義とやり甲斐を教えてくれたのは室長です。僕は広報官としてはまだまだ半人前ですけど、室長が広報室を離れる寸前にやっと自分の企画を実現できました。だから絶対に室長には見届けてほしくて。

そうでなくてもミーハーを公言している鷺坂である、自分がブレイク前からチェックしていた『宙』で自衛隊広報が実現するのは嬉しくないはずがない。実際、松島入りした『宙』を迎えて「すごいねぇ、実物は顔が小さいねぇ」などと陰で大はしゃぎしていた。

撮影はフライト前のブリーフィングから始まった。フライトスーツに身を包んだ『宙』の五人とブルーのパイロットたちが会議机を囲んでミーティングを始める。

一番機の飛行隊長がパイロットと『宙』のメンバーの組み合わせを発表していく。

「……続きまして高柳さん。五番機に搭乗していただきます」

リード・ソロの五番機を希望していた高柳が「やった！」とバンザイした。

「パイロットは島崎三佐、タックネームはアイラです」

「よろしくお願いします」

野太い声で答えた島崎に、『宙』のメンバーがどよめいた。

「アイラさん、この人!?」

「失礼ですけどアイラってイメージじゃない！」

短軀猪首の強面とタックネームのギャップはテレビ的においしく炸裂したらしい。

「俺、絶対こっちの人かと思った！」

高柳がまだ指名されていなかった六番機のパイロットを手で示す。

すらりとした長身で顔立ちも柔和な六番機のパイロットは、確かにアイラという女性的な響きのタックでも違和感がない。

「あの、何でアイラさんなんですか？　すごく男らしくていらっしゃるからギャップが」

高柳の問いかけはかなり言葉を選んでいるが、島崎は男らしいという表現にご満悦だ。

「島崎の島からアイランドを短縮しただけですよ」

そこから各自のタックネームの話で盛り上がる。パイロット側からも軽口があれこれ飛び出し、かなり雰囲気がほぐれた。

専門的な打ち合わせはパイロット同士の確認だけでさらりと流し、『宙』を交えるのは質問の受け付けだ。

他のメンバーは何を質問すればいいのか分からない様子だが、高柳はハイと手を挙げた。

「今日は高さのある曲技はやりますか？」

雲や風の状態によっては高度を使う曲技はやらないことがあり、そこが一番気になったらしい。

「今日は雲も少ないですし、大気の状態もいいですから、ほぼフルコースの展示飛行ができると思いますよ。途中で気分の悪くなる方が出られたら中断するかもしれませんが」

みんな絶対ギブアップしないでよ、と高柳がメンバーにせがみ、いよいよ次は搭乗である。

装具室で耐Gスーツとハーネスを着け、ヘルメットを渡された『宙』の五人が歓声を上げた。

「これ、俺たち専用ですか!?」

ヘルメットには各自の名前をカッティングシートで入れてある。

これは広報室から持ちかけた案で、以前『セラフィン』のPVに協力したとき、ヘルメットとT－4にメンバーの名前を入れて『セラフィン専用』の演出をしたことをいたく喜ばれた経験によるものだ。

ブルーインパルスのコクピットにももちろんメンバーの名前を視界の邪魔にならないところに入れており、『宙』と撮影班を喜ばせた。

その傍らで空井も松島基地の広報班に喜ばれた。

「これ、やっぱりやってよかったですね。アドバイスありがとうございます」

「いえ、お役に立てて」

広報室密着のカメラマンがそのやり取りを撮影している。『宙』やブルーインパルスの映像を押さえつつも、密着側はあくまで裏方の広報の動きを追うらしい。

やがて『宙』がブルーインパルスに乗り込み、タキシングが始まった。一番機から四番機までが編隊を組んでダイヤモンド・テイクオフ。

次いで五番機がローアングル・キューバン・テイクオフだ。離陸してから超低空で滑走路上を突っ切り、スモークを引きながら上空へループする。背面になったところでロールしながら降下、再び水平飛行で滑走路上を今度は高度三〇〇フィートで通過する。

初っ端からの大きな機動《マニューバ》に地上のテレビスタッフがどよめいた。懇願して五番機に乗った高柳も度肝を抜かれているに違いない。機内にはメンバーの様子を録画するためのカメラを搭載しているが、どんな顔をしているか見物だ。

最後に六番機が離陸後すぐにバレルロールに入るロールオン・テイクオフで飛び立った。

青空をバックに様々な図形を描いていくブルーインパルスを見上げていると、リカに訊かれた。

「今のお気持ちはいかがですか」

カメラが自分を撮影していることは分かっていたが、ブルーを見上げたまま首が下がらない。

自分が取ってきた企画で今ブルーは飛んでいる。しかも雲一つないベストコンディションで。

「……感無量です」

やっと一言押し出せただけだ。

パイロット資格を喪失したときは、これで二度とブルーインパルスと関わることはなくなったと思っていた。

今、関わっている。

リカはそれ以上何も訊いてこなかった。

まるでそっとしておくようにカメラを連れて離れた。


そしてリカは鷺坂のほうを摑まえに行ったらしい。駐機場の片隅から空井が中盤に入った曲技を飽きもせず見上げていると、ブルーの撮影の間は手が空いたのか阿久津がやってきた。

「どうも、お世話様です」

軽快で調子のいい物腰は、同じテレビ関係者なのに生真面目なリカとはまったく違う。むしろリカのほうが異質なのかもしれない。

「後半で画《え》になる曲技が来ますよ」

「ええ、あのハートのやつですね」

空に描いたハートを射抜くバーティカル・キューピッドは人気のある曲技である。

「Vはそれをメインに構成しようと思ってます」

言いつつ煙草を取り出そうとした阿久津を空井は手で制した。

「すみません、駐機場なので火気は……」

これは失礼、と阿久津が煙草をまたポケットに押し込む。

「おかげさまで初回スペシャルはいい出来になりそうです」

「いえ、こちらこそいい機会をいただきまして。いろいろ勉強もさせていただきました、戦闘機の体験搭乗をブルーインパルスに発展させるというのは思いつきませんでした」

「ああ、それは稲葉のアイデアなんですよ」

えっと言葉を詰まらせた空井に、阿久津は「意外でしょう」と笑った。

「記者から転向してきた堅物なお嬢ちゃんだと思ってましたが、なかなかどうして勘がよかったですよ。今あいつが持ってる『お母さんとぼくの社会科』のコーナーも、最終的に私がちょっと叩きましたがコンセプト自体はほとんど自分で練り上げましたしね」

それよりブルーのアイデアのほうを聞かせてくれ、と口を挟みかけると、察したのか阿久津は説明してくれた。

「以前、稲葉に空井さんの企画書を見せてもらったことがありましてね。『宙色バラエティ』のスペシャル企画を探してたときに思い出したんです」

確かに作った企画書の類は取材用の資料としてリカにもよく渡している。よかったらどこかに売り込んでくださいよ、なんて軽口を叩いたこともあった。

「それでちょっと稲葉に話を聞いてみたんですが、戦闘機だと五機は無理じゃないかという話になって。そうしたら稲葉がブルーインパルスなら六機いるから行けるんじゃないかと」

ああそうか、と『宙色バラエティ』のことをリカに報告したときを思い出した。阿久津の案と思って企画をベタ誉めした空井に、リカは「意外と単純な思いつきかも」と懐疑的だった。

身内の謙遜ではなく自分の謙遜だったらしい。

「『宙』にブルーというのもイメージに合いますしね」

そこから先はもう上の空だった。阿久津も説明するとまた撮影班のほうに戻った。

胸が締めつけられたが痛くはない。行き違ったときは散々痛く、寄り添われるとひどく甘い。

知ってますか、稲葉さん。空井はブルーが舞う空をまた見上げた。

初めて会ったとき、俺はあなたと絶対分かり合えないような気がして目の前が真っ暗だったんです。

それがたった一年で今はどうだ。

青く抜けた空に、憧れのブルーがバーティカル・キューピッドを決めて去った。

＊

チャンバールームの光景が没になった以外は特に大きなトラブルもなく、『宙色バラエティ』の制作は順調に進んでいるという。

VTRでは航空ファンの高柳がいいガイド役になっているそうだ。

「いやー、広報室で一緒に観らンないのが残念だね」

最近嵌っているホッピーを呷《あお》りながら笑ったのは鷺坂である。

いつもよりほんの少し奮発した店で、週末に開かれたのは鷺坂の送別会だ。鷺坂の会費は部下が割り勘で持っている。

当たり前のように招かれているリカも割り勘を申し出たが、例によって利益供与になるという理由から幹事の槙が辞退している。幹事は片山も名乗り出ていたが、階級が上の槙を立てて片山が引っ込んだ。

「それでは盛り上がってまいりましたところで！」

代わりに片山が担当したのは余興役だ。一人持ち込んでいた大きなブリーフケースからノートPCとDVDのケースを取り出す。

「室長との別れを惜しんでこんなものを用意してみました！」

DVDのラベルには自家製プリントで『広報室長・鷺坂正司の軌跡』とある。

「何を作ってんの、暇なことすんなよ」

呆れる鷺坂をよそに、部下たちは料理や酒が居並ぶ座卓にPCを置くスペースを作った。片山がさっそくDVDを再生する。

内容は鷺坂が空幕広報室で関わった広報企画の記録だった。時系列に従って広報室が撮影協力した番組がテロップ入りでダイジェストのようにスライド上映される。BGMも鷺坂の好きな曲を編曲してあり、凝った作りだ。

「器用ね〜、あんた！」と柚木が目を丸くする。

ダイジェストが終わると次に映ったのは広報室だ。ドキュメンタリーのインタビューのような紹介テロップ付きで映ったのは柚木である。

「ちょ、何で一番で使うのよ！」噛みついた柚木を片山が「広報室の総意です」と片付ける。

Q．鷺坂室長はどんな上官でしたか？　というテロップに画面の中の柚木がうーんと考え込む。

『一言で言えばミーハー？』

さっくりやっつけた柚木のコメントに周囲は爆笑だ。酒が入って笑いの沸点が低くなっている。

『ＭＡＹＡがどうの「宙」がどうの、うるさいの何のって』

Q．そのミーハーぶりとは？　というテロップで今度は回答者が槙に代わる。

『老若男女、死角なしでしたね。アイドルオタクと話をしても余裕でついていくと思います』

そんな具合で部下たちが順次鷺坂を面白おかしくこき下ろす。片山の編集も軽快で、途中からまるで都市伝説の検証番組のようになった。

やがて画面が切り替わり、『ではそんな鷺坂室長についてメディア関係者の意見を求めた』と真面目くさったテロップが流れる。

そして最大級の爆笑が座に弾けた。目元にモザイクがかかった状態で登場したのがどう見てもリカだったからである。

『いろんな意味で自由な方でしたね』と色々なものが籠もったコメントに鷺坂も含めて広報室のメンバーは大受けだったが、リカは恥ずかしいのか俯いている。

『初対面で稲ぴょんと呼ばれたときはどうしてくれようと思いました』恥ずかしがっているわりに録画の中のコメントは威勢がいい。

「ノリノリじゃないですか」と空井がつつくと、リカは真っ赤になって噛みついた。

「片山さんの演技指導です！　ＯＫテイク出さないと解放しないっていうから」

片山がこのＶＴＲ用に関係者のコメントを集めて回っていたのは知っているが、誰もが自分のコメントしか把握していない。観てからのお楽しみ、と片山は頑として制作途中を見せなかったのである。

鷺坂室長に何か要望は、という質問テロップにリカは『稲ぴょんと呼ぶのはやめてください』と即答し、また周囲の笑いを誘った。

そして急にリカのモザイクが外れる。

『散々からかわれましたけど……右も左も分からない私を指導してくださったことは忘れません。本当にありがとうございました。広報室の特集を鷺坂さんがいる間にお見せできなかったことがとても心残りです。次は千歳《ちとせ》に行かれるそうですが、近いうちに必ず完成させますので北海道の系列局で見届けてください』

そこから編集の雰囲気ががらりと変わった。ドキュメンタリー番組のパロディ風だった画面がホームビデオそのままになる。

『鷺坂室長の決断力と突破力は、部下からすると本当に心強かったです』と比嘉が登場した。

『私はしばらく広報室にいられると思いますので、鷺坂イズムを継承できるように頑張ります』

そして今度はおちゃらけではなく、室員一人一人の送る言葉だ。心の籠もった温かいコメントが続く。

『正直言うと、もっと長く鷺坂室長の部下でいたかったです』

自分のコメントが始まって空井は思わず俯いた。初っ端泣き言をかましているのは自分だけでいたたまれない。

『広報の仕事は分からないことだらけで初めは戸惑いましたが、最初に働いたのが鷺坂室長の下でよかったです。教わったことは一生忘れません。どうか次の任地でもお元気で』

自分の言葉が終わるまで、ほとんど息を止めていた。次のコメントが始まってようやくほっとする。

最後に出たテロップのコメントは片山だ。

『鷺坂室長の部下だったことは私の誇りです。本当にお世話になりました。そして、ありがとうございました。――片山和宣』

そして画面は集合写真を背景に『部下たちより愛を籠めて』というテロップで結んで終わった。一番いいところに入った片山のコメントに周囲が一斉にブーイングだ。

「人には道化やらせて何を自分だけカッコつけてんのよー！」

柚木の追及に片山は素知らぬ顔だ。

「俺が作ったんだから役得ですよ、これくらい。その代わり顔出ししてないじゃないですか」

「文章だけのほうがカッコイイじゃないの、ずるいわよ！」

「編集権の独占には問題があるんじゃないか」と槙も介入し、しんみりした空気が一気に台無しの大騒ぎである。

ゲラゲラ笑っていた鷺坂が、「トイレトイレ」と呟きながら席を立った。

酔いのせいだけではなく目が赤くなっていたことには、誰もが気づかない振りをした。

＊

名残は尽きないが、飲み放題の時間には限度がある。店員が無情に終了時間を告げに来て座はお開きとなった。

週が明けたら鷺坂はもう広報室には出勤してこない。店を出てから何となくぐずぐずしていたが、鷺坂が「はいはい」と手を鳴らした。

「きりがないから解散！　ＪＲはあっち、地下鉄はこっち！」

その仕切りで二次会でもという流れはすっぱりなくなった。鷺坂がさっさと自分の使う路線に向かったのを皮切りに、部下たちも三々五々と散って行く。

そしてどちらからともなく空井とリカは同じ方向に歩きはじめた。仲間とはぐれてしばらく、「送ります」と空井が言うと、リカもはいと頷いた。

「人形町でしたよね」

「どうしてご存じなんですか」

「一度、稲葉さんのご自宅まで送ったことがあるんです」

目をぱちくりさせたリカに、空井は「稲葉さんは信じてくれませんでしたけど」と笑った。

「ほら、グダグダに酔っ払って柚木三佐と抱き合ってたとき」

「あっ、やめて」

リカがぱっと耳を塞いだ。どうやら思い出したくない痛恨事らしい。すがりついていた相手は柚木だが、呼んでいた名前は空井だった。それを教えたらどうなるのかな、などと思ったが自重した。

「空井さんにとってこの一年はいかがでしたか」

不意に放たれたその質問に、答えは自然と滑り出た。

「パイロットじゃなくなっても生きていかれるなと分かった一年です」

「待って、撮らせて」

リカが鞄をごそごそ探った。「仕事熱心なんだから」と苦笑しながらいつものカメラを構えるのを待つ。

ちらほらとある人通りを避け、シャッターの降りたビルのポーチに場所を借りる。

「はい、どうぞ」

「どうぞって言われても」

小さく吹き出すとリカは「真面目に」と怒ったが、自分でもおかしくなったらしく結局笑った。笑いが収まってからぽつりぽつりと言葉を探す。

「パイロットじゃなくなって、何だか自分が空っぽになったような気がしたんです。僕は子供の頃からパイロット一筋で、いつかブルーに乗るんだってそれしか考えていなかったから」

首尾良くパイロットになれたのだから、自分がパイロットじゃなくなる人生なんて考えたこともなかった。

「それなのにパイロットじゃなくなっちゃって」

酔っ払っているせいか、話が何度もくるくる回る。どうせリカが適当に編集するだろう。

「でも、広報室に来て、鷺坂室長の部下として働いて、パイロットじゃなくても飛べるんだって分かったんです」

話が飛びすぎたのか、リカが少し置いてけぼりを食った顔をしている。

「広報っていう仕事は、航空自衛隊を飛ばすことができるんです。——世間の風に」

自分の中でもキーワードが繋がった。

「自衛隊が飛んでたら、僕も飛んでるのと同じじゃないですか。広報じゃなくても、どんな職種でも、自分がちゃんと勤めてたら、それは自衛隊がちゃんと理解してもらえることに繋がりますよね。だから俺、どこに行っても飛べるんだって。飛行機に乗れなくなったことは悲しいけど、でも……」

話がループしそうになって、「みたいな？」とおどけて言葉を止めてみる。

リカがカメラを下ろした。

「広報室のドキュメンタリーについて、ずっと空井さんに相談したいことがあったんです」

それは前から何度か聞いている。一段落ついたらと延び延びになって今日まで来た。

「空井さんを中心に構成したいんです」

ひたと見つめる眼差しに撃ち抜かれる。

「パイロットじゃなくなって、広報官になった空井さんを追いかけたいんです」

どう返事をしたらいいのか言葉を迷っていると、リカの眼差しが足元に落ちた。

「記者じゃなくなって、落ち込んで捨て鉢になってたとき、空井さんが私の前を歩いてくれたんです。なりたいものになれなくなっても別の何かになれるって。だから……」

そういえばそんなことを口走ったことがあるようなないような。

鼻の奥がツンとして、あっと思うともう涙がこぼれていた。

「やだな、俺、稲葉さんの前だとこんなんばっかりだ」

言い訳のように呟きながら袖で目元を拭う。——なりたいものになれなくなったのにこんなに報われることがあるなんて。

あの日は理不尽な運命を恨んで泣いた。今日は違う。

鼻をすすっていると、髪に柔らかな手が触れた。あやすようになでる。

どうしたらいいか分からなかったので、とあの日は言ったが、

「わたしがなでたいのでなでます」

断固とした主張に胸がふわりとくすぐったくなった。

空井はうんと頷き、なでてとあの日のようにせがんだ。

＊

例年より早く咲き誇った桜がすっかり散った頃、『宙色バラエティ』のオンエアがあった。

ブルーインパルスの体験搭乗はスペシャルの時間枠をほとんど半分費やしており、入間基地の航空生理訓練や飛行前のブリーフィングも丹念に紹介していた。

曲技をほとんどフルで体験したのに、『宙』のメンバーはまったくへこたれた様子を見せず、飛行中のコクピットですら溌剌《はつらつ》としていた。実はフライト後は少しグロッキーになっていた者もいたのだが、カメラが回っている間はおくびにも出さず、そのプロ根性が自衛隊関係者に大いに舌を巻かせた。

「いやぁ、良かったねえ！」

鷺坂は赴任した千歳から電話をかけてきた。

「ブルーの曲技だけじゃなくて、パイロットやスタッフとの交流が盛り込まれてたところが非常に良かった！　働いている隊員の顔が見えるのは実によろしい」

自衛隊が血の通った人々の勤めている組織だということがよく伝わる、それが大事なんだ、と鷺坂は熱弁を振るった。

「お前、本当にいい企画を物にしたよ」

手放しの絶賛は面映ゆいほどである。

「ありがとうございます」

「何言ってんだ、こっちの台詞だよ」

隊員の素顔を紹介してくれてありがとうな、と鷺坂は続けた。

「装備だけ紹介したって意味ないんだよ。その装備を扱っている『人』を観てもらわなくちゃ。そしたら必ず分かってくれる人がいるからね」

たとえ分かってくれない人がいたとしても。——番組は概ね好評だったが、ネット上などでは「自衛隊のプロパガンダのようで気持ち悪い」というような辛辣《しんらつ》な意見もちらほら出ている。

そうした言葉に傷つかないわけではないが、できるだけ気持ちを切り替えるようにしている。そういう人たちにもいつか届くと信じて積み上げていくしかないのだ。

「世間の人が半分振り向いてくれたら上等かなって思うようになりました」

すると鷺坂の声が笑みを含んだ。電話の向こうできっとにやりと笑っている。

「半分も振り向いてもらえなかった時代もあるんだから、今はいい時代さね」

それじゃあな、と鷺坂は話を畳んだ。

「新しい室長にもよろしくな」

「他の人に代わらなくてもいいですか？」

「いいよ、あいつらうるさいんだもん」

誰のことを言っているかは明白で、思わず吹き出した。

電話を終えて、空井はプリントアウトしてあった企画書をまとめて綴じた。ブルーインパルスを一般イベントに売り込むための企画書だ。ＰＲポイントとしてさっそく『宙色バラエティ』を使っている。

次を積み重ねるための努力はもう始まっている。それはこの広報室で連綿と途切れることなく。

出来上がったばかりの企画書を持って、空井は新任の室長が待つ室長室へ向かった。

fin.

あの日の松島

＊

東京から東北新幹線で仙台駅へ着いたのが午前十一時だった。

平時であれば、松島基地の最寄駅は仙台と石巻《いしのまき》を繋ぐJR仙石線矢本《やもと》駅ということになるが、東日本大震災から十ヶ月が経っても仙石線は全線復旧していない。松島海岸駅から矢本駅の間を繋ぐのは代行バスである。

代行バスの所要時間は小一時間ほど。東北本線松島駅からタクシーを使えば三十分程度で済むという話だったが、行きはできる限り公共交通機関を使ってみようと決めていたので、稲葉リカは松島海岸駅までの切符を買い求めた。

まだ少し早いが、ここを逃すとタイミングがなくなりそうなので駅前で昼食を食べておくことにした。構内はもうすっかりきれいに整っている。

駅前も——ジュンク堂の入っていたビルの丈がごっそり低くなっていることを除けば、概ねはリカが覚えている震災前の光景に戻っていた。もっとも、海岸線のある宮城県東部は未だに爪痕《つめあと》が生々しく、復興も思うように進んでいないので、この光景で安堵するのは禁物だ。被害地区がある程度集中していた阪神・淡路大震災と違い、津波の影響もあって被害が広範囲に亘《わた》ったこの震災は、全体的な復興が難しい。被害が甚大な地域の住民は、先に復興を終えた地域を見て世論が安堵することを何より恐れている。同じ被災地内でも被害の多寡《たか》が激しく、被災者同士ですら意識の落差が激しいのが東日本大震災の特徴だ。

それにしても、とリカは西口の歩行者回廊を眺めた。ビジネスマンや買い物客が大勢行き交う回廊は、震災前と何ら変わりない賑わいだ。TVニュースではやはり主要な駅前や繁華街などが映像になることが多く、現地を知らない一般の人々が安心してしまう気持ちも分からなくはない。その辺りは情報の出し方が偏りがちになるテレビの責任も大きいだろう。テレビ業界の人間であるリカとしては忸怩《じくじ》たる思いだ。

せっかくなので名物を食べようと駅構内の牛タン通りで適当な店に入った。チェーン店のようだがなかなかおいしかった。

西口から仙石線の乗り場までは随分離れていて、予定の列車に乗るために構内をダッシュしたことは余談である。東京では珍しい、自分でドアの開閉ボタンを操作するタイプの車輌だった。寒冷地では当たり前の仕様である。停車中ずっとドアが開いていたら中の乗客が凍えてしまう。

列車が走り出した。乗客はまばらだ。乗っている全員が座って、しかも余裕がある密度。この時間帯の東京では考えられない。

車窓に街の景色が流れる。何の変哲もない地方都市の光景だ。たまに外壁にひびの入っている建物があるくらいで、やはり分かりやすい傷痕は残っていない。

それでも何か印象的な風景があるのではないかとしばらくはハンディカメラに手をかけて意識を張り詰めていたが、列車にゴトゴト揺られているうちにそんな気持ちもほどけていった。

イタリアの新聞だっただろうか。瓦礫《がれき》の散乱した広大な土地が、わずか数ヶ月で更地になった驚きを報じている記事があった。有事にはやはり日本人の勤勉さが物を言うのだろう。

平穏な車窓の風景にすっかり油断した頃だ。

目の端にあり得ない景色がかすめ、ぎょっとして背後の窓を振り向いた。

線路端にごろんと船が転がっていた。全長五m以上はあるだろう。だが船が入り込めるような水路はまったくなかった。地図の上で考えれば、線路に沿った国道を越えてほんの数百mか一kmほど先に海岸線があるはずだが、少なくとも窓から海が見渡せる地形ではない。

流されてきたのだ、という事実を受け入れるまでにしばらくかかった。きっと瓦礫を撤去するときにこれだけ取り残されたのだろう。

乾いた土の上に斜めに転がる船は、撤去するとすれば重機や大型トラックが必要になるはずだ。そんなものを易々とここに置き去りにするような猛々しい力がこの地を襲ったのだと、今さらのように肌で感じた。

＊

リカが空幕広報室のドキュメンタリーをまとめたのは『宙色バラエティ』のブルーインパルス企画から半年ほど後のことである。

約束どおり空井を中心に構成したので、空井は随分照れていた。主に片山や柚木から「空井がかっこよすぎる」と不満が出ていたが、比嘉は手放しで誉めてくれた。千歳基地の鷺坂も喜んでくれていたという。

そのドキュメンタリーから一年ほどして、空井は空幕広報室から異動になった。

ほぼ同じ頃、リカは報道局から情報局へ異動した。『帝都イブニング』で起ち上げたコーナー

『お母さんとぼくの社会科』が評価され、子供向けに新規の教育番組を作るプロジェクトチームにチーフディレクターとして抜擢されたのだ。

『お母さんとぼくの社会科』は別のディレクターが引き継ぐことになり、リカも自衛隊担当から一度外れることになった。

空井の送別会にはリカも呼ばれた。リカのお別れ会も兼ねてくれたらしい。

その頃には鷺坂がいた頃とすっかり顔ぶれが変わっていた。空井以外の幹部自衛官はほとんど入れ替わっていて、残っていたのは槙だけだ。柚木の近況は槙から聞けた。遠距離でそれなりに甘ったるく続いているようだ。

幹部自衛官には異動が付きものですから、と比嘉が笑っていた。腰を据えて広報をやるために昇進を避けているという比嘉は、まだしばらく広報室にいるらしい。

空井の次の赴任先は松島基地だった。第四航空団司令部監理部渉外室に勤めることになったという。

「次はどんなお仕事をなさるんですか？」

「引き続いて広報です」

答えた空井の頰は酒で軽く上気していた。説明してくれたところによると、基地では渉外室が広報の機能を持っているという。

「元パイロットが広報官になることはけっこう多いんだそうです。飛行機について技術的な説明ができる人間がいるといろいろ便利ですから。パイロット職を経験した人間が説明すると説得力を感じていただけることが多いみたいで」

同じ理屈で空幕広報室にも常にパイロットが数人在籍している。しかし、地方の各基地にまで現役パイロットを広報として割くわけにはいかないので、元パイロットの登板となるらしい。

飛べなくなった理由は様々だが、パイロットとしての知識や経験までが失われるわけではない。人材の有効活用という意味ではなかなかの采配である。

「松島の今の広報班長も元はイーグルに乗ってたんですよ。僕もパイロットだった頃に少し面識がある人なので気が楽です」

「その方はどうして飛行機を降りられたんですか？」

「心臓を悪くしたんじゃなかったかな……」

答えた空井が「でもそれほど大したことじゃなくて」と慌てたように付け加えた。リカの表情は反射的に曇ったらしい。

「戦闘機のパイロットは健康診断の基準がちょっと厳しいので」

戦闘機動時には最大９Gがかかるというから、基準を厳しく取るのはやむを得ない。

話し込んでいるうちに、飲み放題の時間が切れた。相変わらずつましい設定の飲み会である。

店を出てから三々五々と別れ、空井とリカがどちらからともなく同じ方向に歩きはじめるのはいつものことである。しばらく歩くと空井のほうが「送ります」と切り出す。

だが、その日は違う言葉が来た。

「もしよかったら、もう一軒行きませんか？」

ささやかな二次会は、道すがらに見つけたバーに入った。だが、これといって何かが進展するわけでもなく、広報室での思い出話や次の仕事への抱負などをぽつぽつ話すだけで終わった。

「いつか」

そろそろ帰る時間になって、空井がリカの眼差しを避けるようによそを向きながら呟いた。

「稲葉さんの作る新しい番組で、松島基地を取り上げてもらえたらいいな」

取り上げてくださいと言わない辺りが広報として押しが弱い、と比嘉や片山なら言うのだろう。

「ほら、ブルーインパルスの母基地だし。子供受けすると思うんですよね」

「子供受けしますか」

「しますよぉ！」

空井は憤然とリカのほうに向き直った。

「基地祭でもブルーのパイロットは子供たちに大人気で、たくさんサインをねだられてますよ」

「子供と一緒の画が撮れると導入しやすそうですね。じゃあ、新番組で空自を最初に扱うときはブルーインパルスを考えてみようかな」

「ぜひ！」

犬がしっぽを振り回すような勢いで空井は頷いた。

「そしたら、絶対僕が案内しますから！」

そして小指を立てた右手がリカの前に差し出された。面食らって空井の顔を見直すと、空井はすぐに伏し目になりそうな眼差しを懸命に上げてリカを見つめた。

「約束ですよ。いつか松島で」

あんまりひたむきに、まるでいじらしい犬のように見つめてくるので、おかしくなって口元がほころんだ。

「いつか松島で」

応えて小指を絡めると、空井は勇んで「針千本飲ます」と終わる指切りの歌を歌って切った。

駅で別れるとき、空井は改札の向こうから大きく手を振った。

「待ってますから！　絶対！」

もう少し何かがどうにかなるかな、と思ったが、別れ際に仕事の約束を取り付けるのが精一杯という辺りは自分たちらしいような気もした。

そうして空井が松島へ発った半年後である。リカは『ぼくらの未来』という新番組を起ち上げ、視聴率に責任を持つ立場となってきりきり舞いしている頃だった。

東北をあの震災が襲った。


東京でも長時間にわたる激しい揺れを感じた。

リカは帝都テレビの本社ビルでミーティング中だった。いつまでも止まらないしつこい揺れに若い女性スタッフが泣き声を上げた。

「もしかして関東大震災が来ちゃったんでしょうか」

バカ、と別の男性スタッフが叱る。

「それならこんな程度で済むはずないだろうが」

十数分ほど続いた揺れがようやく収まり、報道局から地震についての情報が入りはじめた。

最終的なマグニチュードは９・０。その数字に誰もが言葉を失った。まぎれもなく戦後最大の震災だった阪神・淡路大震災の観測記録が軽々と塗り替えられた。

震源地は宮城県牡鹿半島沖一三〇㎞、震源域は岩手県沖から茨城県沖にわたる数百㎞。更には津波警報が出た。

しかし、現地からの情報が一向に入ってこない。死亡者数、行方不明者数ともに推定で数百名と出たが、その後が更新されない。

「こんなもんで終わるわけねえ」

年配の男性スタッフが眉間にシワを立てた。阪神・淡路の取材経験があるスタッフだった。

「現地が混乱して情報が出ないんだ。そのうち跳ね上がるぞ……」

リカは当時まだ学生だった。現実感を喪失するほど壊滅した神戸のニュース映像はよく覚えている。

あのときも最初は被害者数がなかなか出なかった。ぽつりぽつりと数字が出始めたかと思うと、あっという間に百の単位を駆け抜けて千の単位に跳ね上がった。

当時の死亡者数が六四三四人。――今回は一体どこまで。

やがて現地の映像が届きはじめた。元の間取りが分からないほど物が散乱したオフィスや店舗の光景。従業員たちが魂を抜かれたような様子でインタビューに答えている。他社の放送も同時にモニタリングするが、どこも似たり寄ったりだ。

ああ、この分なら被害もそれほどのことは――安堵したその油断をあげつらうように恐ろしい映像が差し込まれた。局はＮＨＫだ。

濁流が街を呑み込んでいく。押し流される大量の瓦礫が槌となって街を襲い、瓦礫と化した街がまた濁流に呑まれて槌の質量を増し、次の街へと牙を剝く。

圧倒的な破壊が拡大して連鎖していく。

数十人がモニターを囲んでいるのに、時が凍りついたように静まり返った。

「阪神を超えるぞ」

誰かが慄《おのの》いたように呟いた。地震の規模だけでなく、その被害規模も阪神・淡路を上回ることはその映像からも確実だった。

「俺が生きてる間に阪神より酷い震災が起こるなんてな……」

先ほどの男性スタッフだ。その場にいた全員の気持ちを代弁している。まさか、あれより酷いことなど起こるまい。——あれより酷いことなど起こってほしくない。人としてごく当たり前の願望は打ち砕かれた。

「おい、記事の整理ができる者はいるか！」

報道局は錯綜する厖大《ぼうだい》な情報にパンク寸前らしい。予定の放送はすべて取り止めになり、時間未定で特番が決まったので情報局は報道局のサポートに入ることになった。部署の垣根を越え、ありとあらゆる関係機関にスタッフが派遣される。仙台や他の東北支局でも同様の動きになっているはずだ。

「稲葉、おまえ原稿書けるな！」

「はい！」

腐っても元記者だ。報道局に詰め、次々と飛び込んでくるニュースを原稿に仕立てる。優先度が低いものもあるが、繋ぎには充分使える。

そして、そのニュースはリカの目の前に躍り出た。

『航空自衛隊松島基地、水没。基地は音信不通』

すべての物音が一瞬遠のいた。取りかかっていた原稿を力尽くで仕上げて、一度席を立った。

松島基地には空井がいる。

知り合いが一人いるというだけで、現実感がなくなるほどの巨大な震災が急激に自分のそばに迫った。

松島基地は沿岸に程近い。水没というのは具体的に何メートルか。松島を襲った津波の波高はどれくらいだったのか。『宙色バラエティ』のときに訪れた松島基地の様子を必死で思い出す。高い庁舎がいくつかあった。それに管制塔も。そこに避難していたら助かるはずだ。

空幕広報室の誰かに詳細を聞けないかと思いついた。広報室にはきっと問い合わせが殺到している、だが比嘉の携帯番号とアドレスなら知っている。電話は邪魔になるだろうが、メールなら折りを見て返事をくれるだろう。

携帯を取り出すと、いくつかメールが入っていた。家族や友人からの安否確認に混じって——空井から二通届いていた。飛びつくように開封する。

『無事です』

最初の一通はその一言だけだった。

二通目を開けて吹き出した。『F－2が全部流れちゃいました』という一言に泣き顔の顔文字がくっついている。

折り返しの電話は回線がパンクしているのか繋がらなかった。だが流れていくF－2に泣き顔を添えられるくらいだから、きっと大丈夫だ。

『そのまま無事でいてください』

その一言だけ返した。そして、Ｆ－２が津波に押し流されたという情報はありがたく報道局に上げさせてもらうことにした。

裏取りに映像をつけ、翌日以降に報じられた。

＊

落ち着いてから、あのときのメールの意味をときどき胸で転がした。

あのメールが届かなかったら、安否確認できるまで胸が潰れるような思いをしたに違いない。

無事じゃないとしたら、胸が潰れそうになるくらいには近しい相手だったのだと今さらのように気がついた。

空井があのとき無事を知らせてくれたのは、空井にとってもリカが安否を知らせる近しい人々だったということなのか。

代行バスが矢本に着いた。駅前のささやかなロータリーに国防色のバンが停まっていた。

バスに乗ったときメールを出した。時間を読んで迎えに来てくれたのだろう。

運転席から降りた空井が駆け寄った。

「――お久しぶりです、稲葉さん」

清々しく笑う顔に、胸が詰まった。

「遅くなりました。もっと早く来たかったんですけど……」

「いえ、そんな。今は『ぼくらの未来』でお忙しいでしょう」

リカがチーフディレクターを務める新番組だ。帝都テレビ初の教育番組として期待されている。期待されている分だけ責任も重く、今はなかなか現場に出られない。

「観てますよ、面白いです。鷺坂さんも誉めてました」

時事問題から雑学まで授業形式で解説する番組だ。最初は『ぼくらの社会科』というタイトルで社会科見学風のロケをメインに構成しようとしていたが、毎回ロケだと予算がかかることと、マンネリ化を懸念していろんな構成で展開できる今の形に収まった。

次回のロケでは、３・11の災害派遣で注目の高まっている自衛隊を取り上げることになり、空自パートでは母基地の水没が話題となったブルーインパルスを特集する。

いつか松島で。その約束がこんな形になるとは思っていなかった。

「でも、このロケは絶対自分で来たかったんです」

「せっかく来ていただいたのに、今ブルーインパルスいないんですけどね」

車を出しながら空井が苦笑した。

３・11当日、ブルーインパルスは翌十二日の九州新幹線開通イベントで曲技飛行を披露するために福岡県にいた。イベントのアテンドには空幕広報室から比嘉たちが出ており、松島の広報班は基地に残っていたという。

ブルーインパルスが予行飛行を終え、バスで待機地の春日基地へ向かう途中に地震の第一報が入った。更に夕方までには翌日のイベントの中止が決定。交通が混乱する中を比嘉たちは市ヶ谷へ戻り、ブルーインパルスのクルー達も順次松島へ向かった。

ブルーインパルス機は松島を離れていたことで所有機のほとんどが難を逃れたが、基地が水没しているために帰投することができず、ひとまず芦屋基地預かりとなった。

やがて、訓練拠点そのものが芦屋基地に移り、未だに松島基地には戻っていない。

「F－2の教育隊も今は三沢に移っちゃってますしね」

松島基地の基地機能は未だ完全には回復していないのだ。現在稼働しているのは救難隊だけである。

「芦屋のほうにはもう行かれたんですか?」

「ええ。訓練風景を見せていただいて、パイロットの談話を取りました」

番組を構成する素材は充分揃っている。松島基地については震災当時の資料映像の差し込みで充分だという意見もあった。

だが、それでも今の松島基地を訪ねたかった。ブルーのいない松島基地を取材しないと収まりが悪いような気がした。予算を引き締めたいプロデューサーからは「これだから元記者さんは」とチクリと厭味を言われた。プロデューサーはバラエティ上がりである。報道上がりのリカとは方針が食い違うことが多い。

カメラクルーは使わず、リカの単独取材ということで折り合いを付けての松島訪問である。

「本当なら、訓練機のジェット音でやかましいんですけどね」

田んぼの中を車で走る道すがら、空は静まり返っていた。

「住民の方には静かで喜んでもらえるかと思ったんですけど、早くブルーやF－2に戻ってきてほしいって声が案外多くて」

「分かるような気がします」

彼らにとっては航空機のジェット音が日常のＢＧＭだったのだ。静まり返った空は未だ日常が戻っていないことを却って意識させるのだろう。

「もう一回、今の言ってもらえますか」

リカがカメラを出すと、空井が「相変わらずだなぁ」と笑った。しかし嫌な顔もせず同じ台詞を繰り返してくれる。

「今年は田植えもできなかったんですね」

この時期なら刈り取りを終えた稲の切り株が並んでいるはずだが、道の左右に広がる田んぼはくすんだ土が一面広がっているだけだ。

「基地周辺はかなり早い段階で泥掻きも終わらせたんですけどね。やっぱり海水ですし、作付けできる状態では……」

くすんだ田んぼが広がる光景もカメラに収め、車は松島基地の正門に着いた。


受付の入っている庁舎は、リカの背丈ほどの高さに赤いテープでラインが引いてあった。『津波ライン』と書かれたそのラインのところまで水が来たのだという。

見渡すと、敷地内の植木があちこち赤く立ち枯れている。津波の海水で枯れたのだろう。

「あれも当然浸かったわけですよね」

リカは中庭に置いてある戦闘機のモニュメントを指差した。津波ラインに従えば、コクピットの辺りまですっかり沈んだことになる。

「モニュメントだけで済んだらよかったんですけどね」

空井はそう言って頭を掻いた。

「駐機場にＦ－２や救難ジェットがぷかぷかですよ。そのまま格納庫に突っ込んじゃって……」

機首や尾翼を建物に突っ込んで擱座《かくざ》している航空機の映像は、帝都テレビの報道特番でも放送している。

「津波が来る前に何機かでも飛ばすことはできなかったんでしょうか」

尋ねたリカに空井が振り向いた。目尻に笑みがにじんでいる。

リカが何故それを訊くのか分かっている顔だった。

「広報班長が手ぐすね引いて待ち構えてます。その質問もぶつけてやってください。──持って帰ってください、あの日の僕らを」

顎を強く引いて頷いた。そのためにここに来た。

庁舎の一つに案内され、会議室に通された。「待ち構えて」いたのは鼻の下に髭を立てた熟年の幹部自衛官だ。空井の直属の上司に当たる広報班長その人である。

「東京では空井がお世話になったそうで！」

軽快かつパワフルな物腰で自己紹介がまくし立てられる。

「基地の沿革と被災状況についてスライドを用意しておきましたのでご覧ください！」

「録音よろしいですか？」

「どうぞどうぞ！」

基地の沿革はブルーインパルスの創設にまで遡られてしまい、下調べの内容とかなりかぶった。

「班長、その辺りは後で資料をお渡ししますから被災状況のほうを」

空井が怒濤《どとう》の説明に何度かブレーキをかけようとしてくれたが、あまり効果があったようには思えない。鷺坂とはタイプが違うが、ここでもパワフルな上司に振り回されているのだなと今の仕事ぶりが窺えた。

やがて話が被災時のことに向かった。

航空機が水没している駐機場や、泥を被って擱座したF－2など、被災時の写真がスライドに映される。報道にも資料映像として提供され、何度も放送されたものだ。

「津波が到達するまで一時間ほどありましたが、その前に飛ばせなかったんですか？」

ぶつけてやってください、と言われたとおりにぶつけた。

「当日の状況をご存じない方はそう仰るんですが……」

髭の広報班長はもどかしそうに顔をしかめた。

「当時は絶え間なく余震が続いていました。揺れている間は隊員たちも安全確保が必要ですし、事故があってはいけませんから機材を動かすこともできません。また、基地そのものがあれほどの地震に見舞われたとあっては、滑走路を総点検しないと飛行機を上げることなどできません。全長二七〇〇ｍもある滑走路を総点検するには最低三十分はかかります。更にすべての航空機をプリフライトチェックしてタキシーアウトさせるわけですから……」

リカの知識レベルを逸脱しそうになった説明を、空井が横から引き取った。

「通常状態の航空機は、電源を入れて飛行前点検を行わないと離陸できません。それから滑走路に移動するとなると、全航空機がエプロンを出るだけでも二、三十分かかるでしょうね」

アラート待機なら緊急発進《スクランブル》指令に応じて五分で離陸する態勢を取っているが、松島基地に所属しているのは実戦部隊ではなくＦ－２の教育隊である。

救難隊のヘリなら垂直離着陸できるので上げられたのではないのか、という批判もあったが、当日は予定されていた訓練が中止になるほどの悪天候で、スタンバイしている救難機はなかった。仮にスタンバイしている機があったとしても、救難ジェットの主翼がしなって地面に着くほど激しい揺れに見舞われたとあっては、通常よりも綿密な機体点検が必要だ。

「そして、津波は地震発生から三十分ほどで到達するという警報が出ていました」

三十分で津波が来るという警報が出た中、三十分かかる滑走路の点検に隊員を駆り出す選択はあり得ない。

結果的に津波が来たのは一時間後だが、それはそれこそ結果論に過ぎない。

ここは資料映像にナレーションを重ねたほうが説得力が出るな、と構成を思い浮かべつつメモを取る。庁舎の屋上に隊員が避難している記録映像が空自広報から提供されている。

「当時の基地司令が人命優先を即断して避難指示を出したからこそ、松島基地は勤務中の隊員に一人の犠牲者も出さずに済んだのです」

津波の後、泥を被って擱座したＦ－２の映像は何度もテレビ画面を賑わした。もしも航空機を離陸させることに執着していたら、Ｆ－２の代わりに泥を被って倒れていたのは隊員たちだったのかもしれない。航空機は離陸直前まで整備員が立ち会っていなければならない運用手順だ。

「松島基地はその後、無事だった隊員を全投入して災害救助活動に乗り出しました」

ふとよぎった違和感がそのまま口を衝いて出た。

「松島基地も被災しているのに、ですか」

　すると広報班長の口元が緩んだ。

「そこに気づいてくださる方は稀です」

　柔らかな示唆に思わずリカの目線は下がった。松島基地の自衛官たちが被災者として扱われていた報道など今まであっただろうか。少なくとも帝都テレビのニュースでは見かけたことがない。F－2が流された、救難ジェットが流された、甚大な損害が出たとそちらばかりを喧伝していた。基地が完全に水没するような被害を受けてさえ、自分たちは自衛官である彼らに被災者の資格を認めていないのだと今さらのように気づかされた。

「しかし、我々は自衛官ですから。どんな状況にあっても支援する側に回るのは当然の義務です。被災したことは同じでも、我々は有事の訓練を受けております」

「でも……隊員にもこちらに家族のある方がいるでしょう。心配じゃないんですか」

　尋ねたリカに、広報班長は「もちろん心配です」と頷いた。愚問だったと頰が火照る。

「ですが、自衛官はみんな妻や子に言い聞かせていると思いますよ。もし何かあっても俺は家にいないから何とかやってくれ、とね。それが自衛官と所帯を持つということです」

　大きな災害があったとき、一家の大黒柱は被災地へ急行する。たとえ家族が同じ被災地にいたとしても、見知らぬ他人を助ける任務を優先するのだ。

「だから、災害が起きたら真っ先に家族に連絡を取ります。お互い無事だと分かったら憂いなく出動できますから」

「もし……ご家族が無事じゃなかったら」

「死亡や危篤なら隊の配慮があるでしょう。しかし、家族の死に目に立ち会えないことも家族に看取ってもらえないことも誰もが覚悟はしています。そうでなければ、海外派遣などに志願することはできません。例えば、海自の潜水艦なんかは物理的に連絡が間に合わないこともありますしね」

彼らに負っているものが重すぎて、ますます目が上がらなくなった。

税金で訓練するのだから当然だ、と言う者もいるだろう。しかし、いくら給料をもらっているとはいえ、そこまで見知らぬ他人に尽くせるものだろうか。

話題が救助活動の内容に移った。

「お風呂を提供したのは被災者の皆さんに喜んでいただけましたね」

「空自も移動式のお風呂を持ってるんですか？」

阪神・淡路大震災のとき陸自の持っている入浴ユニットが活躍した、ということは知識として知っている。

「いえ、空自には入浴ユニットはありません。隊内の浴場を修理して被災者に開放したんです。避難所からの送迎もつけましてね」

「それは……被災者の皆さんも喜ばれたでしょうね」

「ええ、結果的に。ですが、当初はこの非常時にお風呂を立てるなんて、という消極的な意見もありました。実は私も反対だった一人です」

入浴よりも食事の供給やインフラの整備が優先ではないかという意見や、延《ひ》いては優先順位の取り違えだとマスコミに叩かれるのでは、という懸念もあったようだ。

「ですが、基地司令が『いいからやれ！』と号令をかけましてね。責任は俺が取る、と……」

ここでもマスコミは彼らの足枷《あしかせ》になっているのだ、と息が苦しくなった。被災者が喜ぶことを叩いたりなど、とは思うが、局の方針によってどうとでも転ぶのが現在の報道だ。極端な自衛隊嫌いがトップだったら、やはり論調は揚げ足取りのように厳しくなる。

広報班長がスライドの写真を数枚送った。隊員の救助活動のスナップだ。市街地や田畑の瓦礫の撤去、そして泥掻きの様子が写っている。

「これもかなり思い切った活動の一つで……」

リカにはとっさに理解できない説明だった。瓦礫の撤去や泥掻きは、被災地復興のごく基本的な作業に思える。

「よく見てください、隊員が民家の敷地内に立ち入っているでしょう。田んぼや畑にも」

それが何だというのか。怪訝な思いはますます膨らんだ。

「自衛官は救助活動以外で私有地に立ち入ることを許可されていないんです」

膨らんだ不可解さがぱちんと弾け、呆気に取られた。

「そんな……じゃあどうやって街の復興を」

「ですから、従来の災害出動では私有地には触れられなかったんです。民家の塀が倒れていても、それが公道側に倒れていたら撤去できますが、敷地の中に倒れていたら手を出せない」

「非常時ですからそれくらいは許されると思いますが」

「しかし、法律はそうなっていない。それに、自衛隊にも能力の限界があります。すべてきれいに片付けてあげたいのは山々ですが、そうするには物理的に隊員の数も機材も足りない」

どこまでを引き受けるのか、という線引き問題は常につきまとう。自治体レベルでは手も足も出ない状態を、自治体の自己活動ができるレベルまで整えて引き継ぐのが基本だ。

「ですが、今回はあまりにも街の被害が大きすぎた」

街が丸ごと水に浸かり、田畑にも瓦礫と汚泥が流れ込んだ。原則を守っていてはとても復興はままならない。

「我々にとっても馴染みの街です。そして被災直後の状態を立て直す能力を持っているのもこの街に我々だけでした。規則だからと手をこまねいていることは絶対にできない」

起死回生の策を打ったのは当時の基地司令だった。

「基地からの流失物を捜索せよ、という命令が下されました」

松島基地は津波で敷地全域が水没した。基地から危険物や機密保持に関わる物品が近隣に流れ出している恐れがあるとして、通常の制約を超えた活動が指示されたのである。

基地司令は退官間近だったという。問題になっても自分一人が責任を取ればいいとその決断に踏み切ったのだろう。

そんな無理矢理な理屈付けをしないと田畑の泥掻きもできないなんて、と目眩《めまい》のような絶望を覚えた。現場の指揮官が自分の裁量で処理している事例のいかに多いことだろう。しかも彼らは処分されることをも覚悟のうえでそれをするのだ。

「ですから、この件に関しては報道対応にたいへん気を遣いました」

報道してもかまわない、しかし報道の仕方で問題になったらこの活動は打ち切らざるを得ない――そう説明して取材を引き受けたという。

「結果、報道各社のほとんどが流失物の捜索という名目を添えた報道をしてくれました。名目を添えていないところも好意的な取り上げ方だったので問題にはなっていません」

リカはほっと胸をなで下ろした。報道の良心を少しでも信じられる結果であってくれたことに感謝した。

公開する写真も厳選してあるんですよ、と広報班長は笑った。

「中には完全に掃除してるって分かっちゃう写真もありますから」

リカが見せられたスライドは、かなり捜索活動に見える写真だった。

「隊員たちはよく頑張ってくれたと思います。仏壇とかもね、外に出して掃除して、位牌や写真をまた中に収めて部屋に戻して……辛い光景もたくさん見たと思います」

今の今まで流暢に喋っていた広報班長の声が不意に詰まった。

「本当に辛かったと思います。だけどあいつら、基地に戻って休んでも、すぐにまた出ていこうとするんですよ」

声がますます揺れる。目元はもうごまかしようもなく滲んでいた。

「どんなにか打ちのめされてるでしょうに、現場に戻りたいって……すみません」

広報班長が俯いて目頭を押さえた。まるで黙禱《もくとう》のようにも見えた。

「空井、後を頼む」

ようやくそれだけ言い置いて部屋を出ていく。

「すみません、驚いたでしょう」

「いいえ」

意外そうな顔をした空井に、リカは呟いた。

「空幕広報室でも同じ状態になった人がいました」

数日前に、事前取材として空幕広報室にも立ち寄った。

淡々と話しながら突然崩れる者がその日だけで何人もいた。例外なく「すみません」と詫びるところも同じだ。

テレビで被災の様子を観ているだけで不安定になった視聴者が大勢いたという。彼らはそれをテレビではなく直に見たのだ。しかも長期間。傷ついていないほうがおかしい。

リカにとって驚きだったのは、比嘉も同じ状態になったことだ。

比嘉なら大丈夫だと思っていた。広報経験が長く、広報としての意識は誰よりも高い。性格も朗らかで落ち着いている。比嘉が取材を受けながら泣くなんて想像すらしなかった。

にこにこと微笑みながら喋っていて、やはり突然崩れた。

「情けないと思わないであげてください」

「そんなこと……！」

心外というレベルである。

「思うわけないじゃありませんか！」

「すみません！」

空井が泡を食って言い訳する。

「僕もああなっちゃうことがあるから、つい」

「空井さんが泣き虫なことは知ってますから今さらです」

リカがつんと横を向くと、空井は「そんなぁ」とそれこそ情けない声を上げた。

ふと目が合って同時に吹き出す。

最後までスライドを見終わってから空井が言った。

「女性隊員にも会ってみますか？　渉外室に何人かいますよ」

願ってもない提案である。

「ぜひ」

現場の声や空気を汲み上げることができるかどうかで取材の成否は分かれる。そして取材対象は幅広いことが望ましい。自衛隊のように男性が圧倒的に多い環境では女性の視点は貴重だ。

さすがによく分かってくれているな、と先に立って歩き出した空井の後を追いかけた。


渉外室に居合わせた女性は二人だった。

どちらも若い。一人はリカと同年代だが、もう一人はまだ二十歳過ぎとのことだった。

「当日はどのような状態でしたか」

尋ねたリカに、先に答えたのは同年代の隊員だ。

「揺れが収まってから真っ先に保育所に連絡を入れました」

「お子さんいらっしゃるんですか」

同年代の女性が子供を持っていると聞くと、尊敬と後ろめたさが同時にこみ上げる。自分なら子供を持って家庭を切り盛りしながら仕事を続けられるだろうか、と思うととても無理だと先にお手上げしてしまう。

「ご心配だったでしょうね」

「幸いすぐに連絡が取れましたから。おかげさまで怪我一つなく……その日は保育所で預かってくれることになったので、子供を引き取りに行ったのは翌日です」

保育所から引き取った後は近所の実家に子供を預け、そのまま隊務に復帰したという。

絶え間ない余震が続く中、子供を置いて出勤するのはさぞかし不安だっただろうと思われたが、隊員の口振りに苦労したという様子は微塵も感じられない。

何かあったとき家にいないのが自衛官だ、という広報班長の言葉を思い出した。それは子供を持って働く彼女たちにとっても例外ではないのだ。そして、それを負担だとも苦労だとも思っていない。

ただ当たり前の果たすべき義務として受け止めている。

「でも、私は子供がいるので毎日家に帰れましたから。むしろ彼女のほうが……」

言いつつ話を若い隊員に譲る。独身である彼女は隊舎に帰れず、連日基地に泊まり込みだったという。廊下に敷いた段ボールが隊員たちの仮眠ベッドとなった。

「部屋、ぐっちゃぐちゃになってるだろうなぁって思うと、むしろ帰りたくなかったです」

若い隊員は冗談っぽい口調で笑顔を見せた。

「当初は隊内の食事や水の分配に追われてました。全国から支援物資が届くようになってからは、その管理や仕分けも……」

「何か特に困ったことは」

「トイレです」

即答だ。水を流せないトイレの苦労はリカにもリアルに想像がつく。

「どうなさったんですか」

「津波の水を汲んできて流しました。水が引く前に汲み置きをたくさん作って……」

コロンブスの卵的逆転の発想である。確かに、浸水している間は流す水はいくらでもある。

「ただ、やっぱり生理用品のことは心配でしたね。買い置きが切れたらどうしようって……あと、子供のいる方はおむつも」

年上の隊員も頷く。

「私は生理用品はたくさん買い置きしてあったんですけど、おむつのほうが心配でした。生理と違って毎日のことですから」

男性がいる前では話しにくい内容ではないかとリカは少し空井のことを気にしたが、女性たちは一向に気にかける様子もなくあっけらかんと語っている。空井も少し離れた席で何やら事務をしている。お互い意識しないのは暗黙の了解だろうか。

「でも、防衛省の女性隊員たちが生理用品やおむつをたくさん差し入れしてくださって。お困りでしょうからってメモがついてました。頑張れって」

聞きながら、あれっと引っかかった。防衛省からの差し入れということは——

「支援物資には生理用品やおむつは入ってなかったんですか？」

女性二人は顔を見合わせ、年上の隊員が答えた。

「支援物資は被災者に届けるものですから。基本的に自衛官は受け取らないようにしてました。おむつは分けてもらわなきゃいけなくなるかと思ったけど、差し入れが間に合ったし」

あなたたちだって被災者なのに——と喉までこみ上げたが、その事実を見落としたマスコミの人間が言える台詞ではない。

「あと、お風呂に入れないのも辛かったですね」

「ねー！　二週間入れなかったよね！　髪とかベッタベタで」

「人生で一番自分が臭かったです」

きゃっきゃと笑いながら話す声だけ聞いていると、まるで楽しい世間話のようだ。何てタフな女性たちだろう、と頭が下がる思いだった。

やがて空井が声をかけた。

「施設も見てみますか？」

それを潮に女性隊員への聞き取りを切り上げる。

車で移動するというのでその前にトイレを借りる。手前の個室に入ると、目の高さに付箋紙のメモが貼ってあった。

『お疲れさまです、差し入れです！　女性陣の〝姫〟の日にお役立てください』

生理用品に添えられていたというメモだろう。胸が熱くなった。

手を洗ってからまた個室に戻り、そのメモをカメラに収めた。


運転席に空井が乗り込み、リカは助手席に乗り込んだ。基地内は広いので、取材者の案内には車を出すことが多い。

「支援物資を受け取らなかったんなら、生活必需品ってどうやって調達してたんですか？」

女性隊員の話で気になっていたことを空井に尋ねると、空井は明快に答えた。

「同僚のカンパです」

「カンパ？」

「僕が聞いた話では、全国の基地で自発的に隊員がカンパ物資を提供したそうです。支援物資の輸送は入間基地が主な取りまとめを引き受けてたんですけど、松島便が出るときには自分たちの手荷物を減らしてカンパ品を持ち込んでたって」

自衛官が支援物資を受け取らないと分かっているからこそ、自然発生的にカンパが始まったのだろう。

「でも、それも最低限の生活必需品しか受け取ってないんです。お菓子とかの嗜好品は保管しておいて、ある程度溜まったら避難所に差し入れしてました」

その話にふと思い当たることがあった。スライドのレジュメと一緒にもらった資料だ。基地報に慰問の話が載っていた。

ブルーインパルスのパイロットが一人だけ松島に残っており、地元の小学校を慰問してお菓子をプレゼントしたという内容である。

「まさかあれも」

「お菓子はカンパ品から出してます。慰問で差し入れた物品は全部そうですよ」

「……あなたたちって人は」

涙が滲んで慌ててそっぽを向いた。胸にこみ上げる思いが波打つ。

あなたたちは一体、どこまで私たちに差し出したら気が済むんだろう――

「やーい泣き虫」

空井はさっきの仇《かたき》をここで取りに来た。言い返したらますます泣いてしまいそうで、手も足も出ない。

内心歯嚙みしていると、空井の声が優しくなった。

「あなたたちは何も気にしなくていいんです」

自衛隊はこんなときのためにあるんです。そのようなことをまた言うのだろうかと待ち受けると、空井が続けた言葉は思いがけない方向へ飛んだ。

「僕たちはあなたたちよりも楽をしています」

楽、というのは——目線だけで怪訝に尋ねる。

「有事に果たすべき義務があるということは、それだけで拠《よ》り所になります。辛いことがあったとき、自分にできることがあるだけで人って救われるでしょう？　だから僕たちは被災者を支援しながら、自分自身を救ってもいるんです」

空井の手が髪に触れた。そしてなでる。

「僕がなでたいのでなでます」

ますます涙が止まらなくなった。

今まで空井が泣いたとき、自分がなでていたのは泣きやませるには逆効果だったことを今さら知った。


途中で車を停めてしばらく休み、空井がリカを案内したのは格納庫だった。

中央でぴたりと合わさるはずの扉が歪み、隙間が空いている。

「地震でレールが歪んでしまって、これ以上は閉まらないんです。あの日も……」

整備員がせめて格納庫の扉だけでも閉めて逃げようとしたが、閉めきらずにやむなく避難した。

「隙間から水が流れ込んで、飛行機がぷかぷか浮いちゃって……格納庫の中で押し合いへし合いになったようで、全機が破損してました」

彼らがギリギリまで最善を尽くそうとした痕跡はいくらでもある。ただ報道されていないだけだ。取材に来る者が彼らの思いを汲み上げていない。派手な映像だけをかき集めて去っていく。

「……ごめんなさい」

いたたまれなくなって俯いた。

「あの日の空井さんのメールで、F－2が流されたことを知って報道局に上げました。……理由を添えて報道するようにケアするべきでした」

「いえ、それは僕たちが悪いんです。取材は何件も来ました。帝都テレビからも。一方的に報道されたわけじゃない、取材を受けるチャンスがあったのに、飛行機を避難させられなかった理由をねじ込めなかった。特に帝都は、僕は稲葉さんみたいに強力なツテを持ってるのに、後追いで付け加えることもできなかった」

そして空井はへへっと決まり悪そうに笑った。

「比嘉さんにも叱られました。広報としての義務を果たしてないって」

「それは……」

リカにはあまりにも厳しい言葉のように聞こえる。

「でも、事実なんです。松島基地は被災地のまっただ中にいながら、報道へのアナウンスが全然足りていません。広報の僕らまでが災害救助活動にのめり込んでました。基地の被害についてももっと説明できたし、隊員の活動ももっと伝えられたはずなのに」

空井の目線がわずかに下がる。

「あのときは、広報なんかやってる場合かって思っちゃったんです。多分、みんな。資料写真を撮ってる暇があったら瓦礫が一つ拾えるだろうって」

無理もない。報道関係者ならともかく、自衛隊の広報はそもそもが自衛官だ。専従者はいない。専従に近い状態を維持しようとすると、比嘉のように昇進を諦めることになる。

「でも、僕らがちゃんと広報しないと、隊員の活動は外部に伝わらないんです。被害者を出動の実績にしないために広報活動はあるって僕は比嘉さんに教えられてたのに」

「無理もありませんよ」

ついに口に出た。すると空井は笑った。

「比嘉さんも同じこと言ってました、無理もないけどって。もし十年前だったら自分も資料写真なんか撮ってる場合かって思ってたって」

「……本当は、報道がそうした思いを汲み上げるべきなんです。すみません」

そうしたら彼らは何の憂いもなく災害救助に打ち込むことができるはずなのだ。

インパクトがある映像だからと津波映像を繰り返し流していた当時、視聴者からも苦情が来た。情報がほしくてニュースを見ているのに、悲惨な映像ばかりを見せられていたら絶望的な気持ちになるばかりだという苦言が圧倒的だった。

報道で視聴者に安心を与えることができるはずなのに、今は各社が競争のように不安を与える報道ばかりだ。事件が大きければ大きいほど煽る報道になる。

「ブルーインパルスの飛行場へ行きましょうか」

本来の目的はそれだ。また車に乗り込んで移動した。

飛行場は空っぽだった。ブルーインパルスが芦屋基地に移動しているので当然だ。

詰め所に一歩入って愕然とした。屋内も空っぽだった。階段の前にすのこが敷いてあるくらいで、室内に調度類は見当たらない。

壁もところどころ破れて大穴が開いており、壁紙には津波の跡がシミになって残っている。

飛行場に面した二階の一室は、壁際に床置きでファイルがぎっしり並んでいた。

「クルーでないと分からないから手がつけられなくて……でも、クルーもめったに帰ってこないから一向に整理が進まないんです」

ブルーインパルスが戻ってくるまで、松島基地は復活したとは言えないのだろう。

リカは空井の横顔をそっと窺った。空井は未整理の厖大なファイルを無言で見つめている。

僕は航空自衛隊で一番ブルーが好きな自衛官だと思うんです――いつかの空井の言葉が脳裡に蘇った。

だって届くはずだった自分の手が絶対に届かなくなったのに、まだ好きなんですよ。そんな奴が広報官になったんだから、僕はブルーの魅力を一番よく伝えられると思ってるんです。

その情熱を抱えたまま、空井は着任したはずだ。

ブルーインパルスが松島を去り、空井の情熱はここに置き去りになっている。誰にもどうしようもない事情だが、無念でないわけがない。

「……早く戻ってくるといいですね」

「ええ。松島基地のシンボルですから」

それだけじゃないでしょう、ともどかしさがこみ上げる。

「ブルーインパルスが松島に戻ってきたときにも特集を組まないといけませんね」

そう振ってみると、空井からやっと「僕が異動する前に帰ってきてくれたらいいなぁ」と本音がこぼれた。

夕方まで取材を続け、駅まではまた空井が送ってくれた。

代行バスはまだ来ていなかった。

「寒いから車の中で待ちましょう」

外は吹きさらしだ。空井の申し出をありがたく受ける。

「最後に一つ、質問していいですか」

「何か取材漏れがありましたか？」

「いいえ。個人的な質問です」

首を傾げた空井に問いかける。

「わたしがどんな特集を作ったら嬉しいですか？」

現場の声を聞いた。空気に触れた。

最後に空井から指針をもらって帰ろうと自然に思った。きっと、その言葉が自分の中の羅針盤になる。

「そうですね……」

空井がしばらく考え込む。

「自衛官をヒーローにしてほしくないな、と思います」

どういうことか、今度はリカが首を傾げる。

「震災後、すごく自衛隊がクローズアップされてた時期がありましたよね」

復興の兆しを報道しようと各社が一斉に舵を切った頃だった。自衛隊の災害派遣活動が好意的に扱われていたはずだ。

「ときどき、自衛官は被災地でとても苦労してますって伝え方をされちゃうことがあるんです。家にもろくに帰れず、冷たい缶メシをかじりながら被災者のために頑張っています、って」

「それ、何か問題があるんでしょうか？」

自衛官が苦労していることはもっと世間に伝わるべきだ、とさえ思う。彼らの献身を知らずに無責任に批判する声の多さを思えば、多少は自衛官びいきの報道をしたほうがバランスが取れるくらいだ。

きっとその報道も、自衛官に気持ちが寄り添っているからこそ彼らの苦労を紹介しようとしたはずだ。

「もちろん、そのお気持ちはありがたいんです。それは大前提です。でも、それは報道の皆さんが分かってくれてたら充分なんです。分かってくれてたら自然と報道が公正になるでしょう？」

「もう少し望んでもいいんじゃないですか」

思わずそう反論すると、空井は「もちろん望みはあります」と頷いた。

「僕たちに肩入れしてくれる代わりに、僕たちの活動が国民の安心になるように伝えてほしいんです」

虚を衝かれた。

取材対象である彼らに寄り添うことばかり考えていた。どうして報道がもっと彼らに寄り添えないのか歯痒《はがゆ》く思うばかりだった。

その思い入れの向きを、空井の言葉はそっと正した。背中に手を添えられたような気がした。

くるりと後ろを振り返らされ、——そこには報道を待っている視聴者がいる。

「自衛官の冷たい缶メシを強調されて、国民は安心できますか？　被災者のごはんも同じように冷たいのかって心配しちゃうでしょう？　自衛官の缶メシが冷たいのは、被災者の食事を温めるために燃料を節約してるからです。僕らが冷たい缶メシを食べていることをクローズアップするんじゃなくて、自衛隊がいたら被災者は温かいごはんが食べられるということをクローズアップしてほしいんです。自衛隊は被災地に温かい食事を届ける能力があるって伝えてほしいんです。それはマスコミの皆さんにしかできないことです」

取材対象に寄り添うことは決して間違いではない。寄り添おうとすれば理解が生まれる。理解があれば報道は公正さを保つ。だが、それはスタートラインでしかない。

ゴールにいる視聴者に向けて、自分たちは電波を放つのだ。

気がつくと涙がはらはらとこぼれていた。

「ああ、ごめんなさい、責めてるわけじゃないんです」

空井がリカの頬に手を泳がせる。触れる直前で逡巡した手に、自分から頬を寄せた。空井の手が戸惑ったように涙を拭う。

「責められたなんて思ってません。ただ、……」

言葉を迷う。今のこの気持ちはどうしたら空井に伝わるのか。

「ありがとうございます。一生の指針をいただきました」

この言葉があれば、きっと一生大丈夫だ。迷っても、悩んでも、この言葉に立ち戻れば正しい道が見える。

「バスが来ましたよ」

空井の手が頬から離れる。とっさに摑まえ、両手で包んだ。額に押し戴く。手の温《ぬく》みを覚えるように。

手放しながら恥ずかしくなって、逃げるように助手席を降りた。

「稲葉さん！」

呼び止められて振り向くと、まっすぐな目に射抜かれた。

「ずっと見てます。稲葉さんの仕事をずっと見ています」

これ以上はないほどの餞《はなむけ》の言葉だった。

fin.

あとがき

本当ならこの本は二〇一一年の夏に出る予定でした。

その年の三月に何が起こったかは皆さんよくご存じのことと思います。

この物語は航空自衛隊の広報を題材にして書いたものです。また、作中でブルーインパルスのことにも触れています。

ブルーインパルスの母基地である航空自衛隊松島基地は、あの震災で大きな痛手を受けました。松島基地の、そして空自広報の3・11に触れないまま本を出すことはできないと判断しました。

出版社がその意志に賛同してくれた結果、二〇一二年の夏にこの本が出ています。

『あの日の松島』を書くために、松島基地を訪ねました。防衛省の航空幕僚監部広報室にも再び訪れました。

取材の途中で「すみません」と謝りながら涙ぐむ人が何人もいました。「悲しいわけじゃないんですけど、大丈夫なんですけど、何でか急にこうなっちゃうんです」と。

悲しくないわけがなかったろうと思います。大丈夫だったわけがないだろうと思います。彼らが未だにふとした拍子に涙するのは、一番大変なときに一番大変なところへ、私たちの代わりに駆けつけてくれるからです。

私たちの代わりに被災地に手を差し伸べてくれるからです。

一番悲しみの溢れる場所へ赴いて、彼らはその地の悲しみに立ち会うのです。しかし、彼らは決して当事者のような顔をしません。立ち会っているだけだから悲しむ資格はないと自分の涙を詫びるのです。

一体何という清廉《せいれん》な人たちに私たちは守られているのだろうと思います。

清廉な彼らはあの日の自分たちをドラマチックに脚色されることを望んでいません。ですから、『あの日の松島』では、稲葉リカにそんな彼らをただ見てきてもらうことにしました。

皆さんに等身大の彼らが届くことを祈っています。


『空飛ぶ広報室』は、鷺坂一佐（仮）に「航空自衛隊をネタに小説をお書きになりませんか」とある日突然持ちかけられて誕生した物語です。

「いろいろ面白い部署があります。まずはお話を聞きに来られませんか」と誘われて、のこのこ防衛省に出かけました。

いろんなお話を聞かせていただきましたが、私が一番面白いと思ったのは、ある日突然作家に売り込みをかけてきた広報室長がいる航空幕僚監部広報室でした。

半年ほどの取材期間で、広報室の皆さんには本当にお世話になりました。異動してしまった方もたくさんおられますが、聞かせていただいたお話すべてがこの作品に生かされています。本当にありがとうございました。

異動した方と松島基地の取材で再会できたのは嬉しい驚きでした。再会した瞬間、『あの日の松島』で空井が松島に異動していたという設定が浮かびました。

鷺坂一佐（仮）は「私はあんなキャラじゃありませんよ」と未だに言い張っていますが、先日お会いしたときも「こないだキャラメルボックスとコラボした小説を出してましたね」と無敵のミーハーぶりを誇っていました。

比嘉一曹（仮）は「同僚に『比嘉ちゃん』て呼ばれました」と苦笑していました。

モデルとしては登場しませんでしたが、誰よりもたくさん広報ネタを提供してくださった二尉もいます。本当にたくさん助けていただきました。


自衛隊をモデルに今までいろんな物語を書いてきましたが、今回ほど平時と有事の彼らの落差を思い知らされたことはありません。

ごく普通の楽しい人たちです。私たちと何ら変わりありません。しかし、有事に対する覚悟があるという一点だけが違います。

その覚悟に私たちの日常が支えられていることを、ずっと覚えていたいと思います。

有川　浩

【参考文献】

[絵解き]広報活動のすべて―― プレスリリースの作り方からメディア対応まで
(山見博康　PHPビジネス選書　2005年)

わかる! 使える! 広報活動のすべて―― 伝わるPRの方法から、ネット広報、危機対応まで
(山見博康　PHPビジネス新書　2008年)

この1冊ですべてわかる 広報・PRの基本
(山見博康　日本実業出版社　2009年)

広報力が会社を救う
(萩原誠　毎日新聞社　2003年)

実践マニュアル 危機管理と広報―― クライシス・コミュニケーション100のポイント
(五十嵐寛　東洋経済新報社　2007年)

【取材協力】

航空自衛隊

ブックデザイン　カマベヨシヒコ
カバー写真　藤岡雅樹(小学館)

本書はフィクションです。
E★エブリスタ連載(2010年6月～2011年5月)に、
『あの日の松島』を書き下ろしました。

【著者紹介】

有川 浩(ありかわ ひろ)　高知県出身。『塩の街』で電撃小説大賞＜大賞＞を受賞し2004年デビュー。「図書館戦争」シリーズをはじめ、『阪急電車』『三匹のおっさん』『シアター！』『キケン』『ストーリー・セラー』『県庁おもてなし課』など著書多数。「ダ・ヴィンチ」(2012年1月号)＜BOOK OF THE YEAR 2011 総合編＞で『県庁おもてなし課』が第1位を獲得、＜好きな作家ランキング 女性編＞でも第1位など、幅広い世代から支持される。演劇界でも様々な取り組みを見せている。

空飛ぶ広報室

2012年7月25日　第1刷発行
2012年8月10日　第2刷発行

著　者…………　有川 浩

発行者…………　見城 徹

発行所…………　株式会社 幻冬舎

〒151-0051東京都渋谷区千駄ヶ谷4-9-7
電話　03(5411)6211(編集)
　　　03(5411)6222(営業)
　　　振替 00120-8-767643

印刷・製本………　中央精版印刷株式会社

Printed in Japan
ISBN978-4-344-02217-1　C0093
幻冬舎ホームページアドレス　http://www.gentosha.co.jp/

この本に関するご意見・ご感想をメールでお寄せいただく場合は、
comment@gentosha.co.jpまで。